Roseline Prachen

Gestion Financière II

Hiver 96

AUTRES OUVRAGES DES AUTEURS

Denis Morissette et Wilson O'Shaughnessy

- **Décisions financières de l'entreprise,** Trois-Rivières, Les Editions SMG, 1988, xvii et 391 pages.

- **Décisions financières à long terme,** Trois-Rivières, Les Editions SMG, 1990, xvii et 514 pages.

Wilson O'Shaughnessy

- **Mathématiques financières/Finance Personnelle, Finance Corporative,** Trois-Rivières, Les Editions SMG, 1991, xviii et 423 pages.

- **Décisions financières et micro-informatique,** Trois-Rivières, Les Editions SMG, 1985, xxii et 240 pages.

DÉCISIONS FINANCIÈRES À COURT TERME

LES ÉDITIONS SMG
C.P. 1954 Trois-Rivières QC
G9A 5M6 Tél. (819) 376-5650

Décisions financières à court terme
Copyright © 1990, Les Éditions SMG

Bibliothèque nationale du Québec
Bibliothèque nationale du Canada

ISBN 2-89094-036-5

DÉCISIONS FINANCIÈRES

À COURT TERME

ANALYSE ET PRÉVISIONS FINANCIÈRES
GESTION DU FONDS DE ROULEMENT

Denis Morissette
Wilson O'Shaughnessy

Département d'Administration et d'Économique
Université du Québec à Trois-Rivières

Les Éditions SMG
Trois-Rivières, QC

AVANT-PROPOS

Contenu

Le présent ouvrage se divise en deux parties. La première partie (chapitres 1 à 3) porte sur les méthodes d'analyse et de prévisions financières les plus couramment utilisées. Les sujets suivants sont notamment abordés: l'analyse du point mort, les effets de levier d'exploitation et financier, l'analyse verticale et horizontale des états financiers, l'analyse par ratios, l'analyse de l'état de l'évolution de la situation financière, le budget de caisse et les états financiers prévisionnels. Dans la seconde partie du volume (chapitres 4 à 7), nous traitons de la gestion du fonds de roulement. Le chapitre 4 donne un aperçu général de la gestion du fonds de roulement alors que les chapitres 5 à 7 abordent la gestion de chacun des postes composant le fonds de roulement net de l'entreprise. Finalement, en annexe, nous rappelons les concepts fondamentaux des mathématiques financières.

Approche pédagogique

L'approche pédagogique se caractérise par les particularités suivantes:

1. Le texte est rédigé dans un langage simple et facilement accessible à des non-spécialistes de la discipline.

2. Dans le but d'illustrer les concepts théoriques présentés, nous avons recours, tout au long de cet ouvrage, à de nombreux exemples numériques.

3. Plusieurs exercices, de difficultés variables, sont présentés à la fin de chaque chapitre et permettent au lecteur de vérifier son degré de compréhension des sujets étudiés et d'approfondir ses connaissances de la matière. Les réponses aux exercices proposés apparaissent à la fin de l'ouvrage.

4. Une annexe permettra au lecteur de voir ou de revoir les concepts fondamentaux des mathématiques financières. Cette annexe devrait être lue avant d'aborder l'étude du chapitre 3.

5. Toutes les formules importantes apparaissent en caractères gras.

6. Les tables financières requises et une table de la loi normale figurent à la fin du volume.

Clientèle visée

Ce volume s'adresse aussi bien aux praticiens de la finance qu'aux étudiants(es) en administration, en comptabilité et en finance. Il peut être utilisé dans les cours de base en finance corporative aux niveaux collégial et universitaire.

Remerciements

En terminant, nous tenons à souligner l'apport de messieurs Gérald Baillargeon, Gérald Bédard, Jean Desrochers, Jacques Rainville, François Soumis et de madame Josée St-Pierre qui nous ont fait part de nombreuses suggestions et remarques pertinentes. Nous remercions également nos étudiants(es) de l'année 1989 à l'Université du Québec à Trois-Rivières qui, par leurs questions, commentaires et suggestions, suite à l'utilisation d'une version préliminaire de ce texte, nous ont permis d'améliorer sensiblement la qualité de ce volume. Enfin il convient de remercier madame Jacqueline Hayes pour son excellent travail de dactylographie.

Denis Morissette
Wilson O'Shaughnessy
Mars 1990

TABLE DES MATIÈRES

Chapitre 3. LA PRÉVISION FINANCIÈRE   81

Chapitre 4. LA GESTION DU FONDS DE ROULEMENT   117

SOMMAIRE

Chapitre 1

L'analyse du point mort et l'effet de levier

Chapitre 1

L'ANALYSE DU POINT MORT ET L'EFFET DE LEVIER

1.1   INTRODUCTION

Dans le but de générer des revenus, une entreprise doit nécessairement encourir des coûts (salaires, matières premières, amortissement, assurances, intérêts, taxes, etc). Certains coûts sont fixes, alors que d'autres varient directement avec les ventes ou le niveau de production. La présence de charges fixes dans l'entreprise va donner lieu à un effet de levier, c'est-à-dire que le taux de variation des bénéfices sera plus important que le taux de variation dans le volume des ventes. Ainsi, dans le cas d'une entreprise devant assumer des frais fixes d'exploitation et/ou financiers, on peut s'attendre à ce qu'une augmentation (diminution) de x% dans le volume des ventes entraîne une augmentation (diminution) du bénéfice excédant x%.

On distingue trois types de levier, soit le levier d'exploitation, le levier financier et l'effet global de ces deux leviers sur l'entreprise que l'on désigne comme étant le levier combiné ou total. Le levier d'exploitation découle de l'utilisation de méthodes de production qui nécessitent des déboursés fixes, alors que le levier financier est attribuable à l'utilisation de modes de financement qui exigent des sorties de fonds fixes, comme les obligations et les actions privilégiées. Plus loin dans ce chapitre, nous montrerons comment mesurer, interpréter et appliquer ces trois types de levier. Toutefois, il convient auparavant de décrire les différents types de coûts d'une entreprise et d'aborder la technique de l'analyse du point mort.

1.2   LES DIFFÉRENTS TYPES DE COÛTS

Les coûts totaux d'une entreprise peuvent être subdivisés en coûts fixes et en coûts variables[1].

Les coûts fixes

Les coûts fixes sont ceux qui sont indépendants des ventes ou du niveau de production au cours d'une période de temps spécifique. L'amortissement, les frais de location, les intérêts sur la dette, les assurances, les salaires de certains cadres, les frais d'administration, les taxes foncières, licences et permis sont quelques exemples de coûts fixes.

Il est à noter que le coût fixe unitaire est en relation inverse avec le nombre d'unités produites au cours d'une période donnée.

---

[1] Certains coûts sont en partie fixes et en partie variables. On les appelle les coûts semi-fixes ou semi-variables. Un exemple serait le cas d'un gérant des ventes d'un magasin au détail dont le salaire total annuel est établi comme suit: salaire de base annuel de 10 000$ + 2% du montant des ventes du magasin excédant 500 000$.

Les coûts variables

Les coûts variables sont ceux qui dépendent des ventes ou du niveau de production. Dans cette catégorie, on retrouve les frais de main-d'oeuvre directe, les matières premières, les commissions sur les ventes, les coûts énergétiques liés aux équipements de production, etc.

Il est à noter que, si on suppose une fonction de coût linéaire, le coût variable unitaire sera alors constant.

La figure 1 permet de visualiser le comportement des coûts fixes, des coûts variables et des coûts totaux en fonction du nombre d'unités produites.

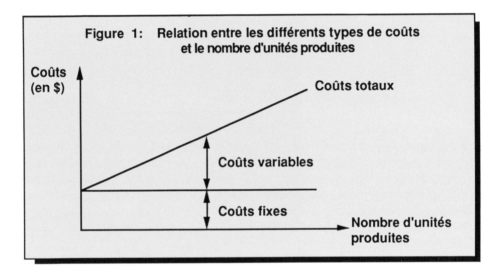

Figure 1:   Relation entre les différents types de coûts et le nombre d'unités produites

1.3   L'ANALYSE DU POINT MORT

1.3.1 Le point mort général

L'analyse du point mort étudie la relation existant entre les frais fixes, les frais variables, les ventes et les profits de l'entreprise. Ce genre d'analyse peut notamment être utile à l'administrateur lors du lancement d'un nouveau produit (fixation du prix de vente) et dans le choix d'une technologie de production (l'entreprise devrait-elle opter pour une technologie de production nécessitant des frais variables élevés et peu de frais fixes ou vice-versa?).

On peut définir le point mort ou seuil de rentabilité comme étant le niveau de production pour lequel l'entreprise ne réalise aucun profit, ni aucune perte. Autrement dit, c'est le niveau de production pour lequel les revenus totaux égalent les coûts totaux (c.-à-d. les coûts fixes plus les coûts variables).

Calcul algébrique du point mort

Définissons les symboles suivants:

X: Volume en unités. On suppose habituellement dans ce genre d'analyse que le nombre d'unités produites correspond au nombre d'unités vendues.

F: Coûts fixes totaux[2].

v: Coût variable unitaire. Le coût variable unitaire est supposé constant sans égard au volume.

p: Prix de vente unitaire. A l'instar du coût variable unitaire, le prix de vente unitaire est supposé constant peu importe le volume.

Comme au point mort les revenus totaux égalent les coûts totaux, on peut écrire:

Revenus totaux = Coûts totaux

$$X \cdot p = X \cdot v + F \qquad (1)$$

En isolant X dans l'expression précédente, on obtient alors:

$$X = \frac{F}{p - v} \qquad (2)$$

Cette dernière expression indique que le seuil de rentabilité est lié directement à l'importance des frais fixes totaux (c.-à-d. les frais fixes d'exploitation et les frais fixes financiers) et, de façon inverse, à la marge de contribution unitaire (c.-à-d. à l'écart entre le prix de vente unitaire et le coût variable unitaire). Cela signifie qu'une entreprise peut abaisser le niveau de son point mort en diminuant ses frais fixes totaux, en augmentant son prix de vente unitaire ou en abaissant son coût variable unitaire.

Exemple

On dispose des données financières suivantes concernant l'entreprise MBK:

MBK Inc.

Etat des résultats pour l'année se terminant le 31 décembre 199X

Ventes: 5000 unités à 500$/unité		2 500 000 $
Moins:		
Frais d'exploitation		
- Frais variables		
. Matières premières (100$/unité)	500 000 $	
. Main-d'oeuvre directe (125$/unité)	625 000	
. Frais généraux de production et de vente (25$/unité)	125 000	1 250 000

---

[2] Dans une perspective à long terme, tous les coûts de l'entreprise sont évidemment variables.

Frais fixes

. Salaire des cadres	100 000 $	
. Assurances	25 000	
. Amortissement	250 000	
. Taxes foncières et autres	25 000	
. Chauffage, électricité et entretien	50 000	450 000

Bénéfice avant intérêt et impôt (BAII)	800 000 $
Moins: Intérêts sur la dette	550 000
Bénéfice avant impôt	250 000 $
Moins: Impôt (40%)	100 000
Bénéfice net	150 000 $
Bénéfice par action (500 000 actions)	0,30 $

a)   A partir des renseignements ci-dessus, calculez le point mort général de l'entreprise MBK.

b)   Quel serait l'impact sur le point mort de l'entreprise d'une diminution des frais fixes de 250 000 $? D'une augmentation de 150 $ du prix de vente unitaire jumelée à une hausse de 50 $ du coût variable unitaire?

Solution

a)   A partir des données figurant à l'état des résultats, on trouve que le coût variable unitaire est de 250 $ (100 $ + 125 $ + 25 $), que les frais fixes totaux s'élèvent à 1 000 000 $ (450 000 $ + 550 000 $) et que le prix de vente unitaire est de 500 $. Par conséquent, à l'aide de l'expression (2), le point mort général de l'entreprise MBK se calcule ainsi:

$$X = \frac{1\ 000\ 000}{500 - 250} = 4000 \text{ unités}$$

Comme la figure 2 permet de le visualiser, lorsque ses ventes excèdent 4000 unités, l'entreprise MBK réalise des profits. A l'inverse, lorsque ses ventes sont inférieures à 4000 unités, l'entreprise est déficitaire. Finalement, pour un volume des ventes de 4000 unités, l'entreprise ne réalise ni gain, ni perte.

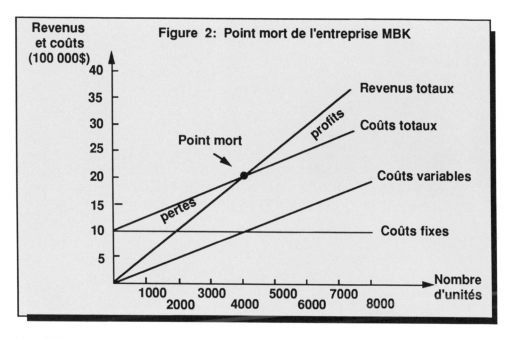

Figure 2: Point mort de l'entreprise MBK

b)   Si les frais fixes passent de 1 000 000$ à 750 000$, le nouveau point mort sera alors:

$$X = \frac{750\ 000}{500 - 250} = 3000 \text{ unités}$$

On constate qu'une diminution des frais fixes occasionne une baisse du niveau du point mort.

Si le prix de vente unitaire augmente de 150$ et que simultanément le coût variable unitaire augmente de 50$, le nouveau point mort sera alors:

$$X = \frac{1\ 000\ 000}{650 - 300} = 2857 \text{ unités}$$

On observe qu'une augmentation de la marge de contribution unitaire a pour effet d'abaisser le niveau du point mort.

1.3.2   Le point mort en fonction du montant des ventes

Dans certaines situations, en particulier pour une entreprise qui vend plusieurs produits à différents prix, il est plus utile de calculer le point mort en fonction du montant des ventes, plutôt qu'en fonction du nombre d'unités vendues comme nous l'avons fait à la section précédente. Les seules informations requises pour effectuer le calcul sont alors les coûts fixes, les coûts variables et les ventes de l'entreprise.

Reprenons l'exemple précédent et calculons le montant des ventes qui permettra à l'entreprise de couvrir la totalité de ses frais (fixes et variables). Pour ce faire, on peut procéder ainsi:

1. Au point mort, on a:

$$S^* = F + V \qquad (3)$$

où S^*: Montant des ventes au point mort
  V: Coûts variables
  F: Frais fixes

2. Etant donné que le prix de vente et le coût variable à l'unité sont, par hypothèse, constants, il en découle que le rapport entre les coûts variables (V) et les ventes (S) est lui aussi constant. Dans ces conditions, l'expression (3) peut s'écrire:

$$S^* = F + \left(\frac{V}{S}\right) S^*$$

En isolant S^* dans l'expression précédente, on obtient alors:

$$S^* = \frac{F}{1 - \dfrac{V}{S}} \qquad (4)$$

Dans le cas de l'entreprise MBK (voir les données de l'exemple précédent), on a les valeurs suivantes:

F = 1 000 000$ S   = 2 500 000$
V = 1 250 000$ V/S = 0,50

Par conséquent, le point mort en fonction du montant des ventes peut se calculer ainsi:

$$S^* = \frac{1\ 000\ 000}{1 - 0,50} = 2\ 000\ 000\$$$

Afin d'atteindre son seuil de rentabilité, le montant total des ventes de l'entreprise MBK doit donc être de 2 000 000$, soit 4000 unités x 500$/unité.

1.3.3   L'analyse du point mort dans le cas non linéaire

Dans bien des cas, il est raisonnable de croire qu'une diminution du prix de vente provoquera une augmentation du volume des ventes. De plus, il est probable que le coût variable moyen à l'unité diminue à partir d'un certain niveau de production, puis se met à augmenter. Dans ces conditions, le graphique du point mort pourrait ressembler à la figure 3.

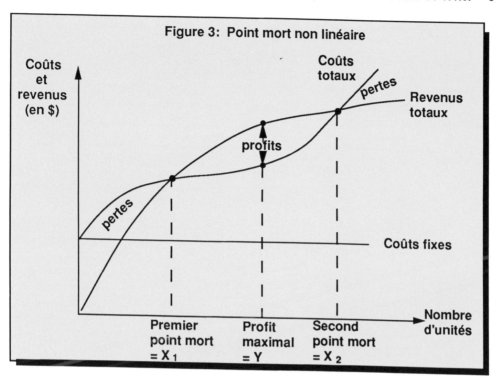

Figure 3: Point mort non linéaire

Selon ce modèle non linéaire, il existe deux points morts (X_1 et X_2). L'entreprise réalise des profits si la quantité vendue se situe quelque part entre ces deux points; autrement, elle est déficitaire.

La pente de la courbe des coûts totaux correspond au coût marginal (CM) et celle des revenus totaux mesure le revenu marginal (RM). Comme l'enseigne la microéconomie, lorsque les deux pentes sont identiques (c.-à-d. lorsque RM = CM), les profits de l'entreprise sont à leur maximum. Dans ce cas, l'écart entre les deux courbes est maximal. Pour maximiser ses profits, l'entreprise doit donc vendre Y unités.

1.3.4   Le point mort d'encaisse

Le point mort général nous a permis de connaître le nombre d'unités que doit vendre l'entreprise afin d'être en mesure de couvrir tous ses coûts. Il serait maintenant intéressant de calculer le nombre d'unités que cette dernière doit vendre afin de pouvoir rencontrer ses obligations nécessitant des déboursés. Pour ce faire, il nous faudra alors ignorer les dépenses apparaissant à l'état des résultats qui ne requièrent pas de sorties d'argent. La principale dépense de cette nature est habituellement l'amortissement.

Si on revient à l'exemple de la compagnie MBK, on constate que la dépense d'amortissement s'élève à 250 000$, ce qui implique que les coûts fixes nécessitant des déboursés sont de 750 000$. Si on suppose que les recettes correspondent aux ventes, le point mort d'encaisse (X_e) de cette entreprise peut alors se calculer ainsi:

$$X_e = \frac{750\ 000}{500 - 250} = 3000 \text{ unités}$$

Il est à noter que le point mort d'encaisse d'une entreprise se situe toujours à un niveau inférieur (ou égal) à son seuil de rentabilité puisque ses coûts fixes totaux sont toujours supérieurs (ou égaux) à ses coûts fixes entraînant des sorties de fonds. Dans notre exemple, le point mort d'encaisse de l'entreprise MBK se situe à 3000 unités, alors que son seuil de rentabilité est de 4000 unités. (voir figure 4).

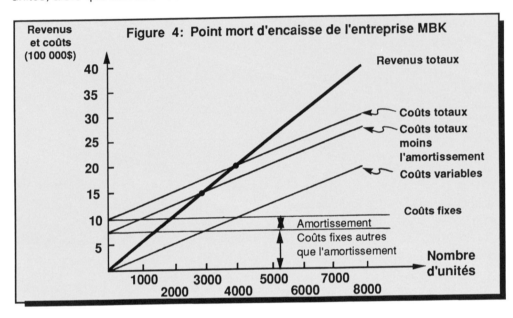

Figure 4: Point mort d'encaisse de l'entreprise MBK

1.3.5   Limites de l'analyse du point mort

L'analyse du point mort peut sembler à priori fort simple et fournir des résultats très précis. Toutefois, l'application de cette technique dans un contexte réel soulève d'importantes difficultés qu'il convient de discuter brièvement.

1. Une première difficulté concerne la classification des coûts fixes et variables. En pratique, comme plusieurs coûts sont en partie fixes et en partie variables, la catégorisation n'est pas toujours facile.

2. Nous avons supposé (sauf à la section 1.3.3) que le prix et le coût variable à l'unité sont constants et ce, peu importe le volume (modèle linéaire). Or, dans bien des cas, cette hypothèse n'est pas conforme à la réalité et l'on doit alors utiliser un modèle non linéaire de façon à rendre l'analyse plus représentative de la réalité économique.

3. Un problème peut également survenir si l'entreprise a un mixte de produits. Dans ce cas, l'analyse du point mort ne peut être faite à moins que le mixte des produits ne change pas. Si le mixte change, il devient nécessaire de préparer une analyse séparée pour chacun des produits et l'on devra alors ventiler les dépenses qui sont communes, ce qui peut poser certaines difficultés.

4. Les données nécessaires à l'analyse du point mort sont habituellement obtenues à partir des observations historiques. Cependant, particulièrement pour des entreprises en forte croissance, les données historiques peuvent être plus ou moins pertinentes.

5. L'analyse traditionnelle du point mort ne prend aucunement en considération le caractère aléatoire des variables telles que le volume des ventes, le prix de vente, le coût variable unitaire et les coûts fixes. La prise en compte de l'incertitude dans l'analyse du point mort est abordée brièvement en annexe à ce chapitre.

En conclusion, on peut dire que le point mort est tout de même un outil financier utile s'il est bien employé. Il constitue en quelque sorte une première approche pour estimer le prix de vente ou le volume de ventes requis.

1.4   L'EFFET DE LEVIER

La notion de levier n'est pas exclusive au domaine financier. En effet, cette notion est d'usage courant dans de nombreuses disciplines, notamment en physique et en économique. Par exemple, en physique, un levier constitue un point d'appui à partir duquel il est possible de déplacer une masse substantielle en n'ayant recours qu'à une force modeste. En finance, on parlera d'effet de levier lorsqu'une entreprise a recours à des méthodes de production ou utilise des modes de financement qui nécessitent des déboursés fixes. Le point d'appui sera alors les frais fixes et la présence de ces derniers influencera à la fois la rentabilité et le risque de l'entreprise.

Comme nous l'avons mentionné en introduction à ce chapitre, il existe trois types de levier, soit le levier d'exploitation, le levier financier et le levier total. Ci-dessous, nous discutons successivement de ces trois catégories de levier.

1.4.1   Le levier d'exploitation

L'effet de levier d'exploitation, que l'on appelle également levier de premier niveau, est attribuable à la présence des frais fixes d'exploitation. Plus les charges fixes d'exploitation d'une entreprise sont importantes relativement à ses frais variables, plus l'effet de levier d'exploitation sera prononcé. Cet effet de levier se mesure à l'aide d'un coefficient que l'on appelle le coefficient de levier d'exploitation. Le coefficient de levier d'exploitation (CLE), à un niveau donné du volume des ventes, nous indique le changement en pourcentage du bénéfice avant intérêt et impôt qui résulterait d'un changement donné en pourcentage dans le volume des ventes. On peut calculer ce coefficient à l'aide de l'expression suivante:

Calcul du CLE

$$\text{CLE (à un niveau donné du volume des ventes)} = \frac{\text{Variation du bénéfice avant intérêt et impôt (en pourcentage)}}{\text{Variation du nombre d'unités vendues (en pourcentage)}}$$

$$= \frac{\Delta BAII/BAII}{\Delta X/X}$$

$$= \left(\frac{\Delta BAII}{\Delta X}\right)\left(\frac{X}{BAII}\right) \tag{5}$$

Dans le but d'accélérer les calculs, on peut également utiliser l'expression (5a) pour déterminer le CLE[3]:

$$\textbf{CLE (à un niveau donné du volume des ventes)} = \frac{X(p - v)}{X(p - v) - F_e} \tag{5a}$$

où X: Volume en unités
    p: Prix de vente unitaire
    v: Coût variable unitaire
    F_e: Frais fixes d'exploitation

Le coefficient de levier d'exploitation a un impact direct sur le risque d'affaires (c.-à-d. sur la variabilité du BAII) d'une entreprise.   Toutes choses étant égales par ailleurs, on peut dire que plus le coefficient de levier d'exploitation d'une entreprise est élevé, plus son risque d'affaires le sera.   Toutefois, le coefficient de levier d'exploitation n'est pas le seul facteur qui influe sur le risque d'affaires.   En effet, la variabilité du volume des ventes, la stabilité du prix de vente unitaire et des frais d'exploitation sont autant de facteurs à considérer dans l'appréciation du risque d'affaires d'une firme.   Dans ces conditions, il est possible que le coefficient de levier d'exploitation d'une entreprise soit élevé et, qu'en même temps, cette dernière, à cause notamment de la stabilité relative de ses ventes, présente un faible risque d'affaires.   Une entreprise de services publics, comme les entreprises Bell Canada, en est un exemple.

---

3 Pour obtenir l'équation (5a), à partir de l'équation (5), on procède ainsi:
   i)   A l'aide des symboles définis ci-dessus, le bénéfice avant intérêt et impôt (BAII) s'exprime ainsi: $BAII = X(p - v) - F_e$.
   ii) Etant donné que les frais fixes sont, par définition, constants, une variation du volume des ventes de ΔX unités entraînera une variation du BAII de $\Delta X(p - v)$\$.
   iii) Par conséquent:
   $$\frac{\Delta BAII}{\Delta X} = \Delta X \frac{(p - v)}{\Delta X}$$
   et
   $$CLE = \left(\frac{\Delta BAII}{\Delta X}\right)\left(\frac{X}{BAII}\right)$$
   $$= (p - v)\left(\frac{X}{X(p - v) - F_e}\right)$$
   $$= \frac{X(p - v)}{X(p - v) - F_e}$$

Exemple. A l'aide des données relatives à l'entreprise MBK (voir l'exemple apparaissant dans la section sur l'analyse du point mort), déterminez:

a) le coefficient de levier d'exploitation de l'entreprise MBK à un niveau des ventes de 5000 unités;

b) la variation, en pourcentage, du BAII qui résulterait d'une augmentation du volume des ventes de 25% par rapport au niveau actuel;

c) la variation, en pourcentage, du BAII qui résulterait d'une diminution du volume des ventes de 25% par rapport au niveau actuel.

Solution

a) Ici, on a:

X: 5000 unités
p: 500$
v: 250$
F_e: 450 000$

En utilisant l'expression (5a), on obtient alors:

$$\text{CLE (à 5000 unités)} = \frac{5000(500 - 250)}{5000(500 - 250) - 450\ 000} = 1,5625$$

Ce résultat nous indique qu'une variation de 1% du volume des ventes entraînerait une variation du BAII de 1,5625%.

b) La variation, en pourcentage, du BAII peut se calculer ainsi:

$$
\begin{aligned}
\Delta\text{BAII (en \%)} &= \Delta X(\text{en \%}) \cdot \text{CLE (à 5000 unités)} \\
&= (25\%)\ (1,5625) \\
&= 39,0625\%.
\end{aligned}
$$

On peut donc conclure que si les ventes de l'entreprise MBK passent de 5000 à 6250 unités (hausse de 25%), le BAII de cette entreprise passera alors de 800 000$ à 1 112 500$ (hausse de 39,0625%). On peut vérifier cela en effectuant les calculs détaillés suivants:

	Nombre d'unités vendues (X)	
	5000	**6250**
Ventes (X · p)	2 500 000 $	3 125 000 $
Frais variables (X · v)	1 250 000	1 562 500
Frais fixes d'exploitation (F_e)	450 000	450 000
Bénéfice avant intérêt et impôt (BAII)	800 000 $	1 112 500 $

d'où: ΔBAII (en %) = $\dfrac{1\,112\,500 - 800\,000}{800\,000}$ = 39,0625%.

c)   La variation, en pourcentage, du BAII serait alors:

$$
\begin{aligned}
\Delta\text{BAII (en \%)} \quad &= \quad \Delta X \text{ (en \%)} \cdot \text{CLE (à 5000 unités)} \\
&= \quad (-25\%)\,(1{,}5625) \\
&= \quad -39{,}0625\%, \text{ soit une diminution de } 39{,}0625\%.
\end{aligned}
$$

L'exemple précédent nous permet de constater que le levier d'exploitation agit dans les deux sens. En effet, lorsque l'entreprise utilise l'effet de levier d'exploitation, une augmentation du volume des ventes entraîne une augmentation plus que proportionnelle du BAII, tandis qu'une diminution du volume des ventes se traduit par une diminution plus que proportionnelle du BAII.

Propriétés du coefficient de levier d'exploitation

Dans le but d'en faciliter l'interprétation, il est sans doute utile d'énoncer certaines propriétés du coefficient de levier d'exploitation.

1. Lorsque les frais fixes d'exploitation sont nuls, le coefficient de levier d'exploitation vaut 1. Dans ce cas, une variation de 1% du volume des ventes provoquera une variation de 1% du BAII.

2. Le coefficient de levier d'exploitation, au niveau des ventes pour lequel le bénéfice avant intérêt et impôt est nul (c.-à-d. lorsque $X = \dfrac{F_e}{p - v}$), a une valeur indéterminée. Le CLE, lorsque calculé à un niveau des ventes voisin de $\dfrac{F_e}{p - v}$ sera donc très élevé (en valeur absolue).

3. Lorsque le volume des ventes excède $\dfrac{F_e}{p - v}$, le coefficient de levier d'exploitation prend une valeur positive. Dans ce cas, le volume des ventes et le BAII varient dans la même direction.

4. Pour des volumes de ventes supérieurs à $\dfrac{F_e}{p - v}$, le coefficient de levier d'exploitation diminue (à un taux décroissant) au fur et à mesure qu'augmente le volume des ventes et tend asymptotiquement vers 1. Pour illustrer, calculons le coefficient de levier d'exploitation de l'entreprise MBK pour différents volumes de ventes:

$$\text{CLE (à 2000 unités)} \quad = \quad \frac{2000(500 - 250)}{2000(500 - 250) - 450\,000} \quad = 10$$

$$\text{CLE (à 4000 unités)} \quad = \quad \frac{4000(500 - 250)}{4000(500 - 250) - 450\,000} \quad = 1{,}82$$

$$\text{CLE (à 10 000 unités)} = \frac{10\ 000(500 - 250)}{10\ 000(500 - 250) - 450\ 000} = 1,22$$

$$\text{CLE (à 25 000 unités)} = \frac{25\ 000(500 - 250)}{25\ 000(500 - 250) - 450\ 000} = 1,08$$

$$\text{CLE (à 100 000 unités)} = \frac{100\ 000(500 - 250)}{100\ 000(500 - 250) - 45\ 000} = 1,02$$

1.4.2   Le levier financier

L'effet de levier financier, que l'on appelle également levier de second niveau, est attribuable à la présence de charges financières fixes (intérêts sur la dette, dividendes versés aux actionnaires privilégiés) qui doivent être payées peu importe le bénéfice avant intérêt et impôt de l'entreprise. Comme nous en discutons dans notre autre ouvrage traitant des décisions financières à long terme, l'existence des charges de cette nature a pour effet d'accroître à la fois le rendement espéré et le risque du capital-actions ordinaire.

On mesure l'effet de levier financier à l'aide d'un coefficient que l'on appelle le coefficient de levier financier. Le coefficient de levier financier (CLF), à un niveau donné du BAII, indique le changement en pourcentage du bénéfice par action (BPA) qui résulterait d'un changement donné en pourcentage dans le niveau du BAII.

Calcul du CLF

$$\begin{array}{c}\text{CLF} \\ \text{(à un niveau donné du BAII)}\end{array} = \frac{\text{Variation du BPA (en \%)}}{\text{Variation du BAII (en \%)}}$$

$$= \frac{\Delta BPA/BPA}{\Delta BAII/BAII}$$

$$= \left(\frac{\Delta BPA}{\Delta BAII}\right)\left(\frac{BAII}{BPA}\right) \tag{6}$$

Une formule plus rapide que l'expression (6) pouvant servir au calcul du coefficient de levier financier est la suivante[4] :

$$\text{CLF (à un niveau donné du BAII)} = \frac{X(p - v) - F_e}{X(p - v) - F_e - INT - DP[1/(1-T)]} \tag{6a}$$

où X: Volume en unités
   p: Prix de vente unitaire
   v: Coût variable unitaire
   F_e: Frais fixes d'exploitation
   INT: Intérêts sur la dette
   DP: Dividendes versés aux actionnaires privilégiés
   T: Taux d'impôt de l'entreprise

Exemple. A l'aide des données relatives à l'entreprise MBK (voir l'exemple apparaissant dans la section sur l'analyse du point mort), déterminez:

a) le coefficient de levier financier de l'entreprise MBK pour un BAII de 800 000$ et un volume des ventes de 5000 unités;

b) la variation, en pourcentage, du BPA qui résulterait d'une augmentation du BAII de 25% par rapport au niveau actuel;

c) la variation, en pourcentage, du BPA qui résulterait d'une diminution du BAII de 25% par rapport au niveau actuel.

Solution

a) Ici, on a:
   X: 5000 unités
   p: 500$
   v: 250$
   F_e: 450 000$

---

[4] L'équation (6a) est obtenue à partir de l'équation (6) en procédant de la façon suivante:

i)   Le bénéfice par action ordinaire (BPA) se calcule ainsi:

$$BPA = \frac{(BAII - INT)(1 - T) - DP}{N}$$

où N: Nombre d'actions ordinaires en circulation.

ii) Etant donné que les intérêts sur la dette et les dividendes privilégiés sont fixes, une variation du BAII de $\Delta BAII\$$ entraînera une variation du BPA de $\frac{\Delta BAII(1 - T)\$}{N}$.

iii) Par conséquent:

$$\frac{\Delta BPA}{\Delta BAII} = \frac{\frac{\Delta BAII(1 - T)}{N}}{\Delta BAII} = \frac{(1 - T)}{N}$$

et
$$CLF = \left(\frac{\Delta BPA}{\Delta BAII}\right)\left(\frac{BAII}{BPA}\right)$$
$$= \left(\frac{1 - T}{N}\right)\left[\frac{BAII}{\frac{(BAII - INT)(1 - T) - DP}{N}}\right]$$
$$= \frac{(1 - T)(BAII)}{(BAII - INT)(1 - T) - DP}$$
$$= \frac{BAII}{BAII - INT - DP[1/(1 - T)]} = \frac{X(p - v) - F_e}{X(p - v) - F_e - INT - DP[1/(1 - T)]}.$$

INT: 550 000$

DP: 0 (puisque l'entreprise n'a pas d'actions privilégiées en circulation)

A l'aide de l'expression (6a), on obtient alors:

$$\frac{\text{CLF}}{\text{(pour un BAII de 800 000\$)}} = \frac{5000(500 - 250) - 450\ 000}{5000(500 - 250) - 450\ 000 - 550\ 000 - 0}$$

$$= 3{,}2$$

Ce résultat nous indique qu'une variation de 1% du BAII provoquerait une variation du BPA de 3,2%.

b) La variation, en pourcentage, du BPA se calcule ainsi:

$$\Delta\text{BPA (en \%)} = \Delta\text{BAII(en \%)} \cdot \text{CLF (pour un BAII de 800 000\$)}$$
$$= (25\%)(3{,}2)$$
$$= 80\%$$

On peut donc conclure qui si le BAII de l'entreprise MBK passe de 800 000$ à 1 000 000$ (hausse de 25%), le BPA de cette entreprise passera alors de 0,30$ à 0,54$ (hausse de 80%). On peut vérifier cela en effectuant les calculs détaillés suivants:

BAII	800 000 $	1 000 000 $
Intérêts sur la dette	550 000	550 000
Bénéfice avant impôt	250 000$	450 000$
Impôt (40%)	100 000	180 000
Bénéfice après impôt	150 000 $	270 000 $
Nombre d'actions ordinaires en circulation	500 000	500 000
Bénéfice par action	0,30$	0,54$

$$\text{d'où: } \Delta\text{BPA(en \%)} = \frac{0{,}54 - 0{,}30}{0{,}30} = 80\%$$

c) La variation, en pourcentage, du BPA se calcule de la façon suivante:

$$\Delta\text{BPA(en \%)} = \Delta\text{BAII (en \%)} \cdot \text{CLF (pour un BAII de 800 000\$)}$$
$$= (-25\%)(3{,}2)$$
$$= -80\%, \text{ soit une diminution de 80\%.}$$

L'exemple précédent nous permet de constater que lorsqu'une entreprise a recours à des modes de financement qui nécessitent des déboursés fixes les fluctuations de son BAII auront un effet amplifié sur son BPA.

Propriétés du coefficient de levier financier

Comme nous l'avons fait pour le coefficient de levier d'exploitation, il est sans doute utile d'énoncer certaines propriétés du coefficient de levier financier.

1. Lorsque les frais fixes financiers sont nuls, le coefficient de levier financier vaut 1. Dans ce cas, une variation de 1% du BAII provoquera une variation de 1% du BPA.

2. Le coefficient de levier financier, au niveau du BAII pour lequel le bénéfice par action est nul (c.-à-d. lorsque BAII = INT + DP[1/(1-T)]), a une valeur indéterminée. Le CLF, lorsque calculé à un niveau du BAII voisin de INT + DP[1/(1-T)], sera donc très élevé (en valeur absolue).

3. Lorsque le BAII excède INT + DP[1/(1-T)], le coefficient de levier financier prend une valeur positive. Dans ce cas, le BAII et le BPA varient dans la même direction.

4. Pour des valeurs du BAII supérieures à INT + DP[1/(1-T)], le coefficient de levier financier diminue (à un taux décroissant) au fur et à mesure qu'augmente le BAII et tend asymptotiquement vers 1.

1.4.3 Le levier total

Il est possible de combiner les effets de levier d'exploitation et financier. On obtient alors l'effet de levier total ou combiné. Cet effet de levier, qui tient compte à la fois des charges fixes d'exploitation et financières de l'entreprise, se mesure à l'aide du coefficient de levier total (CLT). Le coefficient de levier total, à un niveau donné du volume des ventes, indique le changement en pourcentage du bénéfice par action (BPA) qui résulterait d'un changement donné en pourcentage dans le volume des ventes. Ce coefficient se calcule ainsi:

Calcul du CLT

$$\frac{\text{CLT}}{\text{(à un niveau donné du volume des ventes)}} = \frac{\Delta BPA/BPA}{\Delta X/X}$$

$$= \left(\frac{\Delta BPA}{\Delta X}\right)\left(\frac{X}{BPA}\right) \tag{7}$$

Une méthode plus directe pour déterminer le coefficient de levier total consiste à utiliser l'expression (7a)[5]:

$$\begin{array}{c}\textbf{CLT}\\\textbf{(à un niveau donné du}\\\textbf{volume des ventes)}\end{array} = \frac{X(p - v)}{X(p - v) - F_e - INT - DP[1/(1-T)]} \tag{7a}$$

Notons que le coefficient de levier total peut également se calculer en multipliant le coefficient de levier d'exploitation (CLE) par le coefficient de levier financier (CLF), soit:

$$\textbf{CLT = (CLE) (CLF)} \tag{7b}$$

Comme on peut le constater à partir de l'équation (7b), il existe un nombre illimité de combinaisons du CLE et du CLF permettant à une entreprise d'obtenir le CLT désiré. Par exemple, une entreprise désirant obtenir un CLT de 3 peut notamment avoir recours à l'une ou l'autre des combinaisons suivantes:

CLE: 3   et   CLF: 1
CLE: 1,732   et   CLF: 1,732
CLE: 1,2   et   CLF: 2,5
CLE: 1   et   CLF: 3
             etc.

---

[5] Pour obtenir l'expression (7a), à partir de l'expression (7), on procède ainsi:

   i)   Le bénéfice par action ordinaire (BPA), en fonction du volume des ventes (X), s'exprime ainsi:

$$BPA = \frac{[X(p - v) - F_e - INT] (1 - T) - DP}{N}$$

   ii)   Etant donné que les frais fixes d'exploitation (F_e), les intérêts sur la dette (INT) et les dividendes privilégiés (DP) sont fixes, une variation du volume des ventes de ΔX unités entraînera une variation du BPA de $\frac{\Delta X(p-v)(1-T)\$}{N}$.

   iii) Par conséquent:

$$\frac{\Delta BPA}{\Delta X} = \frac{\Delta X(p - v)(1 - T)}{\Delta X \cdot N} = \frac{(p - v)(1 - T)}{N}$$

et

$$CLT = \left(\frac{\Delta BPA}{\Delta X}\right)\left(\frac{X}{BPA}\right)$$

$$= \left[\frac{(p - v)(1 - T)}{N}\right]\left[\frac{X}{\frac{[X(p - v) - F_e - INT](1 - T) - DP}{N}}\right]$$

$$= \frac{X(p - v)(1 - T)}{[X(p - v) - F_e - INT](1 - T) - DP} = \frac{X(p - v)}{X(p - v) - F_e - INT - DP[1/(1 - T)]} .$$

Exemple. A partir des données relatives à l'entreprise MBK (voir l'exemple apparaissant dans la section sur l'analyse du point mort), déterminez:

a) le coefficient de levier total de l'entreprise MBK à un niveau des ventes de 5000 unités;

b) la variation, en pourcentage, du BPA qui résulterait d'une augmentation du volume des ventes de 25% par rapport au niveau actuel;

c) la variation, en pourcentage, du BPA qui résulterait d'une diminution du volume des ventes de 25% par rapport au niveau actuel.

Solution

a) En posant X = 5000, p = 500$, v = 250$, F_e = 450 000$, INT = 550 000$ et DP = 0 dans l'équation (7a), on obtient alors:

$$\underset{\substack{\text{(à un niveau des ventes} \\ \text{de 5000 unités)}}}{\text{CLT}} = \frac{5000 \,(500 - 250)}{5000(500 - 250) - 450\,000 - 550\,000 - 0}$$

$$= 5$$

Le calcul du CLT peut également s'effectuer à partir de l'expression (7b). Puisque CLE = 1,5625 et CLF = 3,2, on obtient alors:

CLT = (1,5625) (3,2) = 5.

Ce résultat nous indique qu'une légère variation du volume des ventes engendrera une fluctuation importante du bénéfice par action.   Plus précisément, le résultat obtenu peut s'interpréter ainsi: une variation de 1% du volume des ventes entraînera une variation de 5% du bénéfice par action.

b) L'augmentation, en pourcentage, du BPA peut se calculer ainsi:

$$\begin{aligned}
\Delta BPA \text{ (en \%)} \;&=\; \Delta X \text{ (en \%)} \cdot \text{CLT (à 5000 unités)} \\
&=\; (25\%) \,(5) \\
&=\; 125\%
\end{aligned}$$

Si les ventes de MBK passent de 5000 à 6250 unités (augmentation de 25%), le BPA de cette entreprise passera donc de 0,30$ à 1,50$. Vérifions cela en effectuant les calculs détaillés suivants:

	Nombre d'unités vendues	
	5000	6250
Ventes	2 500 000 $	3 125 000 $
Frais variables	1 250 000	1 562 500
Frais fixes d'exploitation	450 000	450 000
Bénéfice avant intérêt et impôt	800 000 $	1 112 500 $
Intérêts sur la dette	550 000	550 000
Bénéfice avant impôt	250 000 $	562 500 $
Impôt (40%)	100 000	225 000
Bénéfice après impôt	150 000 $	337 500 $
Dividendes privilégiés	0	0
Bénéfice disponible pour les actionnaires ordinaires	150 000 $	337 500 $
Nombre d'actions ordinaires en circulation	500 000	500 000
Bénéfice par action	0,30 $	0,675 $

d'où: $\Delta BPA \text{ (en \%)} = \dfrac{0,675 - 0,30}{0,30} = 125\%$

c)   La variation, en pourcentage, du BPA serait de -125%, soit -25% x 5.

Propriétés du coefficient de levier total

Le coefficient de levier total possède des propriétés semblables aux coefficients de levier d'exploitation et financier. Ces propriétés sont les suivantes:

1. Lorsque les frais fixes totaux sont nuls, le coefficient de levier total vaut 1. Dans ces conditions, une variation de 1% du volume des ventes entraînera une variation de 1% du BPA.

2. Le coefficient de levier total, à un niveau des ventes correspondant au point mort général (c.-à-d. lorsque $X = \dfrac{F_e + INT + DP[1/(1 - T)]}{p - v}$), a une valeur indéterminée. Le CLT, lorsque calculé à un niveau des ventes voisin du point mort général, sera donc très élevé (en valeur absolue).

3. Lorsque le volume des ventes excède le point mort général, le coefficient de levier total prend une valeur positive. Dans ce cas, le volume des ventes et le BPA varient dans la même direction.

4. Pour des volumes de ventes supérieurs au point mort général, le coefficient de levier total diminue (à un taux décroissant) au fur et à mesure qu'augmente le volume des ventes et tend asymptotiquement vers 1. La figure 5 illustre le comportement du coefficient de levier total de l'entreprise MBK en fonction de l'évolution du volume des ventes.

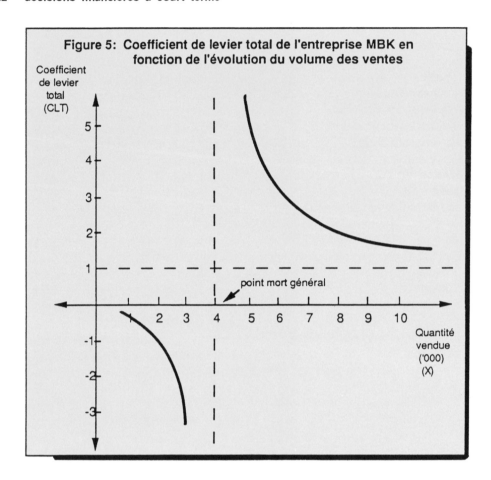

Figure 5: Coefficient de levier total de l'entreprise MBK en fonction de l'évolution du volume des ventes

X	CLT
1 000	-0,33
2 000	-1
3 000	-3
4 000	±∞
5 000	5
7 000	2,33
10 000	1,67
20 000	1,25

1.5 EXERCICES

1. Vrai ou faux

a) Toutes choses étant égales par ailleurs, une hausse du prix de vente unitaire de 1,25$ associée à une augmentation du coût variable unitaire de 1,25$ n'a aucun impact sur le point mort général.

b) Une entreprise dont le coefficient de levier d'exploitation est élevé présente nécessairement un risque d'affaires élevé.

c) En général, le coefficient de levier total correspond à la somme du coefficient de levier d'exploitation et du coefficient de levier financier.

d) Si les frais fixes d'exploitation d'une entreprise sont nuls, on peut conclure que son coefficient de levier d'exploitation est égal à zéro.

e) Si une hausse de 8% du bénéfice avant intérêt et impôt provoque une augmentation du bénéfice net de 32%, on peut alors conclure que le coefficient de levier d'exploitation est de 4.

f) Le point mort général est le niveau des ventes pour lequel les revenus totaux de l'entreprise correspondent à ses coûts variables totaux.

g) Lorsque le volume des ventes excède le point mort général, une augmentation du volume des ventes a pour effet de diminuer le coefficient de levier total.

h) Si une augmentation du volume des ventes de 500 unités (les ventes passent de 1000 à 1500 unités) se traduit par une hausse du bénéfice avant intérêt et impôt de 100%, on peut conclure que le coefficient de levier d'exploitation, à un niveau des ventes de 1500 unités, est de 2.

i) Le calcul du point mort d'encaisse prend en considération tous les coûts de l'entreprise.

j) Toutes choses étant égales par ailleurs, une hausse du taux d'imposition de l'entreprise a pour effet d'augmenter son coefficient de levier d'exploitation.

k) Toutes choses étant égales par ailleurs, une hausse du coût variable unitaire n'a aucun impact sur le point mort général de l'entreprise.

l) L'analyse du point mort suppose notamment que le prix de vente et le coût variable à l'unité sont constants.

m) Le risque d'affaires d'une entreprise dépend de son ratio d'endettement.

n) Dans le but de maximiser la richesse de ses actionnaires, une entreprise devrait nécessairement avoir recours à des méthodes de production et à des modes de financement lui permettant de maximiser son coefficient de levier total.

2. Toutes choses étant égales par aileurs, une augmentation du coût variable unitaire a pour effet...

a) de hausser les impôts à payer;

b) d'augmenter la marge de contribution;

c)   d'augmenter le bénéfice avant intérêt et impôt;

d)   d'augmenter le coefficient de levier d'exploitation;

e)   de diminuer le coefficient de levier d'exploitation.

3.   Le point mort d'encaisse se situe à un niveau _____ au point mort
      général.

a)   inférieur
b)   inférieur ou égal
c)   supérieur
d)   supérieur ou égal

4.   Dans une entreprise, le coefficient de levier total est de 6. On peut donc
      conclure que...

a)   une augmentation du volume des ventes de 10% se traduira par une hausse
      du BAII de 60% si les frais fixes financiers de l'entreprise sont nuls;

b)   une augmentation du volume des ventes de 10% se traduira par une
      augmentation du bénéfice par action de 60%;

c)   une augmentation du BAII de 10% se traduira par une augmentation du
      bénéfice par action de 60% si les frais fixes d'exploitation de l'entreprise sont
      nuls;

d)   une diminution du volume des ventes de 10% se traduira par une diminution
      du bénéfice par action de 60%;

e)   tous les énoncés précédents sont vrais.

5.   La compagnie Mado produit et vend un seul produit à un niveau supérieur à
      son point mort général. Toutes choses étant égales par ailleurs, son coefficient
      de levier d'exploitation va diminuer si...

a)   le prix de vente unitaire diminue;

b)   le coût variable unitaire augmente;

c)   les intérêts payés augmentent;

d)   les intérêts payés diminuent;

e)   la quantité vendue augmente.

6.   L'entreprise Mira se spécialise dans la production d'un seul produit qu'elle
      vend 3$ l'unité. Ses coûts fixes annuels d'exploitation s'élèvent à 150 000$
      (incluant 25 000$ d'amortissement) et son coût variable unitaire se situe à

1,50$. Les intérêts versés annuellement aux obligataires sont de 30 000$. Le taux d'impôt de l'entreprise est de 40%.

a) Quel est le point mort général de l'entreprise?

b) Quel est le point mort d'encaisse de l'entreprise?

c) Quel est le coefficient de levier d'exploitation de l'entreprise à un niveau des ventes de 125 000 unités?

d) Quel est le coefficient de levier d'exploitation de l'entreprise à un niveau des ventes de 100 000 unités?

e) Quel est le coefficient de levier financier de l'entreprise pour un BAII de 37 500$?

f) Quel est le coefficient de levier total de l'entreprise à un niveau des ventes de 100 000 unités?

7. La compagnie Simex a des coûts fixes totaux de 200 000$, un coût variable unitaire de 7,25$ et un prix de vente unitaire de 32$.

a) Quel est le point mort général de l'entreprise en unités vendues? En dollars de ventes?

b) Représentez sur un même graphique les revenus totaux, les coûts fixes, les coûts variables et les coûts totaux de l'entreprise en fonction du nombre d'unités vendues. Identifiez sur ce graphique le point mort général.

c) Si la marge de contribution unitaire augmente de 15%, quel sera alors le point mort général de l'entreprise en unités vendues?

8. La compagnie Quantek ne fabrique qu'un seul produit, le produit Z. Selon les analystes de la compagnie, la quantité vendue (X) est reliée au prix de vente unitaire (p) de la façon suivante:
$$X = 3000 - 60 \, p, \quad p \leq 50$$
Le coût variable unitaire est de 10$ et les coûts fixes totaux sont de 20 000$.

a) Déterminez les points morts de l'entreprise en unités vendues.

b) Combien d'unités Quantek doit-elle vendre dans le but de maximiser ses profits? Quel est le profit (avant impôt) de l'entreprise correspondant à ce volume de ventes?

9. On dispose des renseignements suivants concernant l'entreprise ASA:
   - Prix de vente unitaire: 10$
   - Coût variable unitaire: 6$
   - Frais fixes d'exploitation: 100 000$
   - Frais fixes financiers: 0

a)   Déterminez le point mort général de l'entreprise en unités.

b)   Calculez le coefficient de levier d'exploitation pour les volumes de ventes suivants: 0, 10 000, 20 000, 25 000, 30 000, 40 000 et 50 000 unités.

c)   A l'aide des résultats obtenus en (b), représentez graphiquement le coefficient de levier d'exploitation (axe des Y) en fonction du volume des ventes (axe des X).

10.   La compagnie Merveille Inc. produit et vend 20 000 tentes par année. Son état des résultats est le suivant:

Merveille Inc.
Etat des résultats pour l'année
se terminant le 31 décembre 199X

Ventes	1 000 000 $
Coûts variables (30%)	300 000
Coûts fixes d'exploitation	400 000
Bénéfice avant intérêt et impôt	300 000 $
Intérêt (1 000 000$ x 10%)	100 000
Bénéfice avant impôt	200 000 $
Impôt (50%)	100 000
Bénéfice net	100 000 $
Bénéfice par action (100 000 actions)	1$

a)   Calculez et interprétez le coefficient de levier d'exploitation, le coefficient de levier financier et le coefficient de levier total au niveau actuel des ventes de la compagnie.

b)   Quelle devra être, en pourcentage et en dollars, l'augmentation des ventes de la compagnie afin que le bénéfice par action ordinaire soit de 1,80$ l'an prochain?

11.   Voici un ensemble de données concernant la compagnie Boileau:
   .   Bénéfice net (après impôt): 90 000$
   .   Taux d'imposition: 50%
   .   Actifs totaux: 1 800 000$
   . $\dfrac{\text{Dette totale}}{\text{Avoir des actionnaires ordinaires}} = 50\%$
   .   Dette à long terme: 500 000$ (taux d'intérêt annuel: 8%)
   .   La compagnie ne vend qu'un seul produit au prix unitaire de 4$
   .   Nombre d'unités vendues annuellement: 100 000
   .   Le coût variable unitaire est constant
   .   Frais fixes d'exploitation annuels: 70 000$

a)   Déterminez le point mort général en unités vendues.

b)   Déterminez et interprétez le coefficient de levier d'exploitation, le coefficient de levier financier et le coefficient de levier total à un niveau de 100 000 unités vendues.

12.   La compagnie Kassé a besoin d'un financement additionnel de 500 000$. Actuellement, l'entreprise a en circulation des obligations d'une valeur nominale totale de 1 000 000$ (taux de coupon annuel: 9%) et 500 000 actions ordinaires.   Elle considère les deux possibilités de financement suivantes:

.   une émission de 5000 actions privilégiées. Le dividende par action versé annuellement aux investisseurs serait de 11$;
.   une émission d'obligations au taux de coupon annuel de 12%.

Le bénéfice avant intérêt et impôt de l'entreprise est de 400 000$ et son taux d'imposition de 40%.

Déterminez le coefficient de levier financier de l'entreprise pour chacune des deux possibilités de financement décrites ci-dessus.

13.   On dispose des renseignements suivants relativement aux compagnies A, B et C.

	A	B	C
Prix de vente unitaire	20$	20$	20$
Coût variable unitaire	8$	10$	12$
Frais fixes d'exploitation (à l'exclusion de l'amortissement)	150 000$	75 000$	20 000$
Amortissement	40 000$	25 000$	6 000$

Les trois entreprises vendent le même bien et n'ont pas recours à l'endettement. La compagnie A est fortement automatisée, la compagnie B est moyennement automatisée et la compagnie C est peu automatisée.

a)   Quel est le point mort général en unités de chacune de ces entreprises?

b)   Quel est le point mort d'encaisse de chacune de ces entreprises?

c)   Quel est le coefficient de levier d'exploitation de chacune de ces entreprises à un niveau de ventes de 40 000 unités?

d)   Laquelle de ces trois compagnies vous apparaît la plus risquée? La moins risquée?

14. La compagnie DPC vend un seul produit au prix unitaire de 15$. Son coût variable unitaire est de 9$ et ses frais fixes totaux s'élèvent à 120 000$ (incluant 10 000$ d'amortissement). L'entreprise envisage la possibilité d'acquérir une nouvelle machine, ce qui aurait pour effet de diminuer son coût variable unitaire à 7$ et d'augmenter ses frais fixes. Déterminez la hausse des frais fixes qui ferait en sorte que le point mort général de l'entreprise ne serait pas affecté par l'achat de la nouvelle machine.

Annexe

L'analyse du point mort en situation d'incertitude[6]

L'analyse traditionnelle du point mort ne prend aucunement en considération le risque, ce qui peut, dans certaines circonstances, en limiter grandement l'utilité. Dans le but d'éliminer cette lacune et, par conséquent, d'améliorer la prise de décision, nous supposons ci-dessous que le volume des ventes (X) est une variable aléatoire assujettie à la loi normale, dont la moyenne est $E(X)$ et l'écart-type $\sigma(X)$. La figure 6 illustre cette situation.

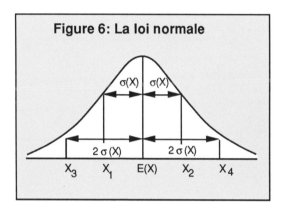

La distribution précédente est symétrique par rapport à $E(X)$ et la surface totale sous la courbe vaut 1. De plus, dans une telle distribution, il y a notamment environ 68% de chances que le volume des ventes se situe entre X_1 et X_2, soit dans l'intervalle $[E(X) - \sigma(X), E(X) + \sigma(X)]$, et une probabilité d'environ 95% que le volume des ventes soit compris entre X_3 et X_4, soit dans l'intervalle $[E(X) - 2\sigma(X), E(X) + 2\sigma(X)]$. Ces probabilités s'obtiennent directement de la table de la loi normale centrée réduite qui se trouve à la fin de ce volume. Enfin, notons que, tout dépendant de la valeur de $\sigma(X)$, la distribution peut être plus ou moins étalée que celle représentée ci-dessus.

Pour appliquer ces concepts à l'analyse du point mort, considérons l'exemple suivant.

Exemple. La compagnie MST envisage de lancer un nouveau produit sur le marché. Le prix de vente de ce produit serait de 1500$ et le coût variable unitaire de 800$. De plus, les frais fixes totaux de l'entreprise augmenteraient de 700 000$. Toutes ces valeurs sont connues avec certitude. Enfin, on pense que la quantité vendue est assujettie à une loi normale dont l'espérance mathématique est de 1200 unités et l'écart-type de 300 unités.

---

[6]   Notre discussion s'inspire de Jaedicke, R.K. et A.A. Robichek, "Cost-Volume-Profit Analysis under Conditions of Uncertainty", The Accounting Review, Octobre 1964.

a) Calculez le point mort en unités vendues.

b) Calculez la probabilité que le volume des ventes excède le point mort.

Solution

a) Le point mort se calcule ainsi:

$$X = \frac{F}{p - v}$$

$$X = \frac{700\ 000}{1500 - 800} = 1000 \text{ unités}$$

b) La probabilité que le volume des ventes excède le point mort se calcule à l'aide de la table de la loi normale centrée réduite qui se trouve à la fin du volume. On obtient alors:

  P [Volume des ventes > 1000 unités]

= P [X > 1000 unités]

= $P\left[Z > \dfrac{X - E(X)}{\sigma(X)}\right]$

= $P\left[Z > \dfrac{1000 - 1200}{300}\right]$

= P [Z > -0,67]

= P [-0,67 < Z < 0] + 0,50

= 0,7486.

Il y a donc environ 3 chances sur 4 que le produit soit rentable. A la lumière de ce renseignement additionnel, il reviendra au gestionnaire de décider si le risque associé au nouveau produit est acceptable.

L'administrateur peut également être intéressé à connaître la probabilité que le bénéfice soit supérieur ou inférieur à un montant donné. Dans ce but, déterminons, en premier lieu, le bénéfice espéré avant impôt [E(B)] et l'écart-type du bénéfice avant impôt [σ(B)]. Le bénéfice espéré avant impôt est:

  E(B) = E[X(p - v) - F]

    = (p - v) E(X) - F

    = (1500 - 800)(1200) - 700 000

    = 140 000$.

D'autre part, l'écart-type du bénéfice avant impôt peut se calculer de la façon suivante:

  $\sigma^2(B)$ = σ^2 [X(p - v) - F]

    = $(p - v)^2\ \sigma^2(X)$

et $\sigma(B)$ $=$ $(p - v)\,\sigma(X)$

$\qquad\quad = (1500 - 800)(300)$

$\qquad\quad = 210\ 000\$.$

A partir des données précédentes, on peut notamment calculer, à l'aide de la table de la loi normale centrée réduite, la probabilité que le bénéfice avant impôt soit compris entre 0 et 400 000\$. On obtient alors:

$\qquad$ P [0 ≤ B ≤ 400 000]

$\qquad = P\left[\dfrac{0 - 140\ 000}{210\ 000} \le Z \le \dfrac{400\ 000 - 140\ 000}{210\ 000}\right]$

$\qquad = P\,[-0{,}67 \le Z \le 1{,}24]$

$\qquad = P\,[-0{,}67 < Z < 0] + P\,[0 < Z < 1{,}24]$

$\qquad = 0{,}2486 + 0{,}3925$

$\qquad = 0{,}6411.$

Exercice

La compagnie MMK considère la possibilité de lancer un nouveau produit sur le marché. Les prévisions suivantes sont disponibles:

	Espérance mathématique	Ecart-type
Quantité vendue	20 000	2800
Prix de vente	50 \$	0
Coût variable unitaire	30 \$	0
Augmentation des coûts fixes de l'entreprise	300 000 \$	0

a) Quel est le point mort en unités vendues?

b) Quelle est la probabilité que le volume des ventes excède le point mort?

c) Quelle est la probabilité que le bénéfice avant impôt relatif à ce nouveau produit soit compris entre 50 000\$ et 100 000\$?

SOMMAIRE

Chapitre 2

L'analyse et l'interprétation des états financiers

Chapitre 2

L'ANALYSE ET L'INTERPRÉTATION DES ÉTATS FINANCIERS

2.1   INTRODUCTION

Dans ce chapitre, nous discutons des méthodes d'analyse financière les plus connues et les plus utilisées en pratique. Ces méthodes permettent d'observer l'évolution de l'entreprise au fil du temps, de se faire une idée de sa situation financière actuelle et future, d'identifier ses forces et ses faiblesses et d'apporter, s'il y a lieu, les mesures correctrices qui s'imposent.

L'analyse financière devrait permettre de fournir des éléments de réponse aux questions que se posent les différents groupes préoccupés par la position financière de l'entreprise et sa rentabilité future. Sans être limitatif, les principaux groupes intéressés sont: ses actionnaires actuels et potentiels, ses fournisseurs, ses créanciers à court et à long termes, ses clients et ses dirigeants. Ces divers groupes d'utilisateurs des états financiers ont, bien entendu, des intérêts qui ne concordent pas nécessairement. Ainsi, le fournisseur sera surtout intéressé à connaître la liquidité de l'entreprise afin de s'assurer que cette dernière pourra rencontrer les créances courantes. De son côté, l'actionnaire actuel ou potentiel se préoccupera davantage de la rentabilité de l'entreprise. Quant au créancier à long terme, il voudra déterminer si l'entreprise sera en mesure de faire face à ses obligations relativement aux versements des intérêts et au remboursement du capital à l'échéance. Ses préoccupations porteront alors sur la rentabilité à long terme de l'entreprise, sa structure de capital et sur le risque de cette dernière. Enfin, la direction de l'entreprise, qui doit voir à ce que les actionnaires réalisent un rendement intéressant tout en s'assurant d'être en mesure de rembourser à la fois les dettes à court et à long termes de l'entreprise, s'intéresse à toutes les dimensions de l'analyse financière.

2.2   LES SOURCES D'INFORMATION

Plusieurs sources d'information sont disponibles concernant les entreprises canadiennes. La difficulté en analyse financière réside beaucoup plus souvent dans l'interprétation des résultats que dans la disponibilité desdites informations. Une bonne analyse d'une petite quantité d'informations pertinentes est beaucoup plus utile qu'une analyse effectuée à partir d'une quantité imposante d'informations plus ou moins pertinentes. Parmi les différentes sources de renseignements disponibles, on retrouve:

. Rapports annuels des entreprises
. Prospectus d'émission des titres
. Analyses des firmes de courtage
. Moody's Manual
. Cartes du Financial Post
. Survey of Industrials (publication annuelle du Financial Post)
. Journaux financiers (Financial Post, Financial Times, Globe and Mail, Finance, Les Affaires, etc.)
. Statistiques financières des sociétés (publication annuelle de Statistique Canada)
. Dun and Bradstreet (ratios financiers des sociétés)

2.3 LES DIFFÉRENTES MÉTHODES D'ANALYSE

Pour analyser une entreprise, il existe différentes méthodes. Dans ce chapitre, nous discutons particulièrement des méthodes d'analyse financière suivantes:

. L'analyse verticale et l'analyse horizontale
. L'analyse par ratios
. L'analyse de l'état de l'évolution de la situation financière
. Le modèle de prévision de faillite de E. Altman (en annexe)

2.3.1 L'analyse verticale et l'analyse horizontale

L'analyse verticale

Essentiellement, l'analyse verticale consiste à exprimer les postes du bilan en pourcentage de l'actif total et les postes de l'état des résultats en pourcentage des ventes. L'analyse verticale donne lieu à des états financiers établis en pourcentage. Ce genre d'analyse est particulièrement utile pour comparer des entreprises de taille différente.

L'analyse horizontale

L'analyse horizontale consiste à observer l'évolution sur un certain nombre d'années (par exemple, 5 ans ou 10 ans) de certaines variables financières, comme les ventes, le bénéfice par action, le dividende par action, le ratio du fonds de roulement, le ratio d'endettement, etc. Cette méthode d'analyse peut être utile pour identifier certaines tendances. Une bonne façon de faciliter l'analyse horizontale consiste à recourir aux graphiques.

A titre d'exemple d'analyse verticale et d'analyse horizontale, considérons les données financières suivantes concernant l'entreprise Simtex:

Simtex Ltée
Bilan

Actif	1990 $	1990 %	1989 $	1989 %	1988 $	1988 %
Encaisse	15 000	2,42	18 000	4,16	22 000	7,17
Comptes à recevoir	130 000	20,97	110 000	25,40	80 000	26,06
Stocks	345 000	55,65	200 000	46,19	125 000	40,72
Immobilisations nettes	130 000	20,97	105 000	24,25	80 000	26,06
Total de l'actif	620 000	100,00	433 000	100,00	307 000	100,00

Passif et avoir des actionnaires

	1990 $	1990 %	1989 $	1989 %	1988 $	1988 %
Comptes à payer	190 000	30,65	95 000	21,94	58 000	18,89
Emprunts bancaires à court terme	100 000	16,13	40 000	9,24	0	0,00
Total du passif à court terme	290 000	46,78	135 000	31,18	58 000	18,89
Dette à long terme	15 000	2,42	20 000	4,62	25 000	8,14
Actions ordinaires	125 000	20,16	125 000	28,87	125 000	40,72
Bénéfices non répartis	190 000	30,65	153 000	35,33	99 000	32,75
Total du passif et de l'avoir des actionnaires	620 000	100,00	433 000	100,00	307 000	100,00

Simtex Ltée

Etat des résultats

	1990 $	1990 %	1989 $	1989 %	1988 $	1988 %
Ventes	1 025 000	100,00	1 000 000	100 00	950 000	100,00
Coût des marchandises vendues	830 000	80,98	810 000	81,00	760 000	80,00
Bénéfice brut	195 000	19,02	190 000	19,00	190 000	20,0
Frais de vente et d'administration	85 000	8,29	80 000	8,00	75 000	7,89
Amortissement	18 000	1,76	15 000	1,50	12 000	1,26
Intérêts sur la dette	12 000	1,17	6 000	0,60	2 500	0,26
Bénéfice avant impôt	80 000	7,80	89 000	8,90	100 500	10,59
Impôt	32 000	3,12	35 600	3,56	40 200	4,23
Bénéfice net	48 000	4,68	53 400	5,34	60 300	6,36
Bénéfice par action (125 000 actions ordinaires)	0,38		0,43		0,48	

Les états financiers comparatifs montrés ci-dessus nous indiquent notamment que:

1. L'encaisse a tendance à décroître d'une année à l'autre alors que les soldes des autres postes de l'actif à court terme (comptes à recevoir et stocks) ont tendance à augmenter.

2. Les stocks représentent une part de plus en plus importante de l'actif total et ce, malgré la faible augmentation du chiffre d'affaires.

3. L'actif total a augmenté substantiellement, compte tenu de la faible augmentation des ventes. La rentabilité de l'actif total est en baisse. Par rapport au chiffre des ventes, le niveau des actifs (en particulier celui des stocks) est probablement trop élevé.

4. La part du passif à court terme dans le financement de l'entreprise a augmenté beaucoup plus rapidement que la portion de l'actif total qui est constituée d'éléments à court terme. En 1990, l'entreprise semble utiliser de façon abusive le crédit à court terme.

5. La marge de profit brut est relativement constante d'une année à l'autre.

6. La baisse du bénéfice net et du bénéfice par action est attribuable à une augmentation (en dollars et en pourcentage) des frais de vente et d'administration, de l'amortissement et des intérêts sur la dette.

7. De façon générale, on peut dire que la situation financière de l'entreprise s'est détériorée d'une année à l'autre.

En conclusion, l'analyse verticale et l'analyse horizontale nous permettent d'avoir une vue d'ensemble de l'évolution de la situation financière d'une entreprise, sans toutefois nous en expliquer parfaitement les causes. Ces méthodes contribuent à mettre en évidence les éléments à surveiller et à analyser en ayant recours à des méthodes plus sophistiquées.

2.3.2. L'analyse par ratios

Un ratio est tout simplement un rapport existant entre deux postes des états financiers. Par exemple, si le ratio "actif à court terme/passif à court terme" est égal à 2, cela signifie que l'actif à court terme représente deux fois le passif à court terme ou encore que pour chaque dollar de dettes à court terme l'entreprise possède deux dollars d'actif à court terme.

En principe, l'analyste peut calculer un très grand nombre de ratios financiers à partir des états financiers d'une entreprise donnée. Ainsi, si les états financiers d'une entreprise comportent 30 postes, il est possible d'obtenir 870 ratios financiers[1].

---

[1] De façon générale, le nombre de ratios que l'on peut obtenir se calcule ainsi:

Nombre de ratios $= A_n^2 = \dfrac{n!}{(n-2)!} = n(n-1)$

où n: Nombre de postes que comportent les états financiers.

Toutefois, une très grande proportion des ratios obtenus (comme, par exemple, le ratio encaisse/impôt reporté) serait dénuée de sens et inutile pour fin de décision. Dans ce contexte, l'analyste se limitera généralement à calculer un nombre limité de ratios (de 12 à 15) à partir des postes qui ont certaines affinités entre eux. Par la suite, il comparera les valeurs numériques obtenues avec celles d'entreprises similaires.

2.3.2.1   Les normes de comparaison

Afin de mettre en relief les forces et les faiblesses relatives d'une entreprise, les ratios de cette dernière doivent être comparés à certaines normes. Les principales normes de comparaison qui peuvent être utilisées sont les suivantes:

1. L'ensemble des entreprises canadiennes

Le principal problème de cette référence est que nous ne sommes pas certains que l'entreprise étudiée soit représentative de l'ensemble des différents secteurs industriels du pays.

2. L'ensemble des entreprises oeuvrant dans le même secteur industriel

Très souvent, en pratique, les ratios de l'entreprise sont mis en parallèle avec les ratios moyens de l'industrie qui sont publiés par des agences comme Dun and Bradstreet. L'analyste doit cependant être prudent lorsqu'il utilise de telles normes de comparaison. En effet, des divergences au niveau de la taille des entreprises, de leurs conventions comptables et de leur date de fin d'exercice financier peuvent rendre les comparaisons difficiles. De plus, le phénomène de la diversification des entreprises peut poser certaines difficultés à rattacher une entreprise à un secteur industriel donné. Enfin, notons que la définition des normes du secteur peut causer certains problèmes particuliers: doit-on utiliser la moyenne arithmétique, la médiane, le mode, la moyenne pondérée selon les valeurs comptables ou la moyenne pondérée selon les valeurs marchandes pour définir les ratios standard de l'industrie?

3. Les entreprises d'importance similaire opérant dans le même secteur industriel

Lorsque les dates de fin d'exercice financier coïncident, les ratios de ces entreprises sont probablement les meilleures normes de comparaison.

4. L'entreprise avec elle-même

Cette approche nous permet d'observer l'évolution de l'entreprise dans le temps et de déceler certaines tendances. Toutefois, elle ne nous permet pas de savoir comment l'entreprise se classe relativement à d'autres entreprises similaires.

2.3.2.2   Les catégories de ratios

On peut répartir les ratios en quatre catégories. Ces catégories sont les suivantes:

1. **Les ratios de liquidité**. Ces ratios indiquent la capacité de l'entreprise à rencontrer ses obligations financières à court terme.

2. **Les ratios d'endettement (d'équilibre).** Ces ratios indiquent dans quelle mesure l'entreprise a recours au financement par dette pour financer ses activités.

3. **Les ratios de gestion**. Ces ratios indiquent si l'entreprise utilise efficacement ses actifs.

4. **Les ratios de rentabilité**. Ces ratios indiquent si les profits de l'entreprise sont suffisants, compte tenu du volume des ventes, des actifs utilisés et de la mise de fonds des actionnaires.

Pour montrer comment calculer et interpréter certains ratios appartenant à chacune des catégories mentionnées ci-dessus, nous utiliserons les données financières apparaissant dans le rapport annuel de la compagnie Ciment St-Laurent pour l'année 1986. Cette entreprise et ses filiales exercent leurs activités au Canada et aux Etats-Unis et ce, principalement dans un secteur, soit celui de la fabrication et la distribution de ciment et de produits connexes destinés à l'industrie de la construction. La compagnie est le premier cimentier de l'est du Canada et se classe au deuxième rang des producteurs de ciment au Canada.

Résultats consolidés
(en milliers de dollars, sauf les montants par action)

	1986	1985
Ventes	601 714 $	493 062 $
Coût des ventes	406 126	338 789
	195 588	154 273
Charges		
Frais de vente et d'administration	54 097	44 268
Intérêts sur la dette à long terme	23 721	23 732
Intérêts sur la dette à court terme	2 473	1 542
Amortissement	30 847	26 426
	111 138	95 968
Bénéfice d'exploitation	84 450	58 305
Provision pour les impôts sur le revenu	38 848	24 749
Bénéfice net	45 602 $	33 556 $
Bénéfice par action	2,28 $	1,91 $

Bilan consolidé (en milliers de dollars)	1986	1985
Actif		
A court terme		
Débiteurs	128 197 $	111 170 $
Stocks	74 874	65 713
Frais payés d'avance	2 307	2 991
	205 378	179 874
Placements et autres éléments d'actif	9 349	9 296
Immobilisations	339 880	339 542
Actif incorporel	15 064	18 293
Total de l'actif	569 671$	547 005$

Passif et avoir des actionnaires		
A court terme		
Créditeurs et frais courus	67 104 $	61 179 $
Impôts sur le revenu	18 330	19 205
Tranche de la dette à long terme échéant en moins d'un an	3 189	15 892
	88 623	96 276
Dette à long terme	211 217	215 697
Impôts sur le revenu reportés	50 543	45 485
Avoir des actionnaires	219 288	189 547
Total du passif et de l'avoir des actionnaires	569 671$	547 005$

2.3.2.2.1 Les ratios de liquidité

Les mesures de liquidité les plus utilisées en pratique sont le ratio de fonds de roulement et le ratio de trésorerie.

Le ratio du fonds de roulement

Le ratio du fonds de roulement ou le ratio de liquidité générale se calcule en divisant l'actif à court terme par le passif à court terme. L'actif à court terme comprend généralement l'encaisse, les placements temporaires, les comptes à recevoir (débiteurs), les stocks et les frais payés d'avance. Quant au passif à court terme, il se compose habituellement des comptes-fournisseurs (créditeurs), des billets à payer à court terme, des impôts à payer à court terme et de la tranche de la dette à long terme échéant en moins d'un an. Pour Ciment St-Laurent, on obtient les résultats suivants pour les années 1985 et 1986:

$$\text{Ratio du fonds de roulement} = \frac{\text{Actif à court terme}}{\text{Passif à court terme}}$$

$$= \frac{179\ 874}{96\ 276} = 1,87 \text{ (pour 1985)}$$

$$= \frac{205\ 378}{88\ 623} = 2,32 \text{ (pour 1986)}$$

Plus le ratio du fonds de roulement est élevé, plus il devrait être facile pour l'entreprise de faire face à ses engagements à court terme. Dans le cas de Ciment St-Laurent, la valeur du ratio du fonds de roulement à la fin de 1986 nous indique que l'entreprise aurait pu réaliser ses actifs à court terme à 43,10% (c.-à-d. $\frac{1}{\text{ratio du fonds de roulement}} = \frac{1}{2,32} = 43,10\%$) de leur valeur aux livres et être en mesure d'honorer la totalité de ses dettes à court terme.

Traditionnellement, les analystes financiers considèrent que le ratio du fonds de roulement d'une entreprise devrait se situer aux environs de 2. Cependant, de nos jours, on reconnaît de plus en plus que la valeur optimale de ce ratio devrait plutôt être fonction de facteurs tels que le secteur industriel auquel appartient l'entreprise, la taille de cette dernière et l'année considérée. En conséquence, un ratio du fonds de roulement de 2 pourrait être trop faible pour une entreprise appartenant à un secteur industriel donné et être trop élevé pour une autre entreprise qui opère dans une industrie différente.

Le ratio de trésorerie

Le ratio de trésorerie, que l'on appelle également le ratio de liquidité immédiate, constitue une mesure plus restrictive de la liquidité de l'entreprise que le ratio du fonds de roulement. En effet, dans le calcul du ratio de trésorerie, on ne considère que les éléments les plus monayables de l'actif à court terme de l'entreprise. Généralement, les stocks et les frais payés d'avance représentent les éléments les moins monayables de l'actif à court terme. Dans ce contexte, on calculera le ratio de trésorerie en soustrayant de l'actif à court terme la valeur des stocks et des frais payés d'avance et en divisant le résultat obtenu par le passif à court terme. Pour Ciment St-Laurent, on obtient les résultats suivants pour les années 1985 et 1986:

$$\text{Ratio de trésorerie} = \frac{\text{Actif à court terme - Stocks - Frais payés d'avance}}{\text{Passif à court terme}}$$
$$= \frac{179874 - 65\,713 - 2991}{96\,276} = 1,15 \text{ (pour 1985)}$$
$$= \frac{205\,378 - 74\,874 - 2307}{88\,623} = 1,45 \text{ (pour 1986)}$$

La valeur du ratio de trésorerie à la fin de 1986 nous indique que l'entreprise aurait pu réaliser les éléments les plus liquides de son actif à court terme à 68,97% de leur valeur aux livres et être en mesure de rembourser la totalité de ses dettes à court terme.

Historiquement, les analystes financiers considèrent comme étant approprié un ratio de trésorerie de 1. Ici encore, il convient de souligner le caractère quelque peu arbitraire de cette règle empirique et de rappeler que la valeur optimale du ratio de trésorerie devrait plutôt dépendre des facteurs mentionnés précédemment pour le ratio du fonds de roulement.

A la lumière des deux ratios de liquidité que nous avons calculés ci-dessus, on peut conclure que la liquidité de la compagnie est excellente et que cette dernière s'est améliorée de 1985 à 1986.

2.3.2.2.2   Les ratios d'endettement

Les ratios d'endettement se répartissent en deux catégories: (1) ceux que l'on peut calculer à partir des postes du bilan et (2) ceux que l'on peut obtenir à partir des postes de l'état des résultats. Les premiers nous indiquent la part des créanciers dans le financement de l'entreprise. Un exemple de ratio appartenant à cette catégorie est celui du passif total à l'actif total, que l'on appelle également le ratio d'endettement. Les seconds cherchent à mesurer la capacité de l'entreprise à faire face à ses charges financières fixes. Des exemples de ratios inclus dans cette catégorie sont le ratio de couverture des intérêts et le ratio de couverture des charges financières.

Le passif total par rapport à l'actif total

Le ratio du passif total à l'actif total ou le ratio d'endettement se calcule en divisant le passif de l'entreprise par son actif total. Dans le cas de Ciment St-Laurent, on a les valeurs numériques suivantes pour les années 1985 et 1986:

$$\begin{array}{l} \text{Ratio du passif total} \\ \text{à l'actif total} \\ \text{(ratio d'endettement)} \end{array} = \dfrac{\text{Passif total}}{\text{Actif total}}$$

$$= \frac{311\ 973}{547\ 005} = 0{,}5703 \text{ (pour 1985)}$$

$$= \frac{299\ 840}{569\ 671} = 0{,}5263 \text{ (pour 1986)}$$

Dans les calculs ci-dessus, nous incluons les impôts reportés à long terme dans l'avoir des actionnaires (plutôt que dans la dette) étant donné que ces impôts ne portent pas intérêt, n'ont pas de date d'échéance, ne sont pas à payer si l'entreprise fait faillite et peuvent être reportés indéfiniment si l'entreprise achète régulièrement des immobilisations. De plus, lorsque l'actif incorporel constitue une proportion importante de l'actif total de l'entreprise (ce qui n'est pas le cas de l'entreprise Ciment St-Laurent), il est généralement préférable de ne pas en tenir compte dans le calcul des ratios puisque cet élément d'actif est la plupart du temps trop spécialisé pour être vendu facilement.

Les résultats précédents nous indiquent que chaque dollar d'actif de la compagnie est financé à 52,63% par dette et à 47,37% par fonds propres à la fin de 1986. De plus, on constate que, suite au remboursement d'une partie de sa dette à long terme, le ratio d'endettement de l'entreprise, calculé à partir des valeurs aux livres, s'est amélioré quelque peu de 1985 à 1986.

De façon générale, les créanciers préfèrent un faible ratio d'endettement car ils sont mieux protégés en cas de liquidation de l'entreprise.   De leur côté, lorsque l'entreprise réalise un taux de rendement supérieur au coût de ses emprunts, les actionnaires ont une préférence pour un ratio d'endettement élevé puisqu'ils bénéficient alors d'un effet de levier financier.   Cependant, dans les périodes économiques difficiles, la présence de charges financières fixes substantielles découlant d'un ratio d'endettement élevé peut entraîner chez l'entreprise certains problèmes financiers.

Le ratio de couverture des intérêts

Le ratio de couverture des intérêts nous indique le nombre de fois que le bénéfice avant intérêt et impôt de l'entreprise couvre la dépense d'intérêt que doit rencontrer cette dernière pendant l'exercice financier.   De façon générale, plus le ratio de couverture des intérêts est élevé, mieux les créanciers sont protégés.   Pour Ciment St-Laurent, ce ratio a pris successivement les valeurs suivantes en 1985 et 1986.

$$\frac{\text{Ratio de couverture}}{\text{des intétêts}} = \frac{\text{Bénéfice avant intérêt et impôt}}{\text{Intérêts sur la dette}}$$

$$= \frac{83\ 579}{25\ 274} = 3,31 \text{ fois (pour 1985)}$$

$$= \frac{110\ 644}{26\ 194} = 4,22 \text{ fois (pour 1986)}$$

Les résultats précédents montrent que le bénéfice avant intérêt et impôt de Ciment St-Laurent correspondait à 3,31 fois ses charges d'intérêt en 1985 et à 4,22 fois ces mêmes charges en 1986.   On peut en conclure que Ciment St-Laurent, malgré son ratio d'endettement élevé (sur une base comptable), couvre relativement bien ses charges d'intérêt et que son ratio de couverture des intérêts s'est amélioré de 1985 à 1986.

Bien que très utile, le ratio ci-dessus comporte certaines lacunes évidentes. Premièrement, on devrait idéalement utiliser au numérateur les flux monétaires de l'entreprise au lieu de ses bénéfices, puisque le calcul des bénéfices tient compte de certaines dépenses qui ne nécessitent aucune sortie de fonds.   Deuxièmement, le dénominateur devrait inclure, en plus des charges d'intérêt, d'autres charges fixes que doit rencontrer l'entreprise, comme les loyers, le remboursement du principal de la dette et les dividendes versés aux actionnaires privilégiés.   Pour pallier à la seconde lacune du ratio de couverture des intérêts, l'analyste peut calculer, lorsque les données disponibles le permettent, un ratio plus global que l'on appelle le ratio de couverture des charges financières.   Ce ratio se calcule ainsi[2] :

---

2   Le remboursement du principal de la dette et les dividendes privilégiés doivent être divisés par le facteur (1-T), puisque ces déboursés ne sont pas déductibles d'impôt et doivent, par conséquent, être payés à même le bénéfice après impôt.

$$\text{Ratio de couverture des charges financière} = \frac{\text{Bénéfice avant intérêts, loyers et impôts}}{\text{Intérêts sur la dette} + \text{Loyers} + \dfrac{\text{Rembours. du principal de la dette} + \text{Dividendes privilégiés}}{1 - T}}$$

Ce ratio donne une meilleure idée, que le ratio de couverture des intérêts, du risque financier que comporte l'entreprise.

2.3.2.2.3   Les ratios de gestion

Les ratios de gestion, que l'on appelle également les ratios d'activité, mesurent l'efficacité avec laquelle l'entreprise gère ses différents actifs. Chacun de ces ratios nous indique le nombre de dollars de ventes que réalise l'entreprise par dollar investi dans un élément d'actif donné. Ci-dessous, nous discutons des ratios de gestion les plus connus et les plus utilisés en pratique, soit la rotation des stocks, le délai moyen de recouvrement des comptes à recevoir, la rotation des immobilisations et la rotation de l'actif total.

La rotation des stocks

Le calcul du ratio de rotation des stocks nous permet de juger si l'entreprise maintient des stocks trop élevés ou trop faibles. Une façon de calculer ce ratio est de diviser le coût des ventes par la valeur des stocks de fin d'exercice[3] .

Pour Ciment St-Laurent, on obtient les résultats suivants pour les années 1985 et 1986[4]:

---

[3] Dans le cas d'une entreprise saisonnière, il est préférable d'utiliser la valeur moyenne des stocks au cours de l'exercice (c.-à-d. $\dfrac{\text{Stocks du début} + \text{Stocks de la fin}}{2}$).

[4] De façon à uniformiser la méthode de calcul avec celle utilisée par les agences qui publient des normes sectorielles, on calcule très souvent le ratio de rotation des stocks de la façon suivante:
Rotation des stocks = $\dfrac{\text{Ventes}}{\text{Stocks de fin d'exercice}}$.
Il est à noter que le ratio ci-dessus ne mesure pas la véritable rotation des stocks puisque les stocks sont évalués au coût et les ventes au prix du marché.

$$\text{Rotation des stocks} = \frac{\text{Coût des ventes}}{\text{Stocks}}$$

$$= \frac{338\ 789}{65\ 713} = 5,16 \text{ fois (pour 1985)}$$

$$= \frac{406\ 126}{74\ 874} = 5,42 \text{ fois (pour 1986)}$$

Les calculs précédents nous indiquent que les stocks de Ciment St-Laurent ont été renouvelés tous les 70,7 jours (c.-à-d. $\frac{365 \text{ jours}}{5,16 \text{ fois}}$) en 1985 et tous les 67,3 jours (c.-à-d. $\frac{365 \text{ jours}}{5,42 \text{ fois}}$) en 1986. De façon générale, on peut dire qu'un ratio de rotation des stocks élevé est préférable à un ratio qui est faible, puisqu'un ratio élevé indique que le capital improductif est faible. Toutefois, un ratio de rotation des stocks significativement plus élevé que celui de la moyenne du secteur auquel appartient l'entreprise peut signifier que les stocks de l'entreprise sont insuffisants pour satisfaire la demande de ses clients et que cette dernière doit fréquemment refuser des ventes.

Notons finalement que le ratio de rotation des stocks est influencé par la méthode d'évaluation des stocks qu'utilise l'entreprise, ce qui peut rendre difficile les comparaisons d'une entreprise à l'autre. Ainsi, le ratio de rotation des stocks d'une entreprise qui utilise pour évaluer ses stocks la méthode du premier entré, premier sorti (FIFO) n'est pas directement comparable au ratio moyen de l'industrie si la plupart des entreprises du secteur industriel concerné utilise comme méthode d'évaluation des stocks celle du dernier entré, premier sorti (LIFO).

Le délai moyen de recouvrement des comptes à recevoir

Le délai moyen de recouvrement des comptes à recevoir indique la période moyenne qui s'écoule entre le moment où la vente a lieu et celui où le client règle la facture. Pour Ciment St-Laurent, ce ratio se calcule ainsi pour les années 1985 et 1986[5]:

$$\text{Délai moyen de recouvrement des comptes à recevoir} = \frac{\text{Comptes à recevoir}}{\text{Ventes quotidiennes}} = \frac{\text{Comptes à recevoir}}{\text{Ventes annuelles/365}}$$

$$= \frac{111\ 170}{493\ 062/365} = 82,3 \text{ jours (pour 1985)}$$

$$= \frac{128\ 197}{601\ 714/365} = 77,8 \text{ jours (pour 1986)}$$

Pour l'année 1986, l'entreprise Ciment St-Laurent avait donc 77,8 jours de ventes dans les comptes à recevoir. De plus, on observe que le délai moyen de

---

5   Dans le cas d'une entreprise saisonnière, il est préférable d'utiliser au numérateur les comptes à recevoir moyens

(c.-à-d.

$$\frac{\text{Comptes à recevoir au début de l'exercice+ Comptes à recevoir à la fin de l'exercice}}{2}).$$

De plus, lorsque ce nombre est disponible, il est préférable d'utiliser au dénominateur le montant des ventes à crédit plutôt que le montant total des ventes de l'entreprise.

recouvrement des comptes à recevoir de l'entreprise a diminué quelque peu de 1985 à 1986.

Un délai moyen de recouvrement des comptes à recevoir supérieur à la moyenne du secteur industriel concerné et qui a tendance à augmenter avec le temps suggère que les procédures de recouvrement de l'entreprise ne sont pas suffisamment contraignantes. A l'inverse, un délai moyen de recouvrement des comptes à recevoir nettement inférieur à la moyenne de l'industrie concernée peut signifier que les prodécures de recouvrement de l'entreprise sont trop contraignantes et ont un impact négatif sur les ventes de cette dernière.

Classement chronologique des comptes à recevoir.

Dans le but d'obtenir des renseignements supplémentaires sur la liquidité des comptes à recevoir de l'entreprise, on peut classifier ces derniers en fonction de leur ancienneté. Dans le cas des entreprises X et Y, dont les conditions de crédit sont «net 30 jours» et les ventes annuelles à crédit de 270 000$, les comptes à recevoir se répartissent ainsi en fonction de leur ancienneté:

Jours	Entreprise X	Entreprise Y
0 - 30	5 000$ (19%)	26 000$ (74%)
31 - 60	10 000 (37%)	5 000 (14%)
61 - 90	10 000 (37%)	2 000 (6%)
91 et +	2 000 (7%)	2 000 (6%)
	27 000$ (100%)	35 000$ (100%)

Pour chacune de ces entreprises, le délai moyen de recouvrement des comptes à recevoir se calcule de la façon suivante:

$$\text{Délai moyen de recouvrement des comptes à recevoir de l'entreprise X} = \frac{27\ 000}{270\ 000/365} = 36,5 \text{ jours}$$

$$\text{Délai moyen de recouvrement des comptes à recevoir de l'entreprise Y} = \frac{35\ 000}{270\ 000/365} = 47,3 \text{ jours}$$

Sur la base du délai moyen de recouvrement des comptes à recevoir, on serait porté à conclure que l'entreprise X a une politique de recouvrement plus efficace que celle de l'entreprise Y. Toutefois, une analyse plus rigoureuse, fondée sur une classification des comptes à recevoir en fonction de leur âge, nous indique qu'il en va autrement. En effet, on note que 81% des comptes à recevoir de l'entreprise X sont en souffrance alors que ce pourcentage n'est que de 26% dans le cas de l'entreprise Y. Dans la plupart des situations, le délai moyen de recouvrement des comptes à recevoir, comme c'est le cas des autres ratios, doit être interprété avec circonspection et en tenant compte des conditions de crédit offertes par l'entreprise.

La rotation des immobilisations

Ce ratio nous indique le nombre de dollars de ventes que réalise l'entreprise par dollar investi en immobilisations. Il nous permet de juger si l'entreprise utilise efficacement ses immoblilisations ou si, à l'inverse, le montant investi en actifs immobilisés est excessif. Pour Ciment St-Laurent, la rotation des immobilisations se mesure ainsi pour les années 1985 et 1986:

$$\text{Rotation des immobilisations} = \frac{\text{Ventes}}{\text{Immobilisations nettes}}$$

$$= \frac{493\ 062}{339\ 542} = 1,45 \text{ fois (en 1985)}$$

$$= \frac{601\ 714}{339\ 880} = 1,77 \text{ fois (en 1986)}$$

La valeur du ratio en 1986 nous indique que l'entreprise a généré 1,77$ de ventes par dollar investi en immobilisations cette année-là. De plus, on observe que l'entreprise a utilisé plus efficacement ses immobilisations en 1986 qu'elle ne l'a fait en 1985. Afin de déterminer si Ciment St-Laurent utilise pleinement ses immobilisations, il faudrait, comme on doit le faire pour tous les ratios, comparer les ratios obtenus pour cette entreprise avec ceux d'entreprises similaires (taille et âge) opérant dans la même industrie.

La rotation de l'actif total

Ce ratio nous indique l'efficacité avec laquelle l'entreprise utilise l'ensemble de ses actifs. Il se calcule en divisant le chiffre des ventes par le total de l'actif. Pour Ciment St-Laurent, on obtient les valeurs numériques suivantes pour les années 1985 et 1986:

$$\text{Rotation de l'actif total} = \frac{\text{Ventes}}{\text{Actif total}}$$

$$= \frac{493\ 062}{547\ 005} = 0,90 \text{ fois (pour 1985)}$$

$$= \frac{601\ 714}{569\ 671} = 1,06 \text{ fois (pour 1986)}$$

La valeur du ratio pour 1986 nous indique que l'entreprise a généré 1,06$ de ventes par dollar investi en actifs cette année-là. De plus, on remarque que l'entreprise a utilisé plus efficacement ses actifs en 1986 qu'elle ne l'a fait en 1985.

Notons finalement qu'un ratio élevé n'est pas toujours préférable à un faible ratio puisqu'il peut révéler que l'entreprise opère avec des vieux actifs pratiquement tous amortis.

2.3.2.2.4   Les ratios de rentabilité

Les ratios de rentabilité sont utilisés dans le but de porter un jugement sur la performance globale de l'entreprise et de ses gestionnaires. Quelques-uns des ratios appartenant à cette catégorie sont discutés ci-dessous.

La marge brute sur les ventes

La marge brute sur les ventes nous indique la proportion du chiffre d'affaires de l'entreprise qui est disponible pour couvrir les frais de vente et d'administration et les charges financières. Ce ratio se calcule en divisant le bénéfice brut de l'entreprise par le montant des ventes. Pour Ciment St-Laurent, on obtient les résultat suivants pour les années 1985 et 1986:

$$\text{Marge brute sur les ventes} = \frac{\text{Ventes - Coût des ventes}}{\text{Ventes}}$$

$$= \frac{154\ 273}{493\ 062} = 31,29\% \text{ (pour 1985)}$$

$$= \frac{195\ 588}{601\ 714} = 32,51\% \text{ (pour 1986)}$$

On constate que la marge brute sur les ventes de Ciment St-Laurent s'est améliorée de 1985 à 1986.

La marge nette sur les ventes

La marge nette sur les ventes nous indique le bénéfice net que réalise l'entreprise pour chaque dollar de ventes. Ce ratio se calcule en divisant le bénéfice net de l'entreprise (après impôt et avant postes extraordinaires) par le chiffre des ventes. Dans le cas de Ciment St-Laurent, on obtient les valeurs numériques suivantes pour les années 1985 et 1986:

$$\text{Marge nette sur les ventes} = \frac{\text{Bénéfice net (avant postes extraordinaires)}}{\text{Ventes}}$$

$$= \frac{33\ 556}{493\ 062} = 6,81\% \text{ (pour 1985)}$$

$$= \frac{45\ 602}{601\ 714} = 7,58\% \text{ (pour 1986)}$$

Les résultats précédents montrent que la marge nette sur les ventes de Ciment St-Laurent s'est améliorée de 1985 à 1986. De façon générale, une augmentation de la marge nette sur les ventes peut s'expliquer par une hausse du prix de vente, par un meilleur contrôle des coûts, par l'introduction de produits plus rentables ou par une baisse du taux d'imposition de l'entreprise. Dans le cas de Ciment St-Laurent, n'eut été de la hausse du taux d'imposition (le taux d'imposition de l'entreprise est passé de 42,4% en 1985 à 46,0% en 1986), l'entreprise aurait accru de façon encore plus marquée sa marge nette sur les ventes en 1986.

La rentabilité de l'actif total

La rentabilité de l'actif total nous indique le bénéfice net que réalise l'entreprise par dollar investi. Ce ratio, que l'on appelle communément le ROI (Return on investment), se calcule en divisant le bénéfice net de l'entreprise (après impôt et avant postes extraordinaires) par l'actif total de cette dernière. Dans le cas de Ciment St-Laurent, la rentabilité de l'actif total se mesure ainsi pour les années 1985 et 1986[6]:

$$\text{Rentabilité de l'actif total} = \frac{\text{Bénéfice net (avant postes extraordinaires)}}{\text{Actif total}}$$

$$= \frac{33\ 556}{547\ 005} = 6,13\% \text{ (pour 1985)}$$

$$= \frac{45\ 602}{569\ 671} = 8,00\% \text{ (pour 1986)}$$

Pour 1986, on note que, pour chaque dollar d'actif, la compagnie Ciment St-Laurent a réalisé 8,00 cents de bénéfice net. Cela constitue une amélioration par rapport à l'année 1985.

La rentabilité de l'avoir des actionnaires

Ce ratio mesure le bénéfice net réalisé par l'entreprise pour chaque dollar investi par les actionnaires ordinaires. Il se calcule en divisant le bénéfice net de l'entreprise (après impôt et avant postes extraordinaires) par l'avoir des actionnaires ordinaires (incluant les impôts reportés). Pour Ciment St-Laurent, on obtient les résultats suivants pour les années 1985 et 1986[7]:

$$\text{Rentabilité de l'avoir des actionnaires} = \frac{\text{Bénéfice net (avant postes extraordinaires)}}{\text{Avoir des actionnaires ordinaires}}$$

$$= \frac{33\ 556}{235\ 032} = 14,28\% \text{ (pour 1985)}$$

$$= \frac{45\ 602}{269\ 831} = 16,90\% \text{ (pour 1986)}$$

Les calculs ci-dessus indiquent que la rentabilité de l'avoir des actionnaires s'est améliorée de 1985 à 1986. De plus, on observe que la rentabilité de l'avoir des actionnaires est nettement plus élevée que la rentabilité de l'actif total. Cet écart est attribuable au fait que l'entreprise a bénéficié d'un effet de levier financier favorable, c'est-à-dire que cette dernière a réalisé un rendement sur le capital investi supérieur au coût de ses emprunts après impôt. Dans un tel cas, l'écart entre le rendement du capital investi et le coût de la dette après impôt contribue à accroître la rentabilité des fonds propres.

---

[6] Puisque l'actif de l'entreprise est financé à la fois par les actionnaires et les créanciers, il serait préférable de calculer la rentabilité de l'actif total de la façon suivante:

$$\text{Rentabilité de l'actif total} = \frac{\text{Bénéfice net + Intérêts sur la dette}}{\text{Actif total}}.$$

[7] Lorsque l'entreprise a en circulation des actions privilégiées, on doit retrancher du bénéfice net (avant postes extraordinaires) le montant des dividendes privilégiés.

Le bénéfice par action et le ratio cours-bénéfice

Une statistique très utilisée par les analystes financiers et les investisseurs est le bénéfice par action. Ce ratio se calcule ainsi[8]:

$$\text{Bénéfice par action} = \frac{\text{Bénéfice net}}{\text{Nombre d'actions ordinaires en circulation}}$$

Dans le cas de Ciment St-Laurent, le rapport annuel de la compagnie nous indique que l'entreprise a réalisé un bénéfice par action de 1,91$ en 1985 et de 2,28$ en 1986.

Un autre ratio populaire dans les milieux financiers est le ratio cours-bénéfice. Il se calcule ainsi:

$$\text{Ratio cours-bénéfice} = \frac{\text{Valeur marchande de l'action}}{\text{Bénéfice par action}}$$

De façon générale, on peut dire que la valeur de ce ratio est liée directement au taux de croissance anticipé de l'entreprise et, de façon inverse, au risque de cette dernière.

Le ratio cours-bénéfice est souvent utilisé par les analystes financiers et les investisseurs pour déterminer si le cours de l'action d'une entreprise donnée est trop élevé, trop faible ou raisonnable. Ainsi, lorsque le ratio cours-bénéfice d'une entreprise est nettement supérieur au ratio cours-bénéfice moyen d'entreprises similaires opérant dans la même industrie, ceci peut indiquer que les actions de l'entreprise en cause sont surévaluées par le marché. A l'inverse, un ratio cours-bénéfice sensiblement inférieur au ratio moyen d'entreprises semblables appartenant à la même industrie peut signifier que les actions de l'entreprise en cause sont sous-évaluées par le marché et constituent, par conséquent, une occasion d'achat intéressante. Bien entendu, d'autres variables que le ratio cours-bénéfice, tant quantitatives que qualitatives, doivent être prises en considération pour déterminer si les actions d'une entreprise donnée, à un moment précis dans le temps, sont surévaluées, correctement évaluées ou sous-évaluées par l'ensemble des investisseurs.

2.3.2.3   Le système Du Pont

Le système Du Pont, développé à l'origine par les gestionnaires de cette compagnie américaine, illustre le fait que la rentabilité de l'actif total d'une entreprise dépend à la fois de la rotation de son actif total (c.-à-d. de la capacité de l'entreprise à utiliser efficacement ses actifs) et de sa marge nette sur les ventes (c.-à-d. de la capacité de l'entreprise à obtenir un profit intéressant sur chaque dollar de ventes). Pour

---

[8]   Habituellement, le chiffre figurant au dénominateur est le nombre pondéré d'actions ordinaires en circulation au cours de l'exercice. De plus, lorsque l'entreprise a en circulation des actions privilégiées, il faut retrancher du bénéfice net le montant des dividendes privilégiés.

l'entreprise Ciment St-Laurent, la rentabilité de l'actif total peut se calculer ainsi pour les années 1985 et 1986:

$$\text{Rentabilité de l'actif total} = \frac{\text{Bénéfice net}}{\text{Actif total}}$$

$$= \left(\frac{\text{Rotation de l'actif total}}{}\right)\left(\frac{\text{Marge nette sur les ventes}}{}\right)$$

$$= \left(\frac{\text{Ventes}}{\text{Actif total}}\right)\left(\frac{\text{Bénéfice net}}{\text{Ventes}}\right)$$

Pour 1985
$$\begin{cases} 6,13\% = \left(\dfrac{493\ 062}{547\ 005}\right)\left(\dfrac{33\ 556}{493\ 062}\right) \\[2ex] 6,13\% = (0,901)\ (0,0681) \end{cases}$$

Pour 1986
$$\begin{cases} 8,00\% = \left(\dfrac{601\ 714}{569\ 671}\right)\left(\dfrac{45\ 602}{601\ 714}\right) \\[2ex] 8,00\% = (1,056)\ (0,0758) \end{cases}$$

On constate que l'amélioration de la rentabilité de l'actif total de l'entreprise Ciment St-Laurent de 1985 à 1986 est attribuable à la fois à une utilisation plus intensive de ses éléments d'actif et à une amélioration de la rentabilité des ventes.

L'équation de Du Pont nous montre qu'une entreprise peut s'y prendre de deux façons pour obtenir un rendement intéressant sur son actif total: elle peut soit combiner une rotation élevée des actifs et une faible marge sur les ventes (comme c'est le cas dans le secteur de l'alimentation) ou encore combiner une faible rotation des actifs et une marge élevée sur les ventes (comme c'est le cas dans l'industrie dans laquelle opère Ciment St-Laurent).

2.3.2.4　Le système Du Pont et l'effet de levier financier

Le système Du Pont étendu à l'effet de levier financier met en évidence le fait que la rentabilité de l'avoir des actionnaires d'une entreprise dépend à la fois de la rotation de son actif total, de sa marge nette sur les ventes et de son ratio d'endettement. Pour l'entreprise Ciment St-Laurent, la rentabilité de l'avoir des actionnaires peut se décomposer ainsi pour les années 1985 et 1986:

$$\begin{array}{c}\text{Rentabilité de} \\ \text{l'avoir des} \\ \text{actionnaires}\end{array} = \frac{\text{Bénéfice net}}{\text{Avoir des actionnaires ordinaires}}$$

$$= \frac{\left(\begin{array}{c}\text{Rotation de} \\ \text{l'actif total}\end{array}\right)\left(\begin{array}{c}\text{Marge nette} \\ \text{sur les ventes}\end{array}\right)}{1 - \text{Ratio d'endettement}}$$

$$= \frac{\left(\dfrac{\text{Ventes}}{\text{Actif total}}\right)\left(\dfrac{\text{Bénéfice net}}{\text{Ventes}}\right)}{1 - \dfrac{\text{Passif total}}{\text{Actif total}}}$$

$$= \left(\frac{\text{Ventes}}{\text{Actif total}}\right)\left(\frac{\text{Bénéfice net}}{\text{Ventes}}\right)\left(\begin{array}{c}\dfrac{\text{Actif total}}{\text{Avoir des}} \\ \text{actionnaires} \\ \text{ordinaires}\end{array}\right)$$

Pour 1985
$$\begin{cases}14,28\% = \left(\dfrac{493\ 062}{547\ 005}\right)\left(\dfrac{33\ 556}{493\ 062}\right)\left(\dfrac{547\ 005}{235\ 032}\right) \\[2mm] 14,28\% = (0,901)\ (0,0681)\ (2,328)\end{cases}$$

Pour 1986
$$\begin{cases}16,90\% = \left(\dfrac{601\ 714}{569\ 671}\right)\left(\dfrac{45\ 602}{601\ 714}\right)\left(\dfrac{569\ 671}{269\ 831}\right) \\[2mm] 16,90\% = (1,056)\ (0,0758)\ (2,111)\end{cases}$$

Les résultats précédents nous montrent que l'accroissement de la rentabilité de l'avoir des actionnaires de 1985 à 1986 découle d'une utilisation plus efficace des éléments d'actif et d'une amélioration de la rentabilité des ventes. De plus, comme nous l'avons indiqué précédemment, l'écart sensible entre la rentabilité de l'avoir des actionnaires et la rentabilité de l'actif total est attribuable au fait que l'entreprise a bénéficié d'un effet de levier financier favorable en 1985 et 1986.

La figure 1 résume le système Du Pont étendu à l'effet de levier en utilisant les chiffres du bilan et de l'état des résultats de Ciment St-Laurent pour l'année 1986.

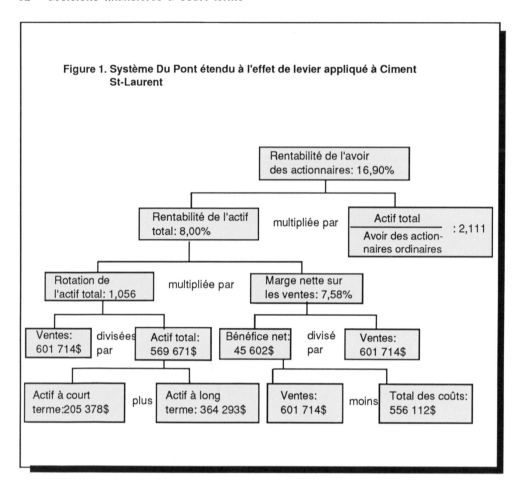

Figure 1. Système Du Pont étendu à l'effet de levier appliqué à Ciment St-Laurent

2.3.2.5   Démarche à suivre lors d'une analyse par ratios et résumé des ratios

Même si nous venons de présenter les principaux ratios financiers, nous n'avons pas pour autant réglé la question relative à la séquence à respecter pour le calcul de ces derniers. Il va de soi que la réponse à cette question dépend du type de renseignements que nous voulons obtenir et de ce que nous voulons mesurer. Cependant, dans un contexte où l'objectif consiste à évaluer globalement la santé financière d'une entreprise, une démarche similaire à celle présentée au tableau 1 peut être utilisée. Cette approche, qui comprend sept étapes, permet d'établir l'ordre chronologique de calcul des ratios en plus d'identifier le fil conducteur existant entre ces derniers.

Tableau 1:   Démarche à suivre lors d'une analyse par ratios

Etape 1	Evaluation de la rentabilité de l'avoir des actionnaires

1986   1985

$$\text{Rentabilité de l'avoir des actionnaires} = \left(\frac{\text{Bénéfice net}}{\text{Avoir des actionnaires ordinaires}}\right) = \quad 16,90\% \quad 14,28\%$$

Etape 2	Décomposition de la rentabilité de l'avoir des actionnaires

$$\text{Rentabilité de l'avoir des actionnaires} = \left(\frac{\text{Ventes}}{\text{Actif total}}\right)\left(\frac{\text{Bénéfice net}}{\text{Ventes}}\right)\left(\frac{\text{Actif total}}{\text{Avoir des actionnaires ordinaires}}\right)$$

Année 1986: 16,90% = (1,056)(0,0758)(2,111)
Année 1985: 14,28% = (0,901)(0,0681)(2,328)

Etape 3	Analyse de la gestion des éléments d'actif

1986   1985

$$\text{Rotation des stocks} = \frac{\text{Coût des ventes}}{\text{Stocks}} = \quad 5,42 \text{ fois} \quad 5,16 \text{ fois}$$

$$\text{Délai moyen de recouvrement des comptes à recevoir} = \frac{\text{Comptes à recevoir}}{\text{Ventes annuelles/365}} = \quad 77,8 \text{ jours} \quad 82,3 \text{ jours}$$

$$\text{Rotation des immobilisations} = \frac{\text{Ventes}}{\text{Immobilisations nettes}} = \quad 1,77 \text{ fois} \quad 1,45 \text{ fois}$$

Etape 4	Analyse des marges de rentabilité sur les ventes

			1986	1985
Marge brute sur les ventes	$= \dfrac{\text{Ventes - Coût des ventes}}{\text{Ventes}}$	=	32,51%	31,29%
Marge nette sur les ventes	$= \dfrac{\text{Bénéfice net}}{\text{Ventes}}$	=	7,58%	6,81%

Etape 5	Analyse du potentiel de l'entreprise à rencontrer ses engagements financiers et de son risque financier

			1986	1985
Ratio du passif total à l'actif total	$= \dfrac{\text{Passif total}}{\text{Actif total}}$	=	52,63%	57,03%
Ratio de couverture des intérêts	$= \dfrac{\text{BAII}}{\text{Intérêts sur la dette}}$	=	4,22 fois	3,31 fois

$$\text{Ratio de couverture des charges financières} = \frac{\text{Bénéfice avant intérêts, loyers et impôts}}{\text{Intérêts sur la dette} + \text{Loyers} + \dfrac{\text{Remb. du principal de la dette} + \text{Dividendes privilégiés}}{1 - T}} \qquad - \qquad -$$

Etape 6	Analyse de la liquidité

			1986	1985
Ratio du fonds de roulement	$= \dfrac{\text{Actif à court terme}}{\text{Passif à court terme}}$	=	2,32 fois	1,87 fois
Ratio de trésorerie	$= \dfrac{\text{Actif à court terme - Stocks - Frais payés d'avance}}{\text{Passif à court terme}}$	=	1,45 fois	1,15 fois

| Etape 7 | Le bénéfice par action et la réaction du marché face à la gestion de l'entreprise |

		1986	1985
Bénéfice par action = $\dfrac{\text{Bénéfice net}}{\begin{array}{c}\text{Nombre d'actions}\\\text{ordinaires en circulation}\end{array}}$	=	2,28$	1,91$
Ratio cours-bénéfice = $\dfrac{\begin{array}{c}\text{Valeur marchande}\\\text{de l'action}\end{array}}{\text{Bénéfice par action}}$	=	9,65 fois	14,7 fois

La première étape consiste à vérifier si l'entreprise est rentable pour ses actionnaires ordinaires. Pour ce faire, il s'agit de diviser le bénéfice net de l'exercice par les capitaux investis et réinvestis par les actionnaires ordinaires. La priorité accordée à cet aspect peut s'expliquer par le fait que l'objectif financier d'une entreprise est de maximiser la richesse[9] de ses propriétaires.

La seconde étape a pour but d'expliquer la provenance du résultat obtenu à l'étape précédente. Pour ce faire, on a recours à l'équation de Du Pont étendue à l'effet de levier financier. Comme nous l'avons mentionné à la section précédente, dans le cas de l'entreprise Ciment St-Laurent, l'accroissement de la rentabilité de l'avoir des actionnaires repose à la fois sur une utilisation plus efficace de ses éléments d'actif et sur une amélioration de sa marge nette sur les ventes. De plus, on notera que la valeur du ratio "Actif total/Avoir des actionnaires ordinaires" a diminué de 1985 à 1986. Cela indique une réduction de l'effet de levier financier.

---

[9]   Il est à noter que le ratio de rentabilité de l'avoir des actionnaires, qui est calculé à partir des données comptables, ne mesure pas directement l'accroissement de richesse des actionnaires. Le véritable enrichissement annuel des actionnaires se mesure plutôt à partir des données boursières de la façon suivante:

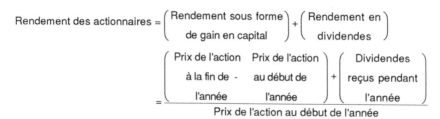

Dans bien des cas, le rendement des actionnaires que l'on obtient à partir des données boursières s'écarte sensiblement du taux de rendement de l'avoir des actionnaires calculé à partir des données comptables.

A l'étape précédente, nous avons observé que l'entreprise Ciment St-Laurent a utilisé plus efficacement ses actifs en 1986 qu'en 1985. L'étape 3 nous permettra maintenant d'identifier à quel(s) actif(s) peut être attribuée l'amélioration du ratio de rotation de l'actif total. En comparant les valeurs prises par les différents ratios de gestion de Ciment St-Laurent en 1985 et en 1986, on constate que l'amélioration du ratio de rotation de l'actif total découle à la fois d'une meilleure gestion des comptes à recevoir, des stocks et des immobilisations.

A l'étape 2, nous avons indiqué que la marge nette sur les ventes de l'entreprise Ciment St-Laurent s'est améliorée de 1985 à 1986. Cette quatrième étape nous permettra d'identifier les causes de cette amélioration. Pour ce faire, il peut être utile de décomposer ainsi la marge nette sur les ventes de Ciment St-Laurent:

$$\text{Marge nette} = \left(\frac{\text{Marge}}{\text{brute}} - \frac{\text{Dépenses d'exploitation}}{\text{Ventes}} \right) (1 - T)$$

Année 1986
$$7,58\% \quad = (32,51\% - 18,47\%) (1 - 46\%)$$
$$= (14,04\%) (1 - 46\%)$$

Année 1985
$$6,81\% \quad = (31,29\% - 19,46\%) (1 - 42,45\%)$$
$$= (11,83\%) (1 - 42,45\%)$$

A partir des calculs ci-dessus, on constate que l'augmentation de la marge nette sur les ventes de l'entreprise Ciment St-Laurent est attribuable à une augmentation de la marge brute sur les ventes et à un meilleur contrôle des dépenses d'exploitation. De plus, n'eut été de la hausse de son taux d'imposition, l'entreprise aurait accrue de façon encore plus marquée sa marge nette sur les ventes en 1986.

La cinquième étape nous permettra de porter un jugement sur le risque financier de Ciment St-Laurent et sur la capacité de cette entreprise à faire face à ses engagements financiers. Une comparaison des valeurs prises par les différents ratios d'endettement de Ciment St-Laurent en 1985 et en 1986 nous révèle que (1) le risque financier de cette entreprise a diminué de 1985 à 1986, (2) l'entreprise couvre relativement bien ses charges d'intérêt et (3) la capacité de l'entreprise à couvrir ses charges d'intérêt s'est accrue de 1985 à 1986.

La sixième étape concerne l'analyse de la liquidité de l'entreprise. A cet effet, les deux ratios de liquidité que nous avons calculés indiquent que la liquidité de l'entreprise est excellente et qu'elle s'est améliorée de 1985 à 1986.

Finalement, la septième étape nous permet en quelque sorte de fermer la boucle en analysant le bénéfice par action et le ratio cours-bénéfice. Ces deux ratios, à l'instar de celui que nous avons calculé à l'étape 1, concernent directement les actionnaires ordinaires de l'entreprise. Notons que le dernier ratio (c.-à-d. le ratio cours-bénéfice) nous renseigne sur la perception qu'a le marché boursier des perspectives de croissance de l'entreprise et de son risque.

Pour terminer cette section, rappelons qu'il serait souhaitable, dans le but de rendre plus complète notre analyse, que les ratios que nous avons calculés à chacune des sept étapes décrites précédemment soient mis en parallèle avec ceux d'entreprises similaires (méthodes comptables, taille et âge) opérant dans la même industrie que Ciment St-Laurent.

2.3.2.6   Limites de l'analyse par ratios

Les ratios financiers peuvent s'avérer très utiles pour analyser les états financiers d'une entreprise et pour détecter certains problèmes potentiels. Toutefois, comme toute technique financière, l'analyse par ratios comporte certaines limites que nous résumons ci-dessous:

1. Pour une entreprise qui exerce ses activités dans plusieurs secteurs industriels à la fois, le choix de normes sectorielles appropriées, dans le but d'effectuer des comparaisons, peut causer à l'analyste certaines difficultés.

2. Des divergences au niveau de la taille, de l'âge, des méthodes comptables et de la date de fin d'exercice financier peuvent compliquer les comparaisons inter-entreprises.

3. La définition de la norme du secteur peut poser certains problèmes particuliers. En effet, l'analyste doit-il utiliser comme norme de comparaison la moyenne arithmétique, la médiane ou le mode du secteur industriel concerné? De plus, il convient de noter, à propos des normes du secteur, que certaines entreprises ne sont pas considérées dans l'établissement de celles-ci et que les moyennes publiées par certaines agences peuvent être considérablement faussées par un petit nombre d'entreprises dont les ratios prennent des valeurs extrêmes.

4. Pour plusieurs ratios, on ne peut affirmer catégoriquement si une valeur élevée est préférable à une faible valeur. Par exemple, un ratio du fonds de roulement élevé peut indiquer que la solvabilité de l'entreprise est bonne (ce qui constitue un point positif) ou encore que cette dernière a investi des sommes trop importantes dans des actifs à court terme (encaisse, comptes à recevoir et stocks) ayant une faible rentabilité (ce qui constitue un point négatif).

5. Lorsque la valeur prise par un ratio donné s'écarte sensiblement de la norme du secteur, cela ne signifie pas nécessairement que l'entreprise fait face à un problème. Dans un tel cas, l'analyste devra procéder à un examen plus approfondi dans le but d'expliquer les causes de l'écart constaté.

2.3.3   L'état de l'évolution de la situation financière

Objectif

L'état de l'évolution de la situation financière a pour principal objectif de montrer comment les activités de l'entreprise ont été financées au cours d'une période donnée et à quoi ont servi ses ressources financières. En d'autres termes, nous voulons savoir d'où est venu l'argent et où il est allé.

L'analyse de l'état de l'évolution de la situation financière permet au gestionnaire financier de mettre en évidence certaines anomalies ayant trait aux activités d'investissement et de financement de l'entreprise et de prendre, par la suite, les mesures correctrices appropriées. Par exemple, l'analyse de cet état pourra révéler que des acquisitions d'immobilisations sont financées en bonne partie par des emprunts à court terme. En pareil cas, il y a de bonnes chances que l'entreprise éprouve à un moment donné certaines difficultés à honorer ses engagements à court terme.

Définition du terme fonds

Le terme «fonds» peut représenter soit l'encaisse de l'entreprise, soit ses quasi-espèces (c.-à-d. son encaisse et ses placements à court terme moins ses emprunts à court terme) ou encore son fonds de roulement net. La définition à utiliser dépend des objectifs poursuivis.

1. **Fonds = Encaisse.** Si nous définissons le terme «fonds» comme étant l'encaisse de l'entreprise, on examinera alors les variations de tous les postes du bilan, à l'exception de l'encaisse. La différence entre les sources et utilisations de fonds correspondra à la variation de l'encaisse. En définissant ainsi le terme «fonds», on obtient un état qui s'intitule «l'état de l'évolution de l'encaisse».

2. **Fonds = Quasi-espèces.** Si le terme «fonds» représente les quasi-espèces, nous examinerons alors les variations de tous les postes du bilan, à l'exception de l'encaisse, des placements à court terme et des emprunts à court terme. En définissant ainsi le terme «fonds», on pourra dresser un état de l'évolution de la situation financière conforme aux nouvelles recommandations du chapitre 1540 du Manuel de l'I.C.C.A. Cet état nous indiquera l'augmentation ou la diminution des quasi-espèces ou des liquidités de l'entreprise.

3. **Fonds = Fonds de roulement net.** Si le terme «fonds» est défini comme étant le fonds de roulement net de l'entreprise (c.-à-d. son actif à court terme moins son passif à court terme), nous examinerons alors les variations de tous les postes à long terme du bilan (actif et passif). Dans ce cas, la différence entre les sources et utilisations de fonds correspondra à la variation du fonds de roulement net. Lorsque le terme «fonds» est défini de cette façon, on obtient alors un état de l'évolution de la situation financière conforme aux recommandations du chapitre 1540 du Manuel de l'I.C.C.A. en vigueur avant 1985.

Dans la suite du texte, nous utilisons les trois définitions du terme «fonds». En premier lieu, nous discutons de l'état de l'évolution de l'encaisse. Par la suite, nous montrons comment établir et interpréter un état de l'évolution de la situation financière s'inspirant des recommandations du Manuel de l'I.C.C.A. antérieures à

1985. Finalement, nous traitons de l'état de l'évolution de la situation financière en tenant compte des nouvelles recommandations du Manuel de l'I.C.C.A.

L'état de l'évolution de l'encaisse

Pour préparer un état de l'évolution de l'encaisse, on doit, dans un premier temps, comparer les postes du bilan de l'entreprise à deux dates précises, soit au début et à la fin de la période que nous désirons étudier. Cette comparaison nous permettra d'établir la variation positive ou négative de chacun des postes du bilan. Chaque variation observée constituera soit une source de fonds ou une utilisation de fonds. Ainsi, une variation négative (c.-à-d. une diminution) d'un poste d'actif ou une variation positive d'un poste de passif (c.-à-d. une augmentation) représentera une source de fonds alors qu'une variation positive d'un poste d'actif ou une variation négative d'un poste de passif constituera une utilisation de fonds. Le tableau ci-dessous résume la situation.

	Actif	**Passif**
Source de fonds	Variation négative (-)	Variation positive (+)
Utilisation de fonds	Variation positive (+)	Variation négative (-)

Pour illustrer, nous utiliserons les données ci-dessous concernant l'entreprise ODI Inc.

Exemple

Les états financiers de l'entreprise ODI Inc. pour les années 1990 et 1991 sont les suivants:

ODI Inc.
Etat des résultats

	1991	1990
Ventes	825 000 $	780 000 $
Coût des marchandises vendues	520 000	480 000
Frais de vente et d'administration	80 000	68 000
Amortissement	50 000	48 000
Intérêts sur la dette	40 000	44 000
Bénéfice avant impôt	135 000 $	140 000 $
Impôt	54 000	56 000
Bénéfice net	81 000 $	84 000 $
Dividendes versés	20 000	20 000
Bénéfices non répartis	61 000 $	64 000 $

ODI Inc
Bilan

Actif

	1991	1990
Encaisse	63 000 $	44 000 $
Comptes à recevoir	73 000	59 000
Stocks	148 000	124 000
Dépenses payées d'avance	38 000	32 000
Total de l'actif à court terme	322 000 $	259 000 $
Immobilisations (au coût)	520 000 $	450 000 $
Moins: amortissement accumulé	100 000	50 000
Immobilisations nettes	420 000 $	400 000 $
Placements à long terme	-	60 000
Total de l'actif	742 000 $	719 000 $

Passif et avoir des actionnaires

	1991	1990
Comptes à payer	63 000 $	56 000 $
Emprunts bancaires	60 000	55 000
Total du passif à court terme	123 000 $	111 000 $
Dette à long terme	150 000	200 000
Actions ordinaires	300 000	300 000
Bénéfices non répartis	169 000	108 000
Total du passif et de l'avoir des actionnaires	742 000 $	719 000 $

A partir des données ci-dessus, nous établirons, dans un premier temps, l'état de l'évolution de l'encaisse de ODI Inc. dans sa forme la plus brève pour, par la suite, y apporter certains raffinements.

Les deux derniers bilans de l'entreprise nous permettent de calculer les variations suivantes:

Actif	Variation	Source(S) ou utilisation (U)
Encaisse	+ 19 000 $	U
Comptes à recevoir	+ 14 000	U
Stocks	+ 24 000	U
Dépenses payées d'avance	+ 6 000	U
Immobilisations nettes	+ 20 000	U
Placements à long terme	- 60 000	S

Passif		
Comptes à payer	+ 7 000 $	S
Emprunts bancaires	+ 5 000	S
Dette à long terme	- 50 000	U
Actions ordinaires	-	-
Bénéfices non répartis	+ 61 000	S

Dans sa forme la plus simple, l'état de l'évolution de l'encaisse de ODI Inc. se présente ainsi:

ODI Inc.
Etat de l'évolution de l'encaisse pour l'année 1991

Sources

Vente des placements à long terme	60 000 $
Augmentation des comptes à payer	7 000
Augmentation des emprunts bancaires	5 000
Augmentation des bénéfices non répartis	61 000
	133 000 $

Utilisations

Augmentation des comptes à recevoir	14 000 $
Augmentation des stocks	24 000
Augmentation des dépenses payées d'avance	6 000
Augmentation des immobilisations nettes	20 000
Remboursement de la dette à long terme	50 000
	114 000 $
Plus: augmentation de l'encaisse	19 000
	133 000 $

On peut rendre plus significatif l'état précédent en y apportant les deux raffinements suivants:

1. **Variation des bénéfices non répartis**. On sait que le bénéfice net réinvesti correspond à la différence entre le bénéfice net et les dividendes versés par l'entreprise. Dans l'état de l'évolution de l'encaisse apparaissant plus loin, le bénéfice net sera considéré comme une source de fonds alors que les dividendes versés seront traités comme une utilisation de fonds. De plus, notons que dans le cas d'une entreprise déficitaire, la perte d'opération serait considérée comme une utilisation de fonds.

2. **Variation des immobilisations**. Dans l'exemple ci-dessus, nous avons considéré uniquement la variation des immobilisations nettes. Il peut être intéressant de disséquer en deux parties ce compte, soit le compte «immobilisations brutes» et le compte «amortissement accumulé». L'amortissement de l'exercice sera alors inclus dans les sources de fonds, puisque cette dépense que l'on doit prendre en compte dans le calcul du bénéfice net de l'entreprise ne nécessite aucune sortie de fonds de la part de cette dernière. En ajoutant la dépense d'amortissement et les autres dépenses qui n'entraînent aucune sortie de fonds (par exemple, l'impôt reporté) au bénéfice net, on détermine alors les fonds générés par l'exploitation de l'entreprise.

En tenant compte des raffinements proposés, on obtient, dans le cas de l'entreprise ODI Inc., l'état de l'évolution de l'encaisse suivant:

ODI Inc.
Etat de l'évolution de l'encaisse pour l'année 1991

Sources

Bénéfice net	81 000 $
Amortissement	50 000
Fonds générés par l'exploitation	131 000 $
Vente des placements à long terme	60 000
Augmentation des comptes à payer	7 000
Augmentation des emprunts bancaires	5 000
	203 000 $

Utilisations

Augmentation des comptes à recevoir	14 000 $
Augmentation des stocks	24 000
Augmentation des dépenses payées d'avance	6 000
Augmentation des immobilisations brutes	70 000
Remboursement de la dette à long terme	50 000
Dividendes versés	20 000
	184 000 $
Plus: Augmentation de l'encaisse	19 000
	203 000 $

L'état précédent révèle que les utilisations de fonds pour l'année 1991 comprennent une augmentation des comptes à recevoir, des stocks et des dépenses payées d'avance. De plus, au cours de l'année 1991, ODI Inc. a accru ses immobilisations, a diminué sa dette à long terme et a versé des dividendes à ses actionnaires. Ces utilisations de fonds ont été financées en majeure partie par les fonds générés par l'exploitation de l'entreprise et par la vente des placements à long terme. La partie restante du financement a été obtenue en augmentant la dette bancaire et les comptes à payer. Etant donné que les sources de fonds (203 000$) ont excédé les utilisations de fonds (184 000$), l'encaisse de l'entreprise s'est accrue de 19 000$ en 1991.

Remarque. Dans le but d'en faciliter l'interprétation, on peut également dresser un état de l'évolution de l'encaisse en pourcentage. Dans ce cas, chaque poste est exprimé en pourcentage des sources et utilisations totales de fonds.

L'état de l'évolution de la situation financière

Une fois dressé l'état de l'évolution de l'encaisse, il est très facile d'établir un état de l'évolution de la situation financière s'inspirant des anciennes recommandations du Manuel de l'I.C.C.A. (c.-à-d. celles d'avant 1985). A cette fin, nous ne tiendrons compte dans les sources et utilisations de fonds que des variations des postes à long terme du bilan. Si l'on procède ainsi, la différence entre le total des sources et des utilisations de fonds correspondra nécessairement à la variation du fonds de roulement net de l'entreprise. Dans le cas de ODI Inc., l'état de l'évolution de la situation financière se présente ainsi:

ODI Inc.
Etat de l'évolution de la situation financière pour l'année 1991

Sources

Bénéfice net	81 000 $
Amortissement	50 000
Fonds générés par l'exploitation	131 000 $
Vente des placements à long terme	60 000
	191 000 $

Utilisations

Augmentation des immobilisations brutes	70 000 $
Remboursement de la dette à long terme	50 000
Dividendes versés	20 000
	140 000 $
Plus: Augmentation du fonds de roulement net	51 000
	191 000 $

Vérification à l'aide des données du bilan

$$
\begin{aligned}
\begin{matrix} \text{Augmentation du} \\ \text{fonds de roulement net} \end{matrix} &= \left(\begin{matrix} \text{Fonds de} \\ \text{roulement net} \\ \text{au 31/12/1991} \end{matrix} \right) - \left(\begin{matrix} \text{Fonds de} \\ \text{roulement net} \\ \text{au 31/12/1990} \end{matrix} \right) \\[2mm]
&= \left(\begin{matrix} \text{Actif à court} \quad - \quad \text{Passif à court} \\ \text{terme au 31/12/1991} \quad \text{terme au 31/12/1991} \end{matrix} \right) \\[2mm]
&\quad - \left(\begin{matrix} \text{Actif à court} \quad - \quad \text{Passif à court} \\ \text{terme au 31/12/1990} \quad \text{terme au 31/12/1990} \end{matrix} \right) \\[2mm]
&= (322\,000 - 123\,000) - (259\,000 - 111\,000) \\[1mm]
&= 51\,000\$
\end{aligned}
$$

Ce résultat est identique à l'augmentation du fonds de roulement net indiquée à l'état de l'évolution de la situation financière de ODI Inc. pour l'année 1991.

L'état précédent nous indique que les fonds générés par l'exploitation de l'entreprise et la vente des placements à long terme ont servi à acquérir des immobilisations, à réduire la dette à long terme, à verser des dividendes et à accroître le fonds de roulement net.

Depuis la refonte du chapitre 1540 du Manuel de l'I.C.C.A. en octobre 1985, l'état de l'évolution de la situation financière doit être préparé de façon à expliquer la variation des quasi-espèces de l'entreprise. Dans cet état financier, les mouvements de fonds doivent être répartis en trois catégories, soit ceux liés aux activités d'exploitation de l'entreprise, ceux liés à ses activités de financement et ceux touchant ses activités d'investissement. Ces différents types de mouvements de fonds sont expliqués brièvement ci-dessous.

1. **Mouvements de fonds liés aux activités d'exploitation.** Les mouvements de fonds liés à l'exploitation comprennent les fonds générés par l'exploitation de l'entreprise, soit son bénéfice net auquel on ajoute certaines dépenses qui n'entraînent pas de sorties de fonds (principalement l'amortissement et l'impôt reporté). Dans cette section de l'état de l'évolution de la situation financière, on inclut également les variations des différents postes de l'actif à court terme et du passif à court terme, à l'exception de l'encaisse, des placements à court terme et des emprunts à court terme.

2. **Mouvements de fonds liés aux activités de financement.** Dans cette section, on tient compte notamment des nouvelles émissions de titres à long terme (dettes à long terme et actions), des remboursements de dettes à long terme et des rachats d'actions. De plus, les dividendes versés par l'entreprise

sont souvent inclus dans cette partie de l'état de l'évolution de la situation financière[10].

3. **Mouvements de fonds liés aux activités d'investissement.** Dans cette section, on considère les transactions touchant l'achat et la vente d'éléments d'actif à long terme.

Ci-dessous, nous présentons l'état de l'évolution de la situation financière de ODI Inc. en tenant compte des nouvelles recommandations du Manuel de l'I.C.C.A.

ODI Inc.
Etat de l'évolution de la situation financière pour l'année 1991

Mouvements de fonds liés aux activités d'exploitation:

Bénéfice net	81 000 $	
Amortissement	50 000	
Augmentation des comptes à recevoir	(14 000)	
Augmentation des stocks	(24 000)	
Augmentation des dépenses payées d'avance	(6 000)	
Augmentation des comptes à payer	7 000	
		94 000 $

Mouvements de fonds liés aux activités de financement:

Vente des placements à long terme	60 000 $	
Remboursement de la dette à long terme	(50 000)	
Dividendes versés	(20 000)	(10 000)

Mouvements de fonds liés aux activités d'investissement:

Achat d'immobilisations	(70 000)
Augmentation de l'actif liquide	14 000 $
Plus: Actif liquide au début de l'exercice	(11 000)
Actif liquide à la fin de l'exercice	3 000 $

Remarque. L'actif liquide à la fin de l'exercice correspond à la différence entre l'encaisse et les emprunts bancaires, soit 63 000$ - 60 000$ = 3000$.

Sous cette forme, cet état nous indique que l'entreprise s'est financée à même ses activités d'exploitation et par la vente de ses placements à long terme. Ces sommes

---

[10] Certains comptables incluent les dividendes versés dans les mouvements de fonds liés aux activités d'exploitation, plutôt que dans les mouvements de fonds liés aux activités de financement.

ont servi à rembourser une partie de la dette à long terme, à acquérir des immobilisations et à verser des dividendes. Comme les sources de fonds ont excédé les utilisations de fonds, il en a résulté une augmentation de l'actif liquide de l'entreprise.

2.4   EXERCICES

1. Vrai ou faux.

a) Toutes choses étant égales par ailleurs, une augmentation du délai moyen de recouvrement des comptes à recevoir a pour effet d'accroître la rentabilité de l'actif total.

b) Une augmentation de la dette à long terme constitue une source de fonds.

c) L'amortissement constitue une utilisation de fonds.

d) Une diminution des stocks constitue une utilisation de fonds.

e) Idéalement, le ratio de rotation des stocks devrait se calculer en divisant le chiffre des ventes par le stock de fin d'exercice.

f) La méthode d'évaluation des stocks utilisée par l'entreprise est un facteur important à considérer lorsqu'on analyse son ratio de rotation des stocks.

g) Pour toutes les entreprises, le ratio optimal du fonds de roulement se situe à 2.

h) Le ratio de trésorerie d'une entreprise est toujours supérieur à son ratio du fonds de roulement.

i) Il est toujours plus avantageux d'avoir un ratio d'endettement élevé.

j) Le choix de la méthode d'amortissement comptable a une incidence sur le ratio de rotation des immobilisations.

k) Le ratio de couverture des intérêts donne une meilleure idée que le ratio de couverture des charges financières du risque financier de l'entreprise.

l) Idéalement, dans le calcul du délai moyen de recouvrement des comptes à recevoir, on ne devrait tenir compte que des ventes à crédit effectuées par l'entreprise.

m) Selon le système Du Pont, on devrait s'attendre à ce que les entreprises qui vendent des produits périssables aient un ratio de rotation des actifs élevé et une faible marge nette sur les ventes.

n) Toutes choses étant égales par ailleurs, plus le taux de croissance anticipé de l'entreprise est élevé, plus son ratio cours-bénéfice devrait être élevé.

o) Un ratio de rotation des stocks trop faible par rapport à la moyenne sectorielle peut notamment signifier que l'entreprise possède des stocks désuets.

p) Un ratio de rotation des immobilisations significativement plus élevé que la moyenne sectorielle peut notamment signifier que l'entreprise opère avec de vieux actifs presque entièrement amortis.

q) De façon générale, on peut s'attendre à ce que le ratio de rotation de l'actif total soit plus élevé pour une entreprise opérant dans le secteur des produits chimiques que pour une entreprise oeuvrant dans le secteur de l'alimentation.

r) Le ratio du passif total à l'avoir des actionnaires peut excéder 1.

2. Etant donné les variations suivantes des soldes de différents postes du bilan de la compagnie BMD au cours d'une période donnée, déterminez la variation des bénéfices non répartis au cours de la même période:

Variation

. Encaisse	+ 4 000 $
. Placements à court terme	+ 6 000
. Comptes à payer	+ 18 000
. Amortissement accumulé	+ 5 000
. Stocks	+ 15 000
. Billet à payer	- 9 000
. Comptes à recevoir	- 3 000

3. A partir des renseignements ci-dessous, établissez le bilan et l'état des résultats de la compagnie MMC:

. Actif total: 200 000$
. Rotation de l'actif total: 3 fois
. Rotation des immobilisations: 4 fois
. Ratio du fonds de roulement: 2 fois
. Ratio du passif total à l'actif total: 50%
. Marge nette sur les ventes: 5%
. Le coût des marchandises vendues représente 75% des ventes
. Capital-actions ordinaire: 40 000$

Bilan

Actif à court terme	_____
Immobilisations nettes	_____
Total de l'actif	_____200 000 $_
Passif à court terme	_____
Dette à long terme	_____
Capital-actions ordinaire	_____40 000__
Bénéfices non répartis	_____
Total du passif et de l'avoir des actionnaires	_____

Etat des résultats

Ventes	_____
Coût des marchandises vendues	_____
Bénéfice brut	_____
Frais de vente et d'administration	_____
Bénéfice avant impôt	_____
Impôt (40%)	_____
Bénéfice net	_____

4. A l'aide des renseignements ci-dessus, établissez le bilan de la compagnie BBX:

- Rotation des stocks: 12 fois
- Ratio du fonds de roulement: 3 fois
- Délai moyen de recouvrement des comptes à recevoir: 20 jours
- Rentabilité de l'actif total: 10%
- Rentabilité de la valeur nette: 20%
- Rotation de l'actif total: 2 fois
- Marge nette sur les ventes: 5%
- Ventes (toutes à crédit): 912 500$
- Coût des marchandises vendues: 60% des ventes
- Dette à long terme: 40% de l'actif total

Bilan

Encaisse	_____
Comptes à recevoir	_____
Stocks	_____
Immobilisations nettes	_____
Total de l'actif	_____
Passif à court terme	_____
Dette à long terme	_____
Avoir des actionnaires ordinaires	_____
Total du passif et de l'avoir des actionnaires	_____

5. Les bilans de l'entreprise Mitek Inc. pour les années 1990 et 1991 sont les suivants:

Actif	1991	1990
Encaisse	40 000 $	32 000 $
Placements à court terme	10 000	75 000
Comptes à recevoir	80 000	60 000
Stocks	110 000	75 000
Total de l'actif à court terme	240 000 $	242 000 $
Immobilisations (au coût)	300 000	250 000
Moins: amortissement accumulé	110 000	80 000
Immobilisations nettes	190 000	170 000
Total de l'actif	430 000 $	412 000 $

Passif et avoir des actionnaires

	1991	1990
Comptes à payer	70 000 $	30 000 $
Emprunts bancaires	80 000	80 000
Total du passif à court terme	150 000 $	110 000 $
Dette à long terme	50 000	150 000
Impôts reportés	30 000	12 000
Actions ordinaires	100 000	100 000
Bénéfices non répartis	100 000	40 000
Total du passif et de l'avoir des actionnaires	430 000 $	412 000 $

En 1991, l'entreprise a réalisé un bénéfice net de 80 000$ et a versé en dividendes à ses actionnaires ordinaires 20 000$. De plus, elle a acquis, au début de l'année 1991, des immobilisations au coût de 50 000$. Finalement, l'amortissement et les impôts reportés créditeurs se sont élevés respectivement à 30 000$ et à 18 000$ pour l'année 1991.

Dressez, pour l'année 1991, un état de l'évolution de l'encaisse, un état de l'évolution de la situation financière s'inspirant des recommandations du Manuel de l'I.C.C.A. antérieures à 1985 et un état de l'évolution de la situation financière s'inspirant des nouvelles recommandations du Manuel de l'I.C.C.A. Commentez les résultats obtenus.

6. Le ratio du passif total à l'actif total de la compagnie Delta est de 60%. La moyenne du secteur auquel appartient Delta est de 42%. Le ratio d'endettement de la compagnie Delta est-il significativement différent de la moyenne du secteur au seuil de 5%. (Supposez que le ratio d'endettement pour les entreprises opérant dans le même secteur que Delta est distribué normalement avec une variance de 0,04).

7. Les états financiers de la compagnie Plurex pour les années 1989 et 1990 sont les suivants:

Bilan ('0000$)

Actif	1990	1989
Encaisse	600 $	630 $
Placements à court terme	930	1 210
Comptes à recevoir	1 210	980
Stocks	1 420	1 440
Frais payés d'avance	250	220
Total de l'actif à court terme	4 410 $	4 480 $
Immobilisations (au coût)	5 200	4 710
Moins: amortissement accumulé	840	750
	4 360	3 960
Total de l'actif	8 770 $	8 440 $

Passif et avoir des actionnaires

	1990	1989
Comptes à payer	1 850 $	1 640 $
Impôts et taxes à payer	300	150
Partie de la dette à long terme échéant en deçà d'un an	100	100
Total du passif à court terme	2 250 $	1 890 $
Dette à long terme	1 800	2 100
Impôts sur le revenu reportés	150	130
Capital-actions ordinaire	2 000	2 000
Bénéfices non répartis	2 570	2 320
Total du passif et de l'avoir des actionnaires	8 770 $	8 440 $

Etat des résultats ('0000$)

	1990	1989
Ventes	9 800 $	10 970 $
Coût des ventes	7 300	8 070
Frais de vente et d'administration	1 480	1 400
Amortissement	90	80
Bénéfice d'exploitation	930 $	1 420 $
Intérêts sur la dette	240	270
Bénéfices avant impôts et postes extraordinaires	690 $	1 150 $
Impôts sur le revenu		
courants	245	405
reportés	40	60
Bénéfice avant postes extraordinaires	405 $	685 $
Moins: postes extraordinaires	20	-
Bénéfice net	385 $	685 $

Autres informations

	1990	1989
. Nombre d'actions ordinaires en circulation	10 000 000	10 000 000
. Dividende par action ordinaire	0,135$	0,135$
. Valeur marchande de l'action à la fin de l'année	5,75$	5,25$

a) Calculez, pour les années 1989 et 1990, les ratios suivants:

   1. le ratio du fonds de roulement
   2. le ratio de trésorerie
   3. le ratio du passif total à l'actif total
   4. le ratio de couverture des intérêts
   5. la rotation des stocks
   6. le délai moyen de recouvrement des comptes à recevoir
   7. la rotation des immobilisations
   8. la rotation de l'actif total
   9. la marge nette sur les ventes
  10. la marge brute sur les ventes
  11. la rentabilité de l'actif total
  12. la rentabilité de l'avoir des actionnaires

Commentez les résultats obtenus.

b) En utilisant l'équation de Du Pont, expliquez pourquoi la rentabilité de l'actif total s'est détériorée de 1989 à 1990.

c) Expliquez pourquoi la rentabilité de l'avoir des actionnaires est substantiellement supérieure à celle de l'actif total.

d) Déterminez le rendement boursier de l'action ordinaire de Plurex en 1990.

e) Calculez, pour les années 1989 et 1990, le «Z» de la fonction discriminante de E. Altman. (Le modèle de E. Altman est discuté en annexe à ce chapitre).

8. Les états financiers de la compagnie Prospère Inc. au 31/12/19X1 sont les suivants:

Prospère Inc.
Bilan au 31/12/19XI

Actif

Encaisse	17 500 $
Comptes à recevoir	81 000
Stocks	141 000
Frais payés d'avance	8 500
Total de l'actif à court terme	248 000 $
Immobilisations (au coût)	250 000
Moins: amortissement accumulé	52 000
	198 000
Total de l'actif	446 000 $

Passif et avoir des actionnaires

Comptes à payer	96 000 $
Impôts et taxes à payer	22 000
Partie de la dette à long terme échéant en deçà d'un an	33 000
Total du passif à court terme	151 000 $
Dette à long terme	150 000
Capital-actions ordinaire	100 000
Bénéfices non répartis	45 000
Total du passif et de l'avoir des actionnaires	446 000 $

Prospère Inc.
Etat des résultats pour la période se terminant le 31/12/19XI

Ventes	560 000 $
Coût des ventes	430 000
Frais de vente et d'administration	42 000
Amortissement	20 000
Bénéfice d'exploitation	68 000 $
Intérêts sur la dette	21 000
Bénéfice avant impôt	47 000 $
Impôt (40%)	18 800
Bénéfice net	28 200 $

Les ratios moyens du secteur auquel appartient l'entreprise sont les suivants:

Ratio

Ratio du fonds de roulement	2,4
Ratio de trésorerie	1,4
Ratio du passif total à l'actif total	40%
Ratio de couverture des intérêts	5 fois
Rotation des stocks	5 fois
Délai moyen de recouvrement des comptes à recevoir	40 jours
Rotation des immobilisations	2,5 fois
Rotation de l'actif total	1,4 fois
Marge nette sur les ventes	6%
Marge brute sur les ventes	23%
Rentabilité de l'actif total	8,4%
Rentabilité de l'avoir des actionnaires	14%

a) Calculez les différents ratios de la compagnie Prospère Inc.

b) Comparez les résultats obtenus en (a) avec les ratios moyens du secteur et indiquez les forces et les faiblesses de la compagnie Prospère Inc.

c) Expliquez pourquoi la rentabilité de la valeur nette de Prospère Inc. est supérieure à la moyenne du secteur et, qu'en même temps, la rentabilité de l'actif total de cette entreprise est inférieure à la moyenne du secteur.

d) Déterminez les fonds qui seraient générés si le délai moyen de recouvrement des comptes à recevoir de l'entreprise passait à 40 jours (soit la moyenne du secteur) et que son ratio de rotation des stocks passait à 5 fois (soit la moyenne du secteur).

9. Les boutiques Mau Inc. se spécialisent dans la vente au détail de vêtements pour hommes. Cette entreprise, qui a été fondée il y a 5 ans par M. Gilles Couturier, a connu au cours des dernières années une forte progression de son chiffre d'affaires. Toutefois, comme l'indiquent ses états financiers présentés ci-dessous, les bénéfices de l'entreprise ont eu tendance à diminuer légèrement au cours des dernières années et ce, malgré la hausse substantielle des ventes. M. Couturier, dont les connaissances en gestion financière sont plutôt limitées, a du mal à s'expliquer pourquoi il en est ainsi.

Boutiques Mau Inc.
Bilan

Actif	1990	1989	1988
Encaisse et placements à court terme	91 000 $	78 000 $	85 000 $
Comptes-clients	226 000	142 000	95 000
Stocks	682 000	550 000	350 000
Frais payés d'avance	42 000	42 000	42 000
Total de l'actif à court terme	1 041 000 $	812 000 $	572 000 $
Immobilisations (au coût)	500 000	500 000	500 000
Moins: amortissement accumulé	100 000	80 000	60 000
	400 000	420 000	440 000
Total de l'actif	1 441 000 $	1 232 000 $	1 012 000 $

Passif et avoir des actionnaires

	1990	1989	1988
Comptes-fournisseurs	309 610 $	258 360 $	180 000 $
Emprunts bancaires à court terme	200 000	150 000	100 000
Total du passif à court terme	509 610 $	408 360 $	280 000 $
Emprunts bancaires à long terme	250 000	220 000	200 000
Capital-actions ordinaire (100 000 actions)	400 000	400 000	400 000
Bénéfices non répartis	281 390	203 640	132 000
Total du passif et de l'avoir des actionnaires	1 441 000 $	1 232 000 $	1 012 000 $

Boutiques Mau Inc.
Etat des résultats

	1990	1989	1988
Ventes	1 300 000 $	900 000 $	600 000 $
Coût des ventes	780 000	547 000	360 000
Frais de vente et d'administration	286 000	159 000	52 000
Amortissement	20 000	20 000	20 000
Bénéfice d'exploitation	214 000 $	174 000 $	168 000
Intérêts sur la dette	72 800	54 600	38 000
Bénéfice avant impôt	141 200 $	119 400 $	130 000 $
Impôt	63 450	47 760	45 500
Bénéfice net	77 750 $	71 640 $	84 500 $

Les ratios moyens des principaux compétiteurs de Boutiques Mau Inc. sont présentés ci-dessous (ces ratios sont relativement stables pour les années 1988 à 1990):

Ratio

Ratio du fonds de roulement	1,8 fois
Ratio de trésorerie	0,9 fois
Ratio du passif total à l'actif total	51%
Ratio de couverture des intérêts	5 fois
Rotation des stocks	3 fois
Délai moyen de recouvrement des comptes à recevoir	30 jours
Rotation des immobilisations	2 fois
Rotation de l'actif total	1,25 fois
Marge nette sur les ventes	8%
Marge brute sur les ventes	33%
Rentabilité de l'actif total	10%
Rentabilité de l'avoir des actionnaires	20,41%

a) Faites l'analyse verticale et horizontale de Boutiques Mau Inc. pour les années 1988 à 1990. Commentez les résultats obtenus.

b) Expliquez à M. Couturier pourquoi les bénéfices de l'entreprise ont eu tendance à diminuer légèrement au cours de la période 1988-1990 en dépit de la hausse substantielle du chiffre d'affaires.

c) Calculez les différents ratios de Boutiques Mau Inc. pour les années 1988 à 1990. Analysez la tendance sur 3 ans.

d) Comparez les ratios de Boutiques Mau Inc. avec les ratios moyens de ses principaux compétiteurs. Indiquez les forces et les faiblesses de l'entreprise.

e) Conseillez l'entreprise sur les mesures à prendre pour redresser la situation.

ANNEXE

La prévision de faillite à l'aide des ratios financiers

Dans un article paru en 1968[11], E. Altman proposa un modèle d'analyse discriminante[12] utilisant les ratios financiers pour prédire les faillites d'entreprises. Ce modèle combine l'information contenue dans plusieurs ratios financiers de façon à en arriver à un indice global (le pointage «Z») permettant de prédire la faillite. A partir d'un échantillon constitué de 66 entreprises (33 entreprises qui firent faillite durant la période 1946-65 et 33 entreprises semblables aux précédentes en ce qui a trait au secteur industriel et à l'importance des actifs mais qui survécurent), Altman a obtenu la fonction discriminante suivante:

$$Z = 1{,}2X_1 + 1{,}4X_2 + 3{,}3X_3 + 0{,}6X_4 + 0{,}999X_5$$

où X_1: $\dfrac{\text{Fonds de roulement net}}{\text{Actif total}}$

X_2: $\dfrac{\text{Bénéfices réinvestis}}{\text{Actif total}}$

X_3: $\dfrac{\text{BAII}}{\text{Actif total}}$

X_4: $\dfrac{\text{Valeur marchande des actions ordinaires et privilégiées}}{\text{Valeur comptable de la dette}}$

X_5: $\dfrac{\text{Ventes}}{\text{Actif total}}$

Dans l'échantillon qu'il a utilisé, Altman observa ce qui suit:

1. Un an avant la faillite, les ratios moyens des deux groupes d'entreprises (celles qui ont survécu et celles qui ont failli) étaient les suivants:

Tableau 2: Ratios moyens des entreprises qui ont survécu et de celles qui ont failli un an avant la faillite

Ratio	Valeur moyenne du ratio pour les entreprises qui ont survécu (n = 33)	Valeur moyenne du ratio pour les entreprises qui ont failli (n = 33)
X_1	0,414	- 0,061
X_2	0,355	- 0,626
X_3	0,153	- 0,318
X_4	2,477	0,401
X_5	1,900	1,500

Source: Altman (1968), tableau 1.

---

[11] Altman E.I., «Financial Ratios, Discriminant Analysis and the Prediction of Corporate Bankruptcy», **Journal of Finance,** septembre 1968, pp. 589-609.

[12] L'analyse discriminante est une technique statistique qui s'apparente à l'analyse de régression multiple. Elle est surtout utilisée en sciences humaines pour classifier les observations d'un échantillon donné dans un des groupes préidentifiés en fonction d'un ensemble de caractéristiques. Dans le domaine financier, l'analyse discriminante est utilisée pour prédire les faillites et lors de la prise de décision concernant l'octroi du crédit.

A partir du tableau précédent, on constate qu'il y a des écarts importants entre les valeurs moyennes des ratios des deux groupes d'entreprises.

2. Lorsque Z = 2,675, l'entreprise a une probabilité de 50% de faire faillite et, par conséquent, une probabilité de 50% de survivre.

3. Lorsque Z < 2,675, l'entreprise a une probabilité supérieure à 50% de faire faillite. Plus le pointage «Z» est faible, plus la probabilité de faillite est élevée. Ainsi, une entreprise dont le pointage «Z» est de 0,25 a de très fortes chances de faire faillite.

4. Lorsque Z > 2,675, l'entreprise a une probabilité inférieure à 50% de faire faillite. Plus le pointage «Z» est élevé, plus la probabilité de survivre est élevée. Ainsi, une entreprise dont le pointage «Z» est de 5 a une probabilité négligeable de faire faillite.

5. Pour des valeurs de «Z» comprises entre 1,81 et 2,99, le modèle a classifié incorrectement certaines entreprises.

6. Le modèle est surtout utile pour effectuer des prévisions à court terme, c'est-à-dire sur un horizon d'un ou deux ans (voir le tableau 3 à ce sujet).

Tableau 3:   Précision des prévisions du modèle de E. Altman

Années antérieures à la faillite		Bonnes prévisions	Mauvaises prévisions	Pourcentage d'exactitude
1	n = 33	31	2	95
2	n = 32	23	9	72
3	n = 29	14	15	48
4	n = 28	8	20	29
5	n = 25	9	16	36

Source: Altman (1968), tableau 4.

Exemple

La compagnie Melchers de Berthierville fit faillite au début de l'année 1976. Les informations suivantes sont disponibles concernant cette entreprise:

	1973	1974
Fonds de roulement net	646 413 $	(2 204 199 $)
Actif total	27 090 073	23 728 120
Bénéfices non répartis	1 731 791	180 582
Ventes	10 451 450	8 063 430
Valeur comptable de la dette	18 943 922	17 963 000
BAII	(99 796)	(1 921 000)
Valeur marchande des actions	11 625 300	7 750 200

Calculez pour les années 1973 et 1974 le «Z» de la fonction discriminante de E. Altman.

Solution

Pour 1973

$$Z = (1,2)\left(\frac{646\ 413}{27\ 090\ 073}\right) + (1,4)\left(\frac{1\ 731\ 791}{27\ 090\ 073}\right) + (3,3)\left(\frac{-99\ 796}{27\ 090\ 073}\right) + (0,6)\left(\frac{11\ 625\ 300}{18\ 943\ 922}\right) + (0,999)\left(\frac{10\ 451\ 450}{27\ 090\ 073}\right)$$

$$Z = 0,86$$

Pour 1974

$$Z = (1,2)\left(\frac{-2\ 204\ 199}{23\ 728\ 120}\right) + (1,4)\left(\frac{180\ 582}{23\ 728\ 120}\right) + (3,3)\left(\frac{-1\ 921\ 000}{23\ 728\ 120}\right) + (0,6)\left(\frac{7\ 750\ 200}{17\ 963\ 000}\right) + (0,999)\left(\frac{8\ 063\ 430}{23\ 728\ 120}\right)$$

$$Z = 0,23$$

On aurait donc pu, à l'aide du modèle de E. Altman, prédire la faillite de Melchers dès 1973.

En guise de conclusion, il nous semble important de mentionner que la fonction discriminante d'Altman n'est applicable que pour des entreprises américaines au cours de la période étudiée (1946-65). Par conséquent, un analyste financier désirant utiliser ce genre d'approche pour estimer la probabilité de faillite d'une entreprise canadienne devrait, en principe, calculer une nouvelle fonction discriminante à partir d'un échantillon constitué d'entreprises canadiennes[13].

---

[13] A partir d'un échantillon composé de 42 entreprises canadiennes, Altman et Lavallée (1980) ont développé un modèle de prévision de faillite semblable à celui d'Altman et applicable à des entreprises canadiennes pour la période 1970-79. Voir à ce sujet: Altman, E. et M. Lavallée, "Un modèle discriminant de prédiction des faillites au Canada", **Finance**, ASAC, 1980, pp. 74-81.

SOMMAIRE

Chapitre 3

La prévision financière

Chapitre 3

LA PRÉVISION FINANCIÈRE

3.1 INTRODUCTION

Ce chapitre est consacré à l'établissement des prévisions financières. Il s'agit là d'une des responsabilités qui incombe au gestionnaire financier. En effet, c'est à ce dernier que revient la tâche d'estimer les besoins de fonds requis par l'entreprise au cours des prochaines années, le moment où ces fonds seront nécessaires et de déterminer l'impact que pourraient avoir certaines décisions d'investissement et/ou de financement sur la position financière et les bénéfices futurs de l'entreprise.

Le présent chapitre se divise en deux parties. Dans un premier temps, nous verrons comment établir un budget de caisse. Le budget de caisse ou de trésorerie est surtout utilisé pour des prévisions axées sur le court terme. Il permet au gestionnaire financier d'estimer les besoins de financement à court terme auxquels fera face l'entreprise, compte tenu de ses entrées et sorties de fonds prévues au cours des prochains mois.

En second lieu, nous discuterons de différentes méthodes permettant d'établir des états financiers prévisionnels (état des résultats et bilan). Ces états financiers ont pour objectif de projeter une image de l'entreprise pour les exercices financiers à venir. L'état prévisionnel des résultats permet à l'administrateur d'obtenir une estimation du bénéfice net annuel prévu pour les prochains exercices financiers, alors que le bilan prévisionnel lui indique le solde prévu de chacun des postes d'actif et de passif à la fin des prochains exercices financiers.

3.2 LE BUDGET DE CAISSE

Le budget de caisse est une prévision des entrées et des sorties de fonds de l'entreprise au cours d'une période donnée. Ce budget constitue le principal instrument de travail du gestionnaire financier au niveau de la gestion de l'encaisse. Il permet à ce dernier d'identifier les périodes où l'entreprise aura des excédents de trésorerie et celles où elle devra recourir à du financement externe et, par conséquent, de mieux planifier le financement à court terme. De plus, les flux monétaires prévisionnels apparaissant au budget de caisse constituent des points de repère avec lesquels le gestionnaire pourra comparer les résultats réels et prendre, s'il y a lieu, les mesures correctrices appropriées.

La période couverte par le budget de caisse est susceptible de varier en fonction de la nature des activités de l'entreprise. Cependant, pour un bon nombre d'entreprises, la période budgétaire est d'une année et cette dernière est généralement subdivisée en intervalles plus courts d'un mois.

La préparation d'un budget de caisse sur une base mensuelle s'effectue en quatre étapes: (1) la prévision des ventes, (2) l'estimation des entrées de fonds, (3) l'estimation des sorties de fonds et (4) le calcul du solde d'encaisse en fin de mois et la détermination des besoins de financement totaux requis et du surplus d'encaisse.

1. **La prévision des ventes**. Il s'agit, sans aucun doute, de l'étape la plus difficile et la plus importante dans la préparation d'un budget de caisse. Très souvent, c'est au département de marketing que revient la tâche de prévoir les ventes pour les mois à venir. Les prévisions effectuées tiendront notamment compte des facteurs suivants:

   . les ventes passées
   . les dépenses de publicité et de promotion
   . l'équipe de vendeurs en place
   . la concurrence
   . la capacité de production
   . les politiques en matière de fixation des prix
   . les études de marché
   . les fluctuations saisonnières
   . les conditions d'ensemble de l'économie et de l'industrie dans laquelle opère l'entreprise
   . le cycle de vie des produits vendus.

   A partir des ventes anticipées, l'administrateur financier est alors en mesure d'estimer les entrées et sorties de fonds mensuelles prévues et de déterminer, s'il y a lieu, les besoins de financement requis et le moment où les fonds seront nécessaires.

2. **L'estimation des entrées de fonds.** Dans l'estimation des entrées de fonds, on doit notamment tenir compte des éléments suivants:

   . les ventes au comptant
   . le règlement des ventes effectuées à crédit
   . les intérêts, les dividendes et les loyers perçus
   . le produit de la vente de valeurs mobilières ou d'immobilisations
   . les recouvrements d'impôt
   . le produit d'une nouvelle émission d'actions ou de titres de dettes
   . les subventions gouvernementales

3. **L'estimation des sorties de fonds**. Dans l'estimation des sorties de fonds, on doit notamment tenir compte des éléments suivants:

   . les achats payés comptant
   . le paiement des achats effectués à crédit
   . les salaires payés

- les loyers payés
- les impôts payés
- les versements au fonds d'amortissement et les intérêts payés
- les dividendes versés
- les rachats d'actions
- les paiements effectués dans le but d'acquérir des immobilisations
- le chauffage, l'électricité, les assurances, etc...

4. **Le calcul du solde d'encaisse en fin de mois et la détermination des besoins de financement totaux requis ou du surplus d'encaisse.** Le solde d'encaisse en fin de mois s'obtient en ajoutant au solde d'encaisse en début de mois le flux monétaire net du mois (c.-à-d. la différence entre les entrées de fonds et les sorties de fonds du mois). Par la suite, en soustrayant du solde d'encaisse en fin de mois l'encaisse minimal requis, on obtient les besoins de financement totaux requis ou le surplus d'encaisse. Lorsque le solde d'encaisse en fin de mois excède l'encaisse minimal requis, l'entreprise a alors un surplus d'encaisse. A l'inverse, lorsque le solde d'encaisse en fin de mois est inférieur à l'encaisse minimal requis, l'entreprise doit recourir au financement externe.

A partir de la discussion qui précède, on constate que, de façon générale, un budget de caisse devrait être structuré de la façon suivante:

Tableau 1. Structure générale d'un budget de caisse mensuel

	Janv.	Fév.	Mars	...	Nov.	Déc.
Entrées de fonds totales	-	-	-	...	-	-
Moins: Sorties de fonds totales	-	-	-	...	-	-
Flux monétaire net du mois	-	-	-	...	-	-
Plus: Solde d'encaisse au début du mois	-	-	-	...	-	-
Solde d'encaisse à la fin du mois	-	-	-	...	-	-
Moins: Solde d'encaisse minimum requis	-	-	-	...	-	-
Financement total requis (total des emprunts en cours) ou surplus d'encaisse	-	-	-	...	-	-

Exemple

La compagnie Domégo veut établir un budget de caisse pour les trois derniers mois de l'année. Les renseignements suivants sont disponibles:

. Les ventes totales en août et en septembre se sont élevées respectivement à 175 000$ et à 160 000$. Pour les trois derniers mois de l'année, le directeur de marketing prévoit les ventes mensuelles suivantes:

— octobre: 180 000$
— novembre: 170 000$
— décembre: 225 000$

. En se basant sur l'expérience passée, on sait que 25% des ventes sont payées comptant, 40% sont payées un mois après la vente et 30% sont payées deux mois après la vente. Les mauvaises créances s'élèvent habituellement à 5% des ventes.

. Les achats mensuels de la compagnie représente 60% de ses ventes totales du mois; 15% sont payés comptant et 85% dans le mois suivant celui où la marchandise est achetée.

. En octobre, la compagnie vendra des obligations qu'elle détient, ce qui rapportera 40 000$.

. La compagnie anticipe recevoir un dividende de 15 000$ d'une de ses filiales en novembre.

. Le loyer mensuel, payable au début de chaque mois, s'élève à 8000$.

. Un dividende en espèces de 10 000$ sera versé aux actionnaires en décembre.

. L'entreprise devra verser 9000$ à l'impôt en décembre.

. Les salaires mensuels à payer s'élèvent à 55 000$.

. Les intérêts à payer sur la dette s'élèveront à 15 000$ en décembre. Un versement de 30 000$ au fonds d'amortissement est également prévu en décembre.

. Les autres sorties de fonds s'élèvent à 10 000$ par mois.

. L'amortissement comptable est de 20 000$ par mois. Il est calculé selon la méthode linéaire.

. Le 1er octobre l'encaisse est de 32 000$. L'entreprise désire maintenir un solde d'encaisse minimum de 25 000$.

A partir des suppositions précédentes, établissez le budget de caisse de l'entreprise Domégo pour les trois derniers mois de l'année.

Solution

Dans un premier temps, déterminons les entrées de fonds prévues pour chacun des trois derniers mois de l'année.

Entrées de fonds prévues pour le dernier trimestre de l'année

	Août	Sept.	Oct.	Nov.	Déc.
Ventes au comptant (25%)	43 750$	40 000$	45 000$	42 500$	56 250$
Recouvrement des comptes à recevoir:					
liés aux ventes effectuées il y a un mois (40%)		70 000	64 000	72 000	68 000
liés aux ventes effectuées il y a deux mois (30%)			52 500	48 000	54 000
Autres entrées de fonds:					
Ventes d'obligations			40 000		
Dividendes				15 000	
Total des entrées de fonds			201 500$	177 500$	178 250$

En second lieu, déterminons les sorties de fonds prévues pour chacun des trois derniers mois de l'année.

Sorties de fonds prévues pour le dernier trimestre de l'année

	Août	Sept.	Oct.	Nov.	Déc.
Achats du mois = 60% x ventes du mois	105 000$	96 000$	108 000$	102 000$	135 000$
Achats au comptant (15%)	15 750$	14 400$	16 200$	15 300$	20 250$
Déboursés liés aux achats du mois précédent (85%)		89 250	81 600	91 800	86 700
Loyers	8 000	8 000	8 000	8 000	8 000
Dividende en espèces					10 000
Impôt					9 000
Salaires	55 000	55 000	55 000	55 000	55 000
Intérêts sur la dette					15 000
Versement au fonds d'amortissement					30 000
Autres sorties de fonds	10 000	10 000	10 000	10 000	10 000
Total des sorties de fonds			170 800$	180 100$	243 950$

Remarque. Nous n'avons pas tenu compte de l'amortissement dans les calculs étant donné que cette dépense n'entraîne aucune sortie de fonds.

A partir des entrées et des sorties de fonds totales pour chacun des mois, on est maintenant en mesure d'établir le budget de caisse de l'entreprise Domégo.

Budget de caisse de l'entreprise Domégo pour le dernier trimestre de l'année

	Oct.	Nov.	Déc.
Entrées de fonds totales	201 500$	177 500$	178 250$
Moins: Sorties de fonds totales	170 800	180 100	243 950
Flux monétaire net du mois	30 700$	-2 600$	-65 700$
Plus: Solde d'encaisse au début du mois	32 000	62 700	60 100
Solde d'encaisse à la fin du mois	62 700$	60 100$	-5 600$
Moins: Solde d'encaisse minimum requis	25 000	25 000	25 000
Financement total requis	-	-	30 600$
Surplus d'encaisse	37 700$	35 100$	-

Le budget de caisse ci-dessus nous indique que l'entreprise Domégo peut s'attendre à réaliser un surplus d'encaisse de 37 700$ en octobre et de 35 100$ en novembre. Ces fonds excédentaires pourront être investis dans des titres à court terme, ce qui générera des revenus de placement. En décembre, selon les prévisions, l'entreprise devrait enregistrer un déficit de caisse. Il lui faudra alors contracter un emprunt de 30 600$ (probablement un emprunt bancaire à court terme) si elle veut maintenir un solde d'encaisse minimal de 25 000$.

3.3   LES ÉTATS FINANCIERS PRÉVISIONNELS

Dans cette section, nous discutons de différentes méthodes (méthode du pourcentage des ventes, régression linéaire et méthode détaillée) permettant d'établir des états financiers prévisionnels. Ces derniers sont utiles pour prévoir la performance financière de l'entreprise et estimer ses besoins de fonds requis selon différents scénarios. De plus, ils peuvent être utilisés comme normes avec lesquelles les résultats réels de l'entreprise pourront être comparés. Enfin, ils sont généralement exigés par les banques et autres institutions prêteuses lors de la prise de décision concernant le maintien ou l'octroi d'un prêt à l'entreprise.

Avant d'aborder les différentes méthodes nous permettant d'établir des états financiers prévisionnels, il est sans doute utile de résumer schématiquement (voir la figure 1 de la page 88) les grandes étapes du processus de prévision financière. Comme l'indique la figure 1, la première étape consiste à établir une prévision des ventes pour la période à venir. Par la suite, on est en mesure de prévoir les recettes, les achats et les déboursés de la prochaine période. A partir de ces prévisions et en tenant compte du solde d'encaisse en début de période, un budget de caisse sera alors dressé et servira dans la préparation de l'état prévisionnel des résultats et du bilan prévisionnel. Notons que pour dresser un état prévisionnel des résultats on devra recourir, en plus des informations contenues au budget de caisse, aux prévisions concernant le coût des marchandises vendues et la dépense d'amortissement pour la période à venir. Finalement, pour établir le bilan prévisionnel, nous utiliserons à la fois les données provenant du budget de caisse, de l'état prévisionnel des résultats et du bilan actuel de l'entreprise.

3.3.1 La méthode du pourcentage des ventes

Selon cette méthode de prévision, on a recours aux relations historiques existant entre les ventes et les différents postes du bilan et de l'état des résultats pour établir les états financiers prévisionnels et déterminer les besoins de financement requis de l'entreprise. Par exemple, si historiquement le coût des marchandises vendues correspond à 60% des ventes et que les ventes prévues pour l'année à venir sont de 2 000 000$, le coût des marchandises vendues prévu pour la prochaine année sera alors de 1 200 000$, soit 60% x 2 000 000$. Il est à noter que cette approche relativement simple ne prend aucunement en considération les autres informations disponibles au moment présent et qui pourraient indiquer un changement dans la relation observée historiquement entre les ventes et un poste donné de l'état des résultats ou du bilan. Pour illustrer en détail cette méthode, nous utiliserons les données ci-dessous concernant l'entreprise Expertise Ltée.

Soit l'état des résultats et le bilan suivant de l'entreprise Expertise Ltée pour l'exercice financier se terminant le 31 décembre 19X0.

Expertise Ltée
Etat des résultats
pour l'année se terminant le 31 décembre 19X0

Ventes		
Produit A 2000 unités à 50$	100 000$	
Produit B 5000 unités à 60$	300 000	
Total des ventes		400 000$
Coût des produits vendus		270 000
Bénéfice brut		130 000$
Frais d'exploitation		40 000
Bénéfice d'exploitation		90 000$
Intérêts sur la dette		12 000
Bénéfice avant impôt		78 000$
Impôt (40%)		31 200
Bénéfice net		46 800$

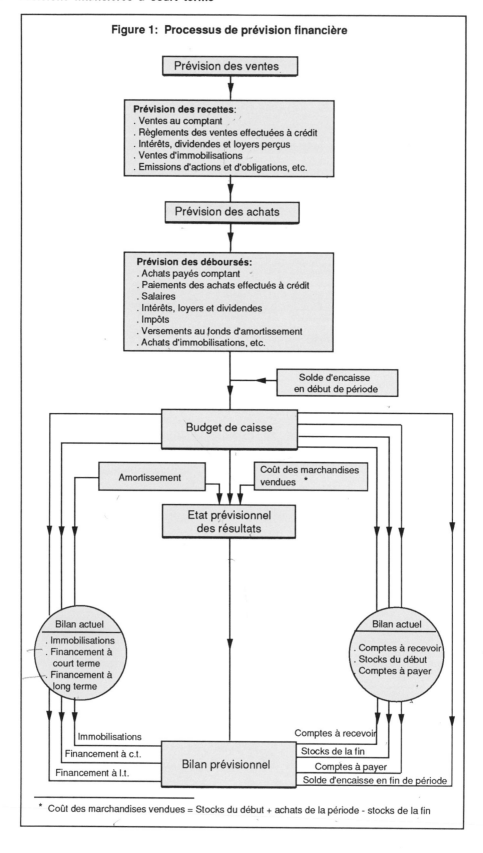

Figure 1: Processus de prévision financière

Prévision des ventes

Prévision des recettes:
. Ventes au comptant
. Règlements des ventes effectuées à crédit
. Intérêts, dividendes et loyers perçus
. Ventes d'immobilisations
. Emissions d'actions et d'obligations, etc.

Prévision des achats

Prévision des déboursés:
. Achats payés comptant
. Paiements des achats effectués à crédit
. Salaires
. Intérêts, loyers et dividendes
. Impôts
. Versements au fonds d'amortissement
. Achats d'immobilisations, etc.

Solde d'encaisse
en début de période

Budget de caisse

Amortissement

Coût des marchandises
vendues *

Etat prévisionnel
des résultats

Bilan actuel
. Immobilisations
. Financement à
  court terme
. Financement à
  long terme

Bilan actuel
. Comptes à recevoir
. Stocks du début
. Comptes à payer

Immobilisations
Financement à c.t.
Financement à l.t.

Bilan prévisionnel

Comptes à recevoir
Stocks de la fin
Comptes à payer
Solde d'encaisse en fin de période

* Coût des marchandises vendues = Stocks du début + achats de la période - stocks de la fin

Expertise Ltée
Bilan au 31/12/19X0

Actif		Passif et avoir des actionnaires	
Encaisse	50 000 $	Comptes à payer	65 000 $
Comptes à recevoir	70 000	Salaires et impôt à payer	22 000
Stocks	55 000		
Total de l'actif à court terme	175 000 $	Total du passif à court terme	87 000 $
		Dette à long terme	90 000
Immobilisations nettes	210 000	Capital-actions ordinaire	150 000
		Bénéfices non répartis	58 000
Total de l'actif	385 000 $	Total du passif et de l'avoir des actionnaires	385 000 $

Les ventes prévues pour la prochaine année (19X1) sont les suivantes:

Produit A: 2500 unités à 56$/unité:	140 000 $
Produit B: 6000 unités à 70$/unité:	420 000
Ventes totales prévues:	560 000 $

A partir des renseignements précédents, on est en mesure d'établir l'état prévisionnel des résultats de l'entreprise Expertise Ltée pour l'année 19X1 en ayant recours à la méthode du pourcentage des ventes.

Etablissement de l'état prévisionnel des résultats selon la méthode du pourcentage des ventes

Si on veut utiliser la méthode du pourcentage des ventes, on doit, dans un premier temps, identifier les dépenses qui sont les plus susceptibles de varier en fonction du niveau des ventes. Les dépenses qui généralement varient en fonction du volume des ventes sont les suivantes:

. le coût des produits vendus
. les frais d'exploitation

En supposant que l'année 19X0 caractérise bien la relation historique existant entre les ventes et les dépenses énumérées ci-dessus, on peut obtenir une estimation du coût des produits vendus et des frais d'exploitation pour l'année 19X1 en procédant ainsi:

$$\text{Estimation du coût des produits vendus pour l'année 19X1} = \left(\frac{\text{Coût des produits vendus de l'année 19X0}}{\text{Ventes de l'année 19X0}}\right)\left(\begin{array}{c}\text{Ventes prévues}\\\text{pour l'année 19X1}\end{array}\right)$$

$$= \left(\frac{270\ 000}{400\ 000}\right)(560\ 000)$$

$$= 378\ 000\$$$

$$\begin{array}{c}\text{Estimation des frais} \\ \text{d'exploitation} \\ \text{pour l'année 19X1}\end{array} = \left(\dfrac{\begin{array}{c}\text{Frais d'exploitation} \\ \text{de l'année 19X0}\end{array}}{\text{Ventes de l'année 19X0}}\right)\left(\begin{array}{c}\text{Ventes prévues} \\ \text{pour l'année 19X1}\end{array}\right)$$

$$= \left(\dfrac{40\ 000}{400\ 000}\right)(560\ 000)$$

$$= 56\ 000\$$$

Si les intérêts pour l'année 19X1 demeurent à 12 000$, on aura alors l'état prévisionnel des résultats suivant pour l'année 19X1:

Expertise Ltée
Etat prévisionnel des résultats
pour l'année se terminant le 31 décembre 19X1

Ventes	560 000$
Coût des produits vendus	378 000
Bénéfice brut	182 000$
Frais d'exploitation	56 000
Bénéfice d'exploitation	126 000$
Intérêts sur la dette	12 000
Bénéfice avant impôt	114 000$
Impôt (40%)	45 600
Bénéfice net	68 400$

Critique de l'approche utilisée

En dépit du fait que, de façon générale, on retrouve dans la structure des coûts d'une entreprise des coûts fixes et variables, nous avons supposé que tous les coûts composant le coût des produits vendus et les frais d'exploitation étaient variables. Cette hypothèse simplificatrice a eu pour effet de sous-estimer le bénéfice net prévu pour l'année 19X1, puisque nous n'avons pas tenu compte de l'effet de levier que procurent les charges fixes d'exploitation. La ventilation des coûts en coûts fixes et variables aurait permis d'améliorer la précision de la méthode utilisée pour établir l'état prévisionnel des résultats. Cependant, les données disponibles ne permettaient pas d'effectuer ce genre de raffinement dans le cas présent.

Estimation du financement externe requis selon la méthode du pourcentage des ventes

La méthode du pourcentage des ventes peut également être utilisée pour estimer les besoins de financement externes correspondant à un chiffre d'affaires donné. Pour utiliser cette méthode, on doit, dans un premier temps, identifier les postes du bilan les plus susceptibles de varier en fonction du volume des ventes. Intuitivement, dans le cas de l'entreprise Expertise Ltée, ces postes sont les suivants:

- Encaisse
- Comptes à recevoir
- Stocks
- Immobilisations

- Comptes à payer
- Salaires et impôt à payer

Par la suite, il s'agit d'exprimer en pourcentage des ventes chacun des postes du bilan que nous avons identifié comme étant relié au volume des ventes. On obtient alors les résultats suivants:

Expertise Ltée
Bilan au 31/12/19X0
exprimé en pourcentage des ventes de 19X0

Actif		Passif	
Encaisse	12,50%	Comptes à payer	16,25%
Comptes à recevoir	17,50%	Salaires et impôt à payer	5,50%
Stocks	13,75%	Dette à long terme	S/O
Immobilisations nettes	52,50%	Capital-actions ordinaire	S/O
		Bénéfices non répartis	S/O
Total	96,25%	Total	21,75%

Le bilan ci-dessus indique que pour chaque dollar supplémentaire de vente l'actif total de l'entreprise devra croître de 0,9625$ et que son passif à court terme augmentera automatiquement de 0,2175$. L'entreprise devra donc financer 0,745$ pour chaque hausse de 1$ de son chiffre d'affaires. Le financement requis pourra provenir de sources internes[1] (bénéfices de l'entreprise qui ne sont pas distribués en dividendes) et/ou externes (emprunt bancaire et/ou financement par actions).

Ainsi, dans le cas où les ventes de l'entreprise Expertise Ltée passent de 400 000$ à 560 000$ (c.-à-d. une augmentation de 160 000$), le financement requis pour l'ensemble des postes d'actif sera de 154 000$, soit 160 000$ x 96,25%. Si on suppose que l'entreprise verse en dividendes à ses actionnaires 40% de ses bénéfices, le financement requis proviendra partiellement des postes suivants:

		Calculs
Comptes à payer	26 000$	160 000 x 16,25%
Salaires et impôts à payer	8 800	160 000 x 5,5%
Bénéfices réinvestis de l'année 19X1	41 040	68 400 - (40%)(68 400)
Total	75 840$	

Le financement externe requis sera donc de 78 160$ (c.-à-d. 154 000$ - 75 840$).

---

[1] Lorsqu'on utilise la méthode du pourcentage des ventes pour estimer les besoins de financement requis, on n'inclut pas l'amortissement de l'exercice dans les sources de fonds internes de l'entreprise car cette méthode suppose que les fonds en provenance de l'amortissement servent pour acquérir des immobilisations.

Il est possible d'estimer plus rapidement le financement externe nécessaire en utilisant l'expresion suivante:

$$FER_1 = \left(\frac{A_0}{V_0}\right)(V_1 - V_0) - \left(\frac{P_0}{V_0}\right)(V_1 - V_0) - \left(\frac{BN_1}{V_1}\right)V_1(1 - d_1) \tag{1}$$

où FER_1 : Financement externe requis pour le prochain exercice financier.

A_0/V_0 : L'actif qui augmente automatiquement avec les ventes, exprimé en pourcentage des ventes.

V_1 : Ventes prévues pour le prochain exercice financier.

V_0 : Ventes du dernier exercice financier.

P_0/V_0 : Le passif qui augmente automatiquement avec les ventes, exprimé en pourcentage des ventes.

BN_1/V_1 : Marge bénéficiaire nette prévue (après impôt) pour le prochain exercice financier.

d_1 : Pourcentage du bénéfice net du prochain exercice financier qui sera distribué en dividendes. Il est à noter que $1-d_1$ correspond au pourcentage du bénéfice net du prochain exercice financier qui sera réinvesti par l'entreprise.

Dans le cas de l'entreprise Expertise Ltée, on obtient, si on se base sur les derniers états financiers et sur les ventes et dividendes prévus pour la prochaine année, les valeurs numériques suivantes:

$$\frac{A_0}{V_0} = \frac{385\ 000}{400\ 000} = 0,9625$$

$$V_1 = 560\ 000\$$$

$$V_0 = 400\ 000\$$$

$$\frac{P_0}{V_0} = \frac{87\ 000}{400\ 000} = 0,2175$$

$$\frac{BN_1}{V_1} = \frac{68\ 400}{560\ 000} = 0,122143$$

$$d_1 = 0,40$$

Le financement externe requis pour la prochaine année sera alors:

$$FER_1 = (0,9625)(560\ 000 - 400\ 000) - (0,2175)(560\ 000 - 400\ 000)$$
$$- (0,122143)(560\ 000)(1 - 0,40)$$
$$FER_1 = 78\ 160\$$$

Ce résultat est évidemment identique à celui que nous avons trouvé précédemment.

L'expression (1) peut également s'avérer utile pour déterminer l'impact d'un changement dans la valeur numérique d'une où de plusieurs des variables financières sur le financement externe requis. Par exemple, si la marge bénéficiaire nette après impôt pour la prochaine année $\left(\frac{BN_1}{V_1}\right)$ se situe à 8%, au lieu de 12,2143%, le financement externe requis sera alors de 92 320$. D'autre part, si le pourcentage du bénéfice net distribué en dividendes (d_1) passe à 20%, les besoins de financement externes seront de 64 480$, au lieu de 78 160$.

Finalement, il serait intéressant d'identifier le niveau des ventes de l'entreprise Expertise Ltée pour l'année 19X1 à partir duquel cette dernière devra recourir à du financement externe. En posant $FER_1 = 0$ dans l'équation (1), on obtient ce qui suit:

$$0 = (0,9625)(V_1 - 400\,000) - (0,2175)(V_1 - 400\,000) - (0,122143)\,V_1(1 - 0,40).$$

En réarrangeant les différents termes, on trouve:

$$0 = 0,6717142V_1 - 298\,000 \quad \text{d'où } V_1 = 443\,641\$.$$

L'entreprise devra donc recourir à des sources de financement externes si ses ventes pour la prochaine année excèdent 443 641$. De façon générale, on peut dire qu'une faible croissance des ventes peut être autofinancée alors qu'une hausse importante des ventes nécessite l'intervention des bailleurs de fonds externes. La figure 2 montre le financement externe requis par l'entreprise Expertise Ltée pour l'année 19X1 en fonction du niveau des ventes.

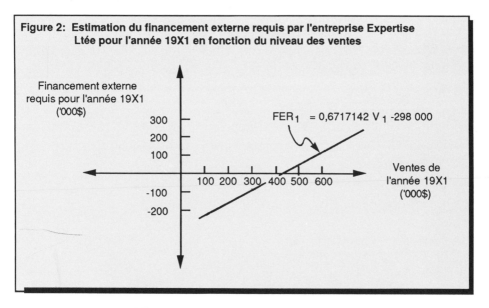

Figure 2: Estimation du financement externe requis par l'entreprise Expertise Ltée pour l'année 19X1 en fonction du niveau des ventes

Financement externe requis pour l'année 19X1 (FER_1)	Ventes de l'année 19X1 (V_1)
-163 657 $	200 000 $
-96 486	300 000
0	443 641
37 857	500 000
78 160	560 000
105 029	600 000

Remarque. Lorsque la variable FER_1 prend une valeur négative, cela indique, qu'à ce niveau des ventes, l'entreprise disposera d'un surplus de fonds.

Etablissement du bilan prévisionnel selon la méthode du pourcentage des ventes

Pour établir le bilan prévisionnel de l'entreprise Expertise Ltée au 31/12/19X1, on doit, dans un premier temps, identifier les postes du bilan qui varient en fonction du volume des ventes et exprimer chacun de ces postes en pourcentage des ventes de l'année 19X0. Dans la section portant sur l'estimation du financement externe requis, nous avons établi les pourcentages suivants:

. Encaisse: 12,5%

. Comptes à recevoir: 17,5%

. Stocks: 13,75%

. Immobilisations nettes: 52,50%

. Comptes à payer: 16,25%

. Salaires et impôt à payer: 5,5%

. Les postes suivants ne varient pas en fonction du volume des ventes: la dette à long terme, le capital-actions ordinaire et les bénéfices non répartis.

Par la suite, il s'agit de multiplier chacun des pourcentages obtenus précédemment par le chiffre d'affaires prévu pour l'année 19X1. On obtient alors les prévisions suivantes:

. Encaisse = 12,5% x 560 000 =   70 000 $

. Comptes à recevoir = 17,5% x 560 000 =   98 000 $

. Stocks = 13,75% x 560 000 =   77 000 $

. Immobilisations nettes = 52,5% x 560 000 = 294 000 $

. Comptes à payer = 16,25% x 560 000 =   91 000 $

. Salaires et impôt à payer = 5,5% x 560 000   30 800 $

Troisièmement, on détermine le montant figurant au poste «Bénéfices non répartis» à la fin de l'année 19X1 en effectuant le calcul suivant:

Solde des bénéfices non répartis à la fin de l'année 19X0	58 000 $
Plus: Bénéfices prévus pour l'année 19X1	68 400
Moins: Dividendes prévus pour l'année 19X1	27 360
(40% x 68 400$ = 27 360$)	99 040 $

Quatrièmement, on doit estimer les besoins de fonds externes de l'entreprise en 19X1. A ce sujet, nous avons déjà établi, à partir de l'équation (1), que l'entreprise devra recourir à du financement externe pour un montant de 78 160$. Pour que le bilan soit en équilibre, nous aurons recours à un poste de passif intitulé «Financement externe requis». En pratique, le financement externe nécessaire pourra provenir soit d'un emprunt (à court ou à long terme) et/ou d'une nouvelle émission d'actions (ordinaires ou privilégiées).

Cinquièmement, étant donné que nous utilisons le poste «Financement externe requis» pour équilibrer le bilan, les valeurs numériques qui figureront aux postes «Dette à long terme» et «Capital-actions ordinaire» le 31/12/19X1 seront celles du 31/12/19X0.

A partir de la discussion qui précède, on peut aisément dresser le bilan prévisionnel suivant pour l'entreprise Expertise Ltée au 31/12/19X1:

Expertise Ltée
Bilan prévisionnel au 31/12/19X1

Actif		Passif	
Encaisse	70 000 $	Comptes à payer	91 000 $
Comptes à recevoir	98 000	Salaires et impôt à payer	30 800
Stocks	77 000	Dette à long terme	90 000
Immobilisations netes	294 000 $	Capital-actions ordinaire	150 000
		Bénéfices non répartis	99 040
		Financement externe requis	78 160 $
Total	539 000 $		539 000 $

Principale lacune de la méthode du pourcentage des ventes

La méthode du pourcentage des ventes peut être très utile pour effectuer des prévisions à court terme. Toutefois, lorsqu'on utilise cette approche, il faut bien se rendre compte que celle-ci est basée sur des hypothèses simplificatrices qui ne sont pas toujours conformes à la réalité. Ainsi, la méthode du pourcentage des ventes suppose qu'il existe une relation linéaire passant par l'origine des axes et stable dans le temps entre les différentes variables financières et les ventes. Cela implique, par exemple, que si le ratio $\frac{Stocks}{Ventes}$ est de 0,50 et que les ventes augmentent de 2 000 000$, les stocks devraient, selon cette méthode de prévision, croître de 1 000 000$ (c.-à-d. 0,50 x 2 000 000$). Cependant, dans bien des cas, il est probable que la hausse des stocks ne serait pas aussi importante. En effet, comme le suggère la formule de la quantité économique de commande (voir le chapitre 6 à ce sujet), le niveau des stocks devrait être proportionnel à la racine carré des ventes, plutôt qu'être relié linéairement aux ventes. Dans un tel contexte, l'utilisation de la méthode du pourcentage des ventes a pour conséquence de surestimer les stocks requis.

3.3.2   La méthode de la régression linéaire simple

Une autre approche possible pour prévoir les valeurs numériques que prendront certains postes du bilan et de l'état des résultats consiste à avoir recours à un modèle de régression linéaire. Pour illustrer cette approche, nous utiliserons les données suivantes concernant les ventes et les stocks de la compagnie MAG au cours des dix dernières années:

TABLEAU 2.   Stocks et ventes de l'entreprise MAG au cours des dix dernières années

Années	Stocks (y_i) ('000$)	Ventes (x_i) ('000$)	$\dfrac{\text{Stocks}}{\text{Ventes}} = \dfrac{y_i}{x_i}$
19X0	4,03	45,60	0,088
19X1	4,61	49,62	0,093
19X2	5,06	57,28	0,088
19X3	5,07	64,77	0,078
19X4	6,65	84,80	0,078
19X5	10,87	179,24	0,061
19X6	11,65	175,24	0,066
19X7	12,78	201,81	0,063
19X8	14,38	217,52	0,066
19X9	12,16	241,06	0,050

La figure 3 représente les dix couples d'observations (x_i, y_i) du tableau ci-dessus et la droite de régression que l'on peut obtenir à partir de ces valeurs historiques.

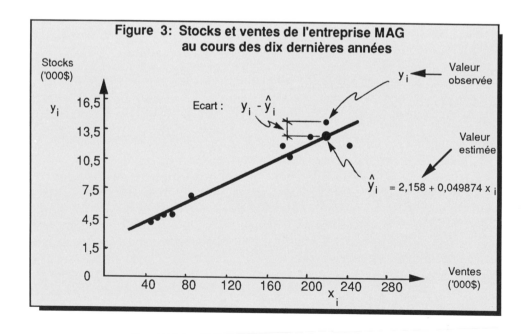

Figure 3: Stocks et ventes de l'entreprise MAG au cours des dix dernières années

La droite de régression, qui est de la forme $\hat{y}_i = b_0 + b_1 x_i$, est celle qui s'ajuste le mieux au nuage de points. Les valeurs de b_0 (l'ordonnée à l'origine) et de b_1 (la pente de la droite) sont calculées à l'aide de la méthode d'ajustement dite des moindres carrés. Cette méthode consiste à déterminer l'équation de la droite pour laquelle la somme des carrés des écarts verticaux des points observés y_i à la droite [c.-à-d. $\sum (y_i - \hat{y}_i)^2$] est minimale. En ayant recours au calcul différentiel, on peut montrer que les valeurs de b_0 et de b_1 qui satisfont ce dernier critère se calculent au moyen des expressions suivantes:

$$b_1 = \frac{n \sum x_i y_i - \left(\sum x_i\right)\left(\sum y_i\right)}{n \sum x_i^2 - \left(\sum x_i\right)^2}$$

et

$$b_0 = \bar{y} - b_1 \bar{x}$$

où $\quad \bar{y} = \dfrac{\sum y_i}{n}$

et $\quad \bar{x} = \dfrac{\sum x_i}{n}$

A partir des données du tableau 2, on obtient:

$$n = 10$$
$$\sum x_i y_i = 14\ 222,9$$
$$\sum x_i = 1316,94$$
$$\sum y_i = 87,26$$
$$\sum x_i^2 = 228\ 196,9$$
$$\bar{y} = 8,726$$
$$\bar{x} = 131,69$$

Par conséquent:

$$b_1 = \frac{(10)(14\ 222,9) - (1316,94)(87,26)}{(10)(228\ 196,9) - (1316,94)^2} = 0,049\ 874$$

et

$$b_0 = 8,726 - (0,049\ 874)(131,69) = 2,158$$

La meilleure droite d'ajustement est donc:

$$\hat{y}_i = 2,158 + 0,049\ 874\ x_i$$

En utilisant cette dernière équation dans le but de prévoir les stocks du prochain exercice pour un chiffre d'affaires anticipé de 230 000$, on obtient alors:

$$\hat{y}_i = 2,158 + (0,049\ 874)(230) = 13,62902$$

Etant donné que les valeurs utilisées pour déterminer la droite de régression sont exprimées en milliers de dollars, on doit multiplier le résultat obtenu par 1000, ce qui donne:

$$\text{Stocks prévus pour un chiffre d'affaires de 230 000\$} = (13,62902)(1000) = 13\ 629,02\$$$

Remarques. 1. Dans un contexte pratique, il faudrait, avant d'utiliser la droite de régression à des fins de prévision, s'assurer de la validité du modèle au moyen des tests statistiques usuels[2].

2. Dans plusieurs cas, afin d'améliorer la qualité des prévisions, il peut être préférable d'avoir recours à un modèle de régression comportant plusieurs variables explicatives (modèle de régression linéaire multiple) ou à un modèle de régression non linéaire.

Comparaison entre la méthode de la régression linéaire simple et la méthode du pourcentage des ventes

Dans la plupart des situations, la droite de régression linéaire est beaucoup plus représentative de la réalité que la droite originant de la méthode du pourcentage des ventes. Pour nous en convaincre, représentons sur un même graphique la droite de régression linéaire, la droite résultat de la méthode du pourcentage des ventes et les différentes observations historiques relatives aux stocks et aux ventes de l'entreprise MAG.

---

[2]   Voir notamment au sujet des tests statistiques appropriés: Baillargeon, G., **Méthodes Statistiques, volume 2**, Les Editions SMG, 1985.

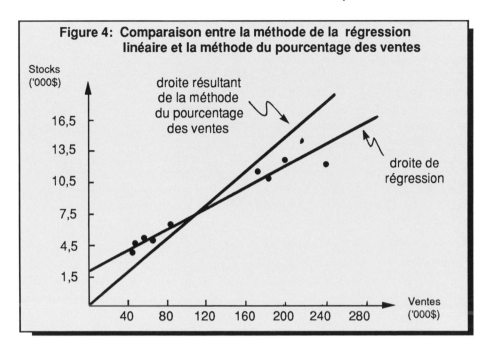

Figure 4: Comparaison entre la méthode de la régression linéaire et la méthode du pourcentage des ventes

Remarques. 1. Nous avons déterminé la pente de la droite résultant de la méthode du pourcentage des ventes en effectuant la moyenne arithmétique des valeurs successives du ratio $\frac{\text{Stocks}}{\text{Ventes}}$, c'est-à-dire:

$$\text{Pente de la droite résultant de la méthode du pourcentage des ventes} = \frac{\sum y_i / x_i}{10} = 0,0731$$

De plus, dans le cas de la méthode du pourcentage des ventes, la droite doit nécessairement croiser l'origine des axes.

2. Les différents points représentent les résultats réels obtenus pour chacune des années.

Comme la figure 4 permet de le visualiser, les différents points sont dans l'ensemble beaucoup plus près de la droite de régression que de celle résultant de la méthode du pourcentage des ventes.

3.3.3   Le processus détaillé de prévision financière

Jusqu'à maintenant, nous avons utilisé des méthodes simplifiées de prévision qui supposent qu'il existe une relation linéaire stable dans le temps entre certaines variables financières et le chiffre d'affaires de l'entreprise. Bien qu'intéressantes, ces dernières comportent certaines faiblesses évidentes. Premièrement, elles ne peuvent être utilisées pour établir les états financiers relatifs à un nouveau produit. Deuxièmement, dans la plupart des cas, les états financiers prévisionnels dressés en ayant recours à ces méthodes ne sont pas suffisamment précis pour une institution financière lors de l'analyse d'une demande de prêt. Dans ces conditions, il convient de discuter d'une méthode plus rigoureuse de prévision qui respecte intégralement le cycle financier de l'entreprise. Afin d'illustrer l'approche détaillée d'établissement des états financiers prévisionnels, nous utiliserons les données ci-dessous concernant l'entreprise Prévisionnex.

Exemple

A titre de directeur financier de la compagnie Prévisionnex, vous devez préparer l'état prévisionnel des résultats et le bilan prévisionnel de la compagnie au 31/12/19X2. Dans ce but, vous avez obtenu les renseignements suivants:

1.

Prévisionnex Ltée
Bilan au 31/12/19X1

Actif à court terme		Passif à court terme	
Encaisse	83 000 $	Comptes à payer	63 000 $
Comptes à recevoir	110 000	Impôt à payer	25 827
Stocks	84 000	Tranche de la dette à long terme échéant au cours du prochain exercice	43 745
Total de l'actif à court terme	277 000 $	Total du passif à court terme	132 572 $
Immobilisations nettes	490 000	Dette à long terme	167 428
		Capital-actions ordinaire	250 000
		Bénéfices non répartis	217 000
Total de l'actif	767 000 $	Total du passif et de l'avoir des actionnaires	767 000 $

2. La compagnie ne vend qu'un seul produit au prix unitaire de 5$. Les ventes effectuées au cours des mois de novembre et de décembre 19X1 ont été de 20 000 unités par mois. Au cours des mois qui viennent, on prévoit les ventes suivantes:

Janvier 19X2	: 28 000 unités
Février 19X2	: 25 000
Mars 19X2	: 25 000
Avril 19X2	: 25 000
Mai 19X2	: 30 000
Juin 19X2	: 35 000
Juillet 19X2	: 25 000
Août 19X2	: 20 000
Septembre 19X2	: 20 000
Octobre 19X2	: 20 000
Novembre 19X2	: 30 000
Décembre 19X2	: 30 000
Janvier 19X3	: 30 000

L'expérience passée révèle que 25% des ventes sont payées comptant; 40% sont payées un mois après la vente et 35% deux mois après la vente. Les mauvaises créances sont négligeables.

3. Les comptes à recevoir au 31/12/19X1 sont attribuables à des ventes effectuées en novembre et décembre 19X1. 356 Nov + 758 Déc

4. À chaque mois, Prévisionnex Ltée achète du manufacturier la marchandise qu'elle prévoit vendre le mois suivant aux consommateurs. Par exemple, la compagnie achète en janvier la marchandise qu'elle anticipe vendre en février. Le coût d'acquisition unitaire est de 3$. 25% des achats sont payés comptant et 75% dans le mois suivant celui où la marchandise est achetée.

5. Les comptes à payer au 31/12/19X1 sont attribuables à des achats de marchandises effectués en décembre 19X1.

6. Les frais de vente et d'administration variables correspondent à 6% des ventes. L'entreprise doit également encourir des frais fixes mensuels de vente et d'administration (incluant 3000$ d'amortissement) de 18 000$. La totalité des frais de vente et d'administration sont payés dans le mois où la vente a lieu. Il est à noter que les intérêts sur la dette à long terme n'ont pas été considérés dans l'estimation des frais de vente et d'administration.

7. En 19X2, l'entreprise envisage distribuer vers la fin de chaque trimestre un dividende par action de 0,125$ à ses actionnaires ordinaires.

8. Au cours de la prochaine année, l'entreprise prévoit verser à l'impôt 30 000$ à la fin de chaque trimestre.

9. Le taux d'imposition prévu pour la prochaine année est de 40%.

10. L'entreprise ne prévoit pas acquérir de nouvelles immobilisations au cours de la prochaine année. De plus, elle ne pense pas émettre de nouvelles actions ordinaires ou emprunter à long terme.

11. Le montant apparaissant sous la rubrique «dette à long terme» est un prêt à terme contracté auprès d'une importante institution financière dans les premiers jours de l'année 19X1. Cet emprunt, effectué au taux annuel fixe de 12% capitalisé mensuellement, est remboursable par une série de 60 versements de fin de mois (incluant capital et intérêts) de 5561$.

(12 × 5561) = 43745

A partir des renseignements précédents, préparer:

a) l'état prévisionnel des résultats pour l'exercice se terminant le 31/12/19X2;

b) le bilan prévisionnel au 31/12/19X2.

Solution

a)   L'état prévisionnel des résultats a pour but de prévoir quel sera le bénéfice par action de l'entreprise au cours du prochain exercice financier si les hypothèses posées se réalisent. Pour établir cet état prévisionnel, on doit nécessairement, dans un premier temps, estimer les ventes totales de l'entreprise au cours de la prochaine année.

1.   Les ventes

$$\text{Ventes prévues pour l'année 19X2} = \left(\begin{array}{c}\text{Ventes prévues en unités} \\ \text{pour l'année 19X2}\end{array}\right)\left(\begin{array}{c}\text{Prix de vente unitaire} \\ \text{prévu en 19X2}\end{array}\right)$$

$$= (313\ 000)(5)$$

$$= 1\ 565\ 000\$$$

2.   Le coût des marchandises vendues

$$\text{Coût des marchandises vendues prévu pour l'année 19X2} = \left(\begin{array}{c}\text{Ventes prévues en} \\ \text{unités pour l'année 19X2}\end{array}\right)\left(\begin{array}{c}\text{Prix d'achat} \\ \text{prévu à l'unité}\end{array}\right)$$

$$= (313\ 000)\ (3)$$

$$= 939\ 000\$$$

3.   Les frais de vente et d'administration

$$\text{Frais de vente et d'administration totaux pour l'année 19X2} = \left(\begin{array}{c}\text{Frais de vente} \\ \text{et d'administation} \\ \text{fixes}\end{array}\right) + \left(\begin{array}{c}\text{Frais de vente} \\ \text{et d'administration} \\ \text{variables}\end{array}\right)$$

$$= (12)\ (18\ 000) + (0,06)\ (1\ 565\ 000)$$

$$= 309\ 900\$$$

4.   Les intérêts sur la dette à long terme

$$\text{Intérêts pour l'année 19X2} = 12\left(\begin{array}{c}\text{Montant du} \\ \text{versement mensuel}\end{array}\right) - \left(\begin{array}{c}\text{Remboursement du} \\ \text{principal de la} \\ \text{dette en 19X2}\end{array}\right)$$

$$= (12)\ (5561) - 43\ 745$$

$$= 22\ 987\$$$

A partir des calculs précédents, on peut dresser l'état prévisionnel des résultats suivant:

Prévisionnex Ltée
Etat prévisionnel des résultats
pour l'année se terminant le 31/12/19X2

Ventes	1 565 000$
Coût des marchandises vendues	939 000
Bénéfice brut	626 000
Frais de vente et d'administration	309 900
Bénéfice d'exploitation	316 100$
Intérêts sur la dette	22 987
Bénéfice avant impôt	293 113$
Impôt (40%)	117 245
Bénéfice net	175 868$
Bénéfice par action (250 000 actions)	0,70$

b) Le bilan prévisionnel indique les soldes prévus des différents postes d'actif, de passif et de l'avoir des actionnaires à la fin du prochain exercice financier si les hypothèses posées se réalisent.

1. Les comptes à recevoir

$$\frac{\text{Comptes à recevoir}}{\text{au 31/12/19X2}} = (35\%)\left(\begin{array}{c}\text{Ventes prévues}\\\text{en}\\\text{novembre 19X2}\end{array}\right) + (75\%)\left(\begin{array}{c}\text{Ventes prévues}\\\text{en}\\\text{décembre 19X2}\end{array}\right)$$

$$= (35\%)(30\,000)(5) + (75\%)(30\,000)(5)$$

$$= 165\,000\$$$

2. Les stocks

$$\frac{\text{Stocks au}}{31/12/19X2} = \text{Achats de décembre 19X2}$$

$$= (30\,000)(3)$$

$$= 90\,000\$$$

3. Les immobilisations nettes

$$\frac{\text{Immobilisations nettes}}{\text{au 31/12/19X2}} = \left(\begin{array}{c}\text{Immobilisations nettes}\\\text{au 31/12/19X1}\end{array}\right) - \left(\begin{array}{c}\text{Amortissement}\\\text{pour l'année 19X2}\end{array}\right)$$

$$= 490\,000 - (12)(3000)$$

$$= 454\,000\$$$

4. Les comptes à payer

$$\text{Comptes à payer au } 31/12/19X2 = (75\%) \text{ (Achats de décembre 19X2)}$$

$$= (75\%) (30\ 000) (3)$$

$$= 67\ 500\$$$

5. L'impôt à payer

$$\text{Impôt à payer au } 31/12/19X2 = \left(\begin{array}{c}\text{Impôt à payer}\\ \text{au } 31/12/19X1\end{array}\right) + \left(\begin{array}{c}\text{Impôt de l'année 19X2}\\ \text{(Voir l'état prévisionnel}\\ \text{des résultats)}\end{array}\right)$$

$$- \text{(Versements d'impôt effectués en 19X2)}$$

$$= 25\ 827 + 117\ 245 - (4) (30\ 000)$$

$$= 23\ 072\$$$

6. La tranche de la dette à long terme échéant au cours du prochain exercice[3]

$$\text{Tranche de la dette à long terme échéant en 19X3} = \left(\begin{array}{c}\text{Solde de la dette}\\ \text{au } 31/12/19X2\end{array}\right) - \left(\begin{array}{c}\text{Solde de la dette}\\ \text{au } 31/12/19X3\end{array}\right)$$

$$= \left(5561\ A_{\overline{36}|\ 1\%}\right) - \left(5561\ A_{\overline{24}|1\%}\right)$$

$$= 167\ 428 - 118\ 134$$

$$= 49\ 294\$$$

7. La dette à long terme

$$\text{Dette à long terme au } 31/12/19X2 = \left(\begin{array}{c}\text{Principal de la dette à}\\ \text{rembourser en 19X4 et 19X5}\end{array}\right)$$

$$= \text{Solde de la dette au } 31/12/19X3$$

$$= 5561\ A_{\overline{24}|1\%}$$

$$= 118\ 134\$$$

8. Le capital-actions ordinaire

Aucun changement par rapport au solde au 31/12/19X1.

---

[3] Le calcul de la tranche de la dette à long terme échéant en 19X3 nécessite certaines connaissances de base en mathématiques financières. Pour le bénéfice des lecteurs qui ne disposent pas de notre autre ouvrage, qui traite surtout des décisions financières à long terme auxquelles sont confrontées les entreprises, les concepts fondamentaux des mathématiques financières sont rappelés en annexe au présent volume.

9. Les bénéfices non répartis

$$\begin{pmatrix} \text{Bénéfices} \\ \text{non répartis} \\ \text{au 31/12/19X2} \end{pmatrix} = \begin{pmatrix} \text{Bénéfices} \\ \text{non répartis} \\ \text{au 31/12/19X1} \end{pmatrix} + \begin{pmatrix} \text{Bénéfice net} \\ \text{de l'année 19X2} \end{pmatrix} - \begin{pmatrix} \text{Dividendes} \\ \text{versés} \\ \text{en 19X2} \end{pmatrix}$$

$$= 217\,000 + 175\,868 - (4)\,(0{,}125)\,(250\,000)$$

$$= 267\,868\$$$

10. L'encaisse

Le solde prévu de l'encaisse au 31/12/19X2 peut se calculer rapidement ainsi.

$$\begin{aligned}\begin{pmatrix} \text{Encaisse au} \\ \text{31/12/19X2} \end{pmatrix} = & \begin{pmatrix} \text{Total des soldes des} \\ \text{différents postes de passif} \\ \text{et de l'avoir des actionnaires} \\ \text{au 31/12/19X2} \end{pmatrix} - \begin{pmatrix} \text{Total des solde des} \\ \text{différents postes d'actif} \\ \text{à l'exception de l'encaisse} \\ \text{au 31/12/19X2} \end{pmatrix}\end{aligned}$$

$$= (67\,500 + 23\,072 + 49\,294 + 118\,134 + 250\,000 + 267\,868)$$

$$- (165\,000 + 90\,000 + 454\,000)$$

$$= 775\,868 - 709\,000$$

$$= 66\,868\$$$

L'encaisse au 31/12/19X2 peut également se calculer de la façon suivante:

$$\begin{pmatrix} \text{Encaisse} \\ \text{au 31/12/19X2} \end{pmatrix} = \begin{pmatrix} \text{Encaisse au} \\ \text{31/12/19X1} \end{pmatrix} + \begin{pmatrix} \text{Recettes totales} \\ \text{pour l'année} \\ \text{19X2} \end{pmatrix} - \begin{pmatrix} \text{Déboursés totaux} \\ \text{pour l'année} \\ \text{19X2} \end{pmatrix}$$

Calcul des recettes totales pour l'année 19X2

Recouvrement des comptes à recevoir:

liés aux ventes effectuées en nov.19X1: 35% x 20 000 x 5	35 000 $
liés aux ventes effectuées en déc. 19X1: 75% x 20 000 x 5	75 000
liés aux ventes effectuées de janvier 19X2 à oct. 19X2:	
100% x 253 000 x 5	1 265 000
liés aux ventes effectuées en nov. 19X2: 65% x 30 000 x 5	97 500
liés aux ventes effectuées en déc. 19X2: 25% x 30 000 x 5	37 500
Total	1 510 000 $

Calcul des déboursés totaux pour l'année 19X2

Déboursés liés aux achats de déc. 19X1: 75% x 28 000 x 3	63 000 $
Déboursés liés aux achats de janv. 1982 à nov. 19X2:	
100% x 285 000 x 3	855 000
Déboursés liés aux achats de déc. 19X2: 25% x 30 000 x 3	22 500
Frais de vente et d'administration:	
(6% x 1 565 000) + (15 000 x 12)	273 900
Dividendes versés: 4 x 0,125 x 250 000	125 000
Impôt payé: 30 000 x 4	120 000
Versements périodiques effectués pour rembourser le	
prêt à terme: 12 x 5561	66 732
Total	1 526 132 $

Par conséquent:

Encaisse au 31/12/19X2   = 83 000 + 1 510 000 - 1 526 132
                          = 66 868$

A partir des calculs précédents, on peut dresser le bilan prévisionnel suivant:

Prévisionnex Ltée
Bilan prévisionnel au 31/12/19X2

Actif à court terme		Passif à court terme	
Encaisse	66 868$	Comptes à payer	67 500$
Comptes à recevoir	165 000	Impôt à payer	23 072
Stocks	90 000	Tranche de la dette à long	
Total de l'actif à court		terme échéant au cours	
terme	321 868$	du prochain exercice	49 294
Immobilisations nettes	454 000	Total du passif à court terme	139 866$
		Dette à long terme	118 134
		Capital-actions ordinaire	250 000
		Bénéfices non répartis	267 868
		Total du passif et de l'avoir	
Total de l'actif	775 868$	des actionnaires	775 868$

3.4 EXERCICES

1. La compagnie Leclerc veut établir un budget de caisse pour les mois de mai, juin et juillet. Les renseignements suivants sont disponibles:

1. Les ventes totales en mars et en avril se sont élevées respectivement à 200 000$ et à 250 000$. Pour les trois prochains mois, les prévisions des ventes sont les suivantes:

   Mai   : 260 000$
   Juin   : 280 000
   Juillet : 290 000

2. En se basant sur l'expérience passée, on sait que 30% des ventes sont payées comptant; 45% sont payées un mois après la vente et 25% sont payées deux mois après la vente. Les mauvaises créances sont négligeables.

3. Les revenus d'intérêt sont d'environ 1500$ par mois.

4. Pour les trois prochains mois les achats prévus sont les suivants:

   Mai   : 130 000$
   Juin   : 140 000
   Juillet : 145 000

5. Le loyer mensuel est de 15 000$.

6. Les salaires du mois s'élèvent à 20% des ventes du mois précédent.

7. En juin, l'entreprise versera un dividende semestriel de 40 000$.

8. A la fin de chaque mois, l'entreprise doit effectuer un versement de 8000$ (comprenant capital et intérêts) dans le but de rembourser un emprunt.

9. L'entreprise devra verser un montant de 62 000$ à l'impôt en juin.

10. Les autres sorties de fonds s'élèveront à 14 000$ par mois.

11. On prévoit acquérir de l'équipement coûtant 35 000$ en juillet. Cet équipement sera payé un mois plus tard.

12. L'amortissement mensuel s'élève à 4500$.

13. Le 1er mai l'encaisse est de 28 000$. L'entreprise désire maintenir un solde d'encaisse minimum de 25 000$.

A partir des suppositions précédentes, établissez le budget de caisse de la compagnie Leclerc pour les mois de mai, juin et juillet.

2. A titre de directeur des finances de la compagnie Mika, on vous demande de préparer le budget de caisse de cette entreprise pour les mois de septembre à décembre inclusivement. A cette fin, vous avez recueilli les renseignements suivants:

1. Les ventes réalisées et prévues sont les suivantes:

| Juillet : | 400 000$ | Ventes réalisées |
| Août : | 450 000$ | |

Septembre :	425 000$	Ventes prévues
Octobre :	450 000$	
Novembre :	500 000$	
Décembre :	600 000$	
Janvier :	650 000$	

2. 25% des ventes sont effectuées au comptant. Parmi les ventes à crédit, 60% sont payées dans le mois qui suit la vente; 35% dans le second mois suivant la vente et 5% constituent des mauvaises créances.

3. La marge bénéficiaire brute de l'entreprise est de 30%.

4. A chaque mois, l'entreprise achète du manufacturier la marchandise qu'elle prévoit vendre le mois suivant aux consommateurs. Par exemple,

l'entreprise achète en octobre la marchandise qu'elle anticipe vendre en novembre. Les achats sont réglés comptant.

5. A la fin de décembre, l'entreprise devra payer les intérêts semestriels sur un emprunt obligataire de 1 000 000$. Cet emprunt a été effectué il y a deux ans au taux de coupon annuel de 10%. Actuellement, un emprunt de ce genre pourrait être effectué au taux de coupon annuel de 12%.

6. Le loyer mensuel est de 10 000$.

7. Les salaires et appointements pour un mois donné correspondent à 6% des ventes effectuées au cours du mois précédent, plus un montant fixe de 32 000$.

8. En novembre, l'entreprise devra verser 25 000$ à l'impôt.

9. Les autres sorties de fonds s'élèvent à 18 000$ par mois.

10. En décembre, l'entreprise prévoit vendre de l'équipement pour une somme de 8000$. La valeur comptable de cet équipement sera de 6000$ en décembre.

11. L'amortissement mensuel est de 15 000$.

12. Le 1er septembre, l'encaisse est de 35 000$. L'entreprise désire maintenir un solde d'encaisse minimum de 30 000$.

a) Préparez le budget de caisse de l'entreprise pour les mois de septembre à décembre inclusivement.

b) Quelle est la marge de crédit bancaire que devrait demander l'entreprise dans le but de combler ses besoins de fonds à court terme entre septembre et décembre?

3. Pour l'année 19X0, les ventes de la compagnie Prétex ont été de 1 000 000$. Compte tenu des renseignements ci-dessous, préparez le bilan prévisionnel de cette entreprise au 31/12/19X1 et équilibrez-le à l'aide du poste «Financement externe requis».

1. Les postes qui varient en fonction des ventes sont l'encaisse (5% des ventes), les comptes à recevoir (10% des ventes), les stocks (15% des ventes), les immobilisations nettes (20% des ventes), les comptes à payer (12% des ventes), les autres dettes à court terme (5% des ventes) et le bénéfice net après impôt (6% des ventes).

2. L'entreprise ne prévoit pas émettre de nouvelles actions en 19X1.

3. Les dividendes versés représentent 40% du bénéfice net après impôt.

4. Les ventes prévues pour l'année 19X1 sont de 1 200 000$.

5. Le bilan au 31/12/19X0 est le suivant:

Prétex Ltée
Bilan au 31/12/19X0

Actif à court terme		Passif à court terme	
Encaisse	50 000 $	Comptes à payer	120 000 $
Comptes à recevoir	100 000	Autres dettes à court terme	50 000
Stocks	150 000		
Total de l'actif à court terme	300 000 $	Total du passif à court terme	170 000 $
Immobilisations nettes	200 000	Dette à long terme	100 000
		Capital-actions ordinaires	100 000
		Bénéfices non répartis	130 000
Total de l'actif	500 000 $	Total du passif et de l'avoir des actionnaires	500 000 $

4. Vous disposez des renseignements suivants concernant l'entreprise Bogest:

1. $\dfrac{\text{Actif}}{\text{Ventes}} = 1{,}8$

2. $\dfrac{\text{Passif}}{\text{Ventes}} = 0{,}5$

3. $\dfrac{\text{Bénéfice net}}{\text{Ventes}} = 8\%$

4. Pourcentage des bénéfices versés en dividendes = 40%

5. Ventes de l'année 1990 = 700 000$

6. Pour les 5 prochaines années, on anticipe que le taux de croissance annuel des ventes sera de l'ordre de 9%.

En supposant que tous les postes d'actif et de passif augmentent automatiquement avec les ventes, déterminez:

a) les besoins de financement de sources externes de l'entreprise en 1991;

b) le taux de croissance maximal des ventes que pourra supporter l'entreprise en 1994 sans avoir à faire appel à des sources de financement externes.

5. Vous êtes nouvellement engagé à la compagnie Paibien Ltée comme responsable du département de crédit. Votre patron vous demande de lui préparer une estimation des comptes à recevoir que l'entreprise est susceptible d'avoir à son bilan à la fin de l'année 1990. Pour vous aider, on vous transmet les informations suivantes:

Année	Ventes ('000$)	Comptes à recevoir à la fin de l'année ('000$)
1982	1559	250
1983	1565	253
1984	1663	318
1985	2046	347
1986	2150	399
1987	2203	451
1988	2296	521
1989	2410	538

Le directeur du marketing pense que les ventes s'élèveront à 2 500 000$ en 1990.

a) Quelle est l'équation de la droite de régression linéaire qui s'ajuste le mieux aux observations historiques disponibles?

b) A partir du modèle de régression linéaire établi en (a), donnez une estimation des comptes à recevoir à la fin de 1990.

c) En ayant recours à la méthode du pourcentage des ventes, donnez une estimation des comptes à recevoir à la fin de 1990.

6. Etablissez les états financiers prévisionnels (état des résultats et bilan) de la compagnie Prévisionnex (voir l'exemple apparaissant à la section 3.3.3) au 31/12/19X3 en tenant compte des renseignements supplémentaires suivants:

1. Le prix de vente unitaire pour 19X3 sera de 6$. Les ventes mensuelles prévues sont les suivantes:

Janvier 19X3	30 000 unités
Février 19X3	30 000
Mars 19X3	35 000
Avril 19X3	40 000
Mai 19X3	40 000
Juin 19X3	40 000
Juillet 19X3	50 000
Août 19X3	40 000
Septembre 19X3	40 000
Octobre 19X3	50 000
Novembre 19X3	50 000
Décembre 19X3	50 000
Janvier 19X4	55 000

2. La marchandise sera achetée du manufacturier au prix unitaire de 3,60$ en 19X3.

3. La méthode d'évaluation des stocks utilisée est celle du premier entré, premier sorti (FIFO).

4. En 19X3, l'entreprise envisage distribuer vers la fin de chaque trimestre un dividende par action de 0,20$ à ses actionnaires ordinaires.

5. En 19X3, l'entreprise prévoit verser à l'impôt 80 000$ à la fin de chaque trimestre.

6. En 19X3, l'entreprise ne prévoit pas acquérir de nouvelles immobilisations. De plus, elle ne pense pas émettre de nouvelles actions ordinaires ou emprunter à long terme.

7. A partir des renseignements ci-dessous, établissez l'état prévisionnel des résultats et le bilan prévisionnel de la compagnie Mitek au 30/06/19X1.

1.

6 mois

Mitek Ltée
Bilan au 31/12/19X0

Encaisse	126 500$	Comptes à payer	48 750$
Comptes à recevoir	178 000	Impôt à payer	41 000
Stocks	162 500	Obligations à payer	500 000
Immobilisations nettes	1 100 000	Capital-actions ordinaire	600 000
		Bénéfices non répartis	377 250
		Total du passif et de	
Total de l'actif	1 567 000$	l'avoir des actionnaires	1 567 000$

2. Les ventes prévues au cours des prochains mois sont les suivantes:

Janvier 19X1:	250 000$
Février 19X1:	300 000$
Mars 19X1:	450 000$
Avril 19X1:	400 000$
Mai 19X1:	350 000$
Juin 19X1:	400 000$
Juillet 19X1:	450 000$

3. 60% des ventes sont payées comptant; 30% sont payées un mois après la vente et 10% deux mois après la vente. Les mauvaises créances sont négligeables.

4. Le coût des marchandises vendues correspond à 65% des ventes.

5. A chaque mois, l'entreprise achète du manufacturier la marchandise qu'elle prévoit vendre le mois suivant aux consommateurs. 70% des achats sont réglés comptant et le reste au cours du mois suivant.

6. Les frais de vente et d'administration correspondent à 10% des ventes. Ces frais sont payés dans le mois où la vente a lieu. Il est à noter que ces frais ne tiennent pas compte de l'amortissement et des charges d'intérêt.

7. L'emprunt obligataire a été effectué il y a 5 ans au taux de coupon annuel de 12%. Les intérêts sur cet emprunt sont payés à la fin de juin et à la fin de décembre. La totalité de la dette est remboursable dans 15 ans.

8. Au début de janvier 19X1, l'entreprise prévoit acquérir de l'équipement coûtant 50 000$. Cet équipement sera payé comptant.

9. L'amortissement mensuel prévu est de 10 000$. Dans l'estimation de l'amortissement, on a tenu compte de l'achat d'équipement que prévoit effectuer l'entreprise en janvier 19X1.

10. L'entreprise versera à l'impôt 70 000$ à la fin de mars et 90 000$ à la fin de juin. Son taux d'imposition est de 40%.

11. Les dividendes semestriels prévus pour la prochaine année sont de 100 000$. Ils seront versés en juin et en décembre.

8. A partir des renseignements ci-dessous, dressez les états financiers prévisionnels (état des résultats et bilan) de l'entreprise Beaulieu au 31/12/19X1:

1. L'entreprise Beaulieu fabrique deux produits, M et N, et utilise à cette fin deux types de matières premières, X et Y, ainsi que de la main-d'oeuvre directe dans les proportions suivantes:

	Produit M	Produit N
Matières premières (en unités)		
X	4	2
Y	1	6
Main-d'oeuvre directe (en heures)	3	2

2. A la fin de l'année 19X1, l'entreprise désire maintenir, pour chacun de ses deux produits, un stock de produits finis représentant 10% des ventes de l'année 19X1. De plus, elle désire maintenir un stock de matières premières de 3500 unités pour X et de 5000 unités pour Y.

3. Les frais généraux de fabrication pour l'année 19X1 sont estimés à 82 000$ (incluant 18 000$ d'amortissement).

4. Les ventes prévues pour l'année 19X1 sont les suivantes:

Produit M: 5000 unités à 50$/unité	=	250 000 $
Produit N: 8000 unités à 40$/unité	=	320 000
Total		570 000 $

5. Les frais généraux de fabrication sont répartis sur la base du coût total de la main-d'oeuvre directe par produit pour l'exercice.

6. Les frais de vente et d'administration pour l'année 19X1 sont estimés à 65 000$.

7. Le prix des matières premières en 19X1 sera le même qu'en 19X0.

8. Le coût de la main-d'oeuvre directe est de 5$ l'heure.

9. La méthode d'évaluation des stocks utilisée est celle du premier entré, premier sorti (FIFO).

10. La production et les ventes se répartissent de façon continue dans l'année.

11. Le taux d'imposition de l'entreprise est de 40%.

12. L'entreprise procédera en 19X1 à l'achat d'un nouvel équipement au coût de 40 000$. Le financement de cet équipement se fera à même l'encaisse de l'entreprise (30 000$) et par la vente des placements à court terme (10 000$). Il est à noter que la dépense d'amortissement liée à cet actif est incluse dans les frais généraux de fabrication.

13. L'entreprise a comme politique de maintenir un encaisse minimal de 20 000$ en fin d'année.

14. Les comptes à recevoir au 31/12/19X1 représenteront 10% des ventes totales de l'année 19X1.

15. Les impôts à payer qui figureront au bilan au 31/12/19X1 sont ceux calculés dans l'état prévisionnel des résultats pour l'année 19X1.

16. Les comptes à payer au 31/12/19X1 devraient représenter 10% des ventes de l'année 19X1.

17. Les autres exigibilités seront nulles au 31/12/19X1.

18. Les intérêts sur la dette à long terme s'élèveront à 4000$ en 19X1.

19. L'entreprise prévoit verser 50 000$ en dividendes à ses actionnaires en 19X1.

20. Les soldes des postes «dette à long terme» et «capital-actions ordinaire» au 31/12/19X1 seront les mêmes qu'au 31/12/19X0.

21. Si l'entreprise a besoin de financement externe, ce financement sera obtenu par le biais d'une marge de crédit bancaire.

22. Les stocks au 31/12/19X0 sont les suivants:

Matières premières	unités	Dollars
X	3 000	6 000
Y	4 500	6 750

Produits finis	unités	Dollars
M	400	12 800
N	700	19 600

23. Le bilan de l'entreprise au 31/12/19X0 se présente ainsi:

Encaisse	20 000 $	Comptes à payer	32 000 $
Placements à court terme	10 000	Impôt à payer	12 700
Comptes à recevoir	38 000	Autres exigibilités	14 200
Stocks de matières pre-		Dette à long terme	40 000
mières et de produits finis	45 150	Capital-actions ordinaire	100 000
Immobilisations nettes	175 000	Bénéfices non répartis	89 250
		Total du passif et de	
Total de l'actif	288 150 $	l'avoir des actionnaires	288 150 $

SOMMAIRE

Chapitre 4

La gestion du fonds de roulement

Chapitre 4

LA GESTION DU FONDS DE ROULEMENT

4.1 INTRODUCTION

Sur le plan comptable, on distingue, au bilan d'une entreprise, deux catégories d'actif, soit les disponibilités ou les actifs à court terme et les immobilisations ou les actifs à long terme. Les disponibilités sont des actifs qui seront normalement transformés en liquidités au cours de l'année qui vient tandis que les actifs immobilisés revêtent plutôt un caractère permanent en ce sens où ils ne pourront être convertis en espèces qu'à très long terme. Du côté du passif, on peut répartir les sources de financement en exigibilités et en capital permanent (dettes à long terme et capital-actions). Les exigibilités constituent pour l'entreprise des dettes à court terme qui seront généralement remboursées au cours de la prochaine année alors que le remboursement des dettes à long terme se fera sur plusieurs années.

On peut définir le fonds de roulement net comme étant la différence entre les disponibilités et les exigibilités. Les disponibilités comprennent habituellement l'encaisse, les titres négociables, les comptes à recevoir, les stocks et les frais payés d'avance. Du côté des exigibilités, on retrouve généralement les comptes à payer, les impôts à payer, les billets à payer à court terme et la tranche de la dette à long terme échéant en moins d'un an. Quant au fonds de roulement de l'entreprise, il représente l'ensemble des disponibilités de cette dernière. Finalement, la gestion du fonds de roulement concerne tous les aspects liés à l'administration des disponibilités et des exigibilités.

Le présent chapitre traite de certains principes généraux liés à la gestion du fonds de roulement. Dans les deux chapitres qui suivent, nous abordons la gestion de chacun des postes composant l'actif à court terme de l'entreprise, soit l'encaisse, les titres négociables, les comptes à recevoir et les stocks. Le chapitre 7 est, quant à lui, consacré aux différentes sources de financement à court terme accessibles à l'entreprise.

4.2 LE CALCUL DU FONDS DE ROULEMENT NET

Comme nous l'avons mentionné en introduction au présent chapitre, le fonds de roulement net de l'entreprise est la différence entre son actif à court terme (c.-à-d. ses disponibilités) et son passif à court terme (c.-à-d. ses exigibilités). Il s'agit d'une mesure de la liquidité de l'entreprise. Algébriquement, le fonds de roulement net se calcule ainsi:

$$FRN = ACT - PCT \qquad (1)$$

où   FRN: Fonds de roulement net
      ACT: Actif à court terme ou disponibilités
      PCT: Passif à court terme ou exigibilités

La figure 1 illustre la notion de fonds de roulement net.

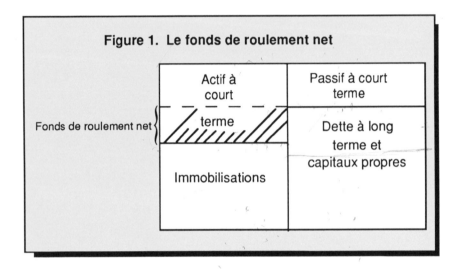

Figure 1. Le fonds de roulement net

Alternativement, le fonds de roulement net peut être défini comme étant l'excédent des dettes à long terme et des capitaux propres sur les actifs immobilisés:

$$FRN = DLT + CP - IMM \qquad (2)$$

où   DLT: Dette à long terme
      CP : Capitaux propres
      IMM: Immobilisations

Le fonds de roulement net représente donc le montant des actifs à court terme qui sont financés par des fonds à long terme (dette à long terme et capitaux propres).

Remarque.   L'expression (2) s'obtient à partir de l'équation comptable fondamentale. Selon cette équation, on a:

Actif total = Passif total + Capitaux propres

En développant, on obtient:

Actif à court terme + Immobilisations = Passif à court terme + Dette à long terme + Capitaux propres

En réarrangeant, on trouve:

$$\frac{\text{Actif à}}{\text{court terme}} - \frac{\text{Passif à}}{\text{court terme}} = \frac{\text{Dette à}}{\text{long terme}} + \frac{\text{Capitaux}}{\text{propres}} - \text{Immobilisations}$$

Puisque:

Fonds de roulement net = Actif à court terme - Passif à court terme,

on peut écrire:

$$\frac{\text{Fonds de}}{\text{roulement net}} = \frac{\text{Dette à}}{\text{long terme}} + \frac{\text{Capitaux}}{\text{propres}} - \text{Immobilisations}$$

ou

$$\text{FRN} = \text{DLT} + \text{CP} - \text{IMM}$$

Exemple

Le bilan de la Compagnie TGX au 31/12/1990 est le suivant:

Actif		Passif et avoir des actionnaires	
Encaisse	40 000 $	Comptes à payer	190 000 $
Titres négociables	60 000 $	Impôts à payer	40 000
Comptes à recevoir	100 000	Tranche de la dette à long	
Stocks	150 000	terme échéant au cours du	
Immobilisations nettes	450 000	prochain exercice	100 000
		Dette à long terme	180 000
		Capital-actions	120 000
		Bénéfices non répartis	170 000
Total	800 000 $	Total	800 000 $

A partir des données ci-dessus, calculez:
a) le fonds de roulement
b) le fonds de roulement net
c) le ratio du fonds de roulement

Solution

a) Le fonds de roulement de l'entreprise comprend l'ensemble de ses éléments d'actif à court terme:

ACT = 40 000 + 60 000 + 100 000 + 150 000 = 350 000$

b) Le fonds de roulement net peut se calculer à l'aide de l'expression (1) ou de l'expression (2). Ici, on a:

ACT = 350 000$
PCT = 190 000 + 40 000 + 100 000 = 330 000$
DLT = 180 000$
CP = 120 000 + 170 000 = 290 000$
IMM = 450 000$

Par conséquent, à partir de l'expression (1), on obtient:

FRN = 350 000 - 330 000 = 20 000$

Si on utilise plutôt l'équation (2), on trouve:

FRN = 180 000 + 120 000 + 170 000 - 450 000 = 20 000$

c) Comme nous l'avons mentionné au chapitre 2, le ratio du fonds de roulement se calcule ainsi:

$$\text{Ratio du fonds de roulement} = \frac{\text{Actif à court terme}}{\text{Passif à court terme}}$$

$$= \frac{350\ 000}{330\ 000}$$

$$= 1,06$$

Ce résultat nous indique que l'entreprise pourrait réaliser ses actifs à court terme à 94,34% (c.-à-d. 1/1,06) de leur valeur comptable et être en mesure de rembourser intégralement ses créanciers à court terme.

Il est à noter qu'il existe un lien direct entre le ratio du fonds de roulement et le fonds de roulement net. En effet, lorsque l'actif à court terme excède le passif à court terme, le fonds de roulement net est positif et le ratio du fonds de roulement est supérieur à 1. A l'inverse, lorsque l'actif à court terme est inférieur au passif à court terme, le fonds de roulement net est négatif et le ratio du fonds de roulement est plus petit que 1. Finalement, dans le cas où l'actif à court terme correspond au passif à court terme, le fonds de roulement net est nul et le ratio du fonds de roulement est égal à 1.

4.3 LE CYCLE DU FONDS DE ROULEMENT

Comme l'illustre la figure 2, le cycle du fonds de roulement débute lorsque l'entreprise achète de la marchandise. Il en résulte alors une augmentation des stocks et une diminution de l'encaisse (si la marchandise est payée comptant) ou une augmentation des comptes à payer (si la marchandise est achetée à crédit). Cette transaction n'a aucun impact sur le fonds de roulement net de l'entreprise. Par la suite, la revente de la marchandise entraîne une diminution des stocks et une augmentation des comptes à recevoir (dans le cas d'une vente à crédit) ou une augmentation de l'encaisse (dans le cas d'une vente au comptant). Comme la revente de la marchandise s'effectue à un prix supérieur au coût d'acquisition, il en résulte une augmentation du fonds de roulement net. Finalement, lorsque les clients de l'entreprise acquittent leurs factures, ceci occasionne une diminution des comptes à recevoir et une augmentation de l'encaisse. Cette dernière transaction n'a aucun effet sur le fonds de roulement net de l'entreprise.

Il est à noter que la vente des marchandises n'est pas la seule transaction qui a une incidence sur le fonds de roulement net de l'entreprise. Ainsi, lorsque l'entreprise vend des actifs immobilisés ou émet des obligations, il en résulte une augmentation de son fonds de roulement net. D'autre part, si elle rembourse une partie de sa dette à long terme en liquidant son portefeuille de titres à court terme, elle verra son fonds de roulement net diminuer.

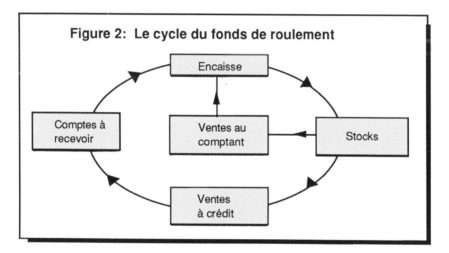

Figure 2: Le cycle du fonds de roulement

4.4 L'IMPORTANCE DE LA GESTION DU FONDS DE ROULEMENT

Plusieurs facteurs font en sorte que la gestion du fonds de roulement constitue un sujet de première importance en finance corporative. Parmi ces facteurs, notons:

1. Les statistiques révèlent (voir le tableau 1 à ce sujet) que l'actif à court terme constitue environ 35% de l'actif total de l'ensemble des entreprises non financières canadiennes. De plus, comme l'indique le tableau 2, ce pourcentage peut même dépasser 60% dans les secteurs industriels où les comptes à recevoir et les stocks sont élevés. Compte tenu de l'importance des sommes investies en actifs à court terme, une bonne gestion de ces derniers est essentielle.

Tableau 1: Postes du fonds de roulement en pourcentage de l'actif total pour l'ensemble des entreprises non financières canadiennes pour les années 1982, 1984 et 1986

	Années		
	1982	**1984**	**1986**
Actif à court terme			
Encaisse	1,2%	1,4%	1,6%
Valeurs réalisables	3,2%	3,7%	3,5%
Comptes à recevoir	10,8%	11,0%	10,8%
Stocks	15,3%	14,5%	13,6%
Dû par des sociétés affiliées	3,3%	3,3%	3,3%
Autres postes de l'actif à court terme	1,7%	1,5%	1,7%
Total de l'actif à court terme	**35,5%**	**35,4%**	**34,5%**
Passif à court terme			
Emprunts à court terme (incluant les emprunts bancaires)	8,5%	7,0%	7,0%
Comptes à payer	10,7%	10,7%	10,6%
Dette à long terme échéant en moins d'un an	1,3%	1,3%	1,3%
Dû à des sociétés affiliées	3,9%	4,0%	4,0%
Autres postes du passif à court terme	4,0%	4,3%	4,0%
Total du passif à court terme	**28,4%**	**27,3%**	**26,9%**
Fonds de roulement net	**7,1%**	**8,1%**	**7,6%**

Source: Statistique Canada, Statistiques financières des sociétés, Catalogue 61-207, 1982, 1984 et 1986.

Tableau 2: Postes du fonds de roulement en pourcentage de l'actif total pour certaines industries non financières canadiennes en 1986

	Agriculture, exploitation forestière et pêche	Mines	Industrie			Commerce de gros	Commerce de détail	Services
			Fabrication	Construction	Services publics			
Actif à court terme								
Encaisse	3,4%	0,7%	1,1%	5,4%	0,5%	2,6%	3,6%	4,2%
Valeurs réalisables	4,3%	3,4%	4,3%	5,6%	1,7%	3,5%	3,8%	5,7%
Comptes à recevoir	4,8%	4,3%	13,1%	30,2%	5,4%	23,2%	7,7%	12,5%
Stocks	13,1%	3,0%	18,3%	19,5%	2,1%	31,8%	40,0%	3,0%
Dû par des sociétés affiliées	1,0%	2,0%	4,8%	3,5%	0,9%	5,0%	5,2%	4,3%
Autres postes de l'actif à court terme	2,1%	0,9%	1,5%	3,1%	1,4%	2,0%	1,9%	3,5%
Total de l'actif à court terme	28,7%	14,3%	43,1%	67,3%	12,0%	68,1%	62,2%	33,2%
Passif à court terme								
Emprunts à court terme (incluant les emprunts bancaires)	10,2%	2,5%	5,7%	10,3%	2,6%	20,8%	16,8%	6,9%
Comptes à payer	5,2%	5,1%	12,0%	22,6%	4,6%	20,6%	19,2%	11,1%
Dette à long terme échéant en moins d'un an	2,6%	0,7%	0,8%	1,9%	2,5%	0,6%	1,4%	1,6%
Dû à des sociétés affiliées	3,4%	3,3%	5,1%	3,5%	1,0%	8,8%	4,1%	5,3%
Autres postes du passif à court terme	3,3%	1,1%	4,2%	12,4%	3,4%	4,2%	4,2%	6,8%
Total du passif à court terme	24,7%	12,7%	27,8%	50,7%	14,1%	55,0%	45,7%	31,7%
Fonds de roulement net	4,0%	1,6%	15,3%	16,6%	-2,1%	13,1%	16,5%	1,5%

Source: Statistique Canada, Statistiques financières des sociétés, Catalogue 61-207, 1986.

2. Les soldes observés et optimaux des différents postes d'actif et de passif à court terme fluctuent constamment à travers le temps. Dans ces conditions, il n'est guère étonnant de constater, qu'en pratique, le gestionnaire financier doive consacrer une grande part de son temps à l'administration des postes qui composent le fonds de roulement net de l'entreprise. Dans les entreprises, des décisions financières se rapportant au fonds de roulement sont prises quotidiennement, alors que des décisions touchant l'actif immobilisé et le financement à long terme sont plutôt sporadiques.

3. Dans le cas des petites et moyennes entreprises (PME), la gestion du fonds de roulement est particulièrement importante. En effet, même si ces dernières peuvent minimiser leurs investissements en immobilisations en ayant recours à la location, elles ne peuvent éviter d'investir dans l'encaisse, les comptes à recevoir et les stocks. Cette situation s'explique en bonne partie par la relation directe qui existe entre la croissance des ventes et celle des différents postes de l'actif à court terme et du passif à court terme. Par exemple, si le délai moyen de recouvrement des comptes à recevoir est de 45 jours et que les ventes à crédit augmentent de 2000$ par jour, il s'ensuivra une augmentation des comptes à recevoir de 90 000$. L'augmentation des ventes provoquera également une hausse des stocks et des comptes à payer.

    Un autre facteur qui a des répercussions sur la gestion du fonds de roulement au niveau des PME est que ces entreprises ont un accès plutôt limité aux sources de financement à long terme (obligations et capital-actions). Elles doivent donc recourir fréquemment aux modes de financement à court terme, ce qui a pour effet d'accroître leurs exigibilités et ainsi réduire leur fonds de roulement net.

4. Une mauvaise gestion du fonds de roulement peut faire perdre des ventes à l'entreprise et avoir un impact négatif sur ses bénéfices. De plus, une gestion inadéquate du fonds de roulement peut entraîner la faillite de l'entreprise si cette dernière n'est pas en mesure de payer ses dettes lorsque celles-ci arrivent à échéance.

4.5 LA GESTION DU FONDS DE ROULEMENT ET LA RELATION RISQUE-RENDEMENT

En théorie, la politique optimale de gestion du fonds de roulement est celle qui maximise la richesse des actionnaires de l'entreprise. Toutefois, la politique optimale est très difficile à identifier compte tenu du grand nombre de variables à la fois internes et externes à l'entreprise dont le gestionnaire doit tenir compte. Comme c'est le cas pour la plupart des décisions financières, la détermination d'un niveau adéquat de disponibilités et d'exigibilités dans un contexte pratique exigera du gestionnaire que ce dernier effectue une analyse risque-rendement en tenant compte des constatations suivantes:

1. De façon générale, on peut affirmer que le risque d'insolvabilité technique de l'entreprise est lié de façon inverse au niveau de fonds de roulement net dont

dispose cette dernière. En effet, si on maintient constant le volume et les coûts de production, ainsi que le prix et le volume des ventes, la probabilité d'insolvabilité technique diminue si on augmente le fonds de roulement net.

2. A l'instar des actifs immobilisés, les disponibilités ou les actifs à court terme contribuent à générer des revenus pour l'entreprise. Il est cependant beaucoup plus difficile de quantifier la contribution des disponibilités aux revenus de l'entreprise que d'évaluer celle des actifs immobilisés. De plus, compte tenu du fait que les actifs à court terme sont, de façon générale, moins risqués que les immobilisations, on peut s'attendre, selon la relation risque-rendement, à ce que le rendement obtenu sur ces actifs soit inférieur à celui obtenu sur les immobilisations. L'entreprise devra donc faire un choix entre réduire son risque ou augmenter sa rentabilité espérée. Ainsi, si la priorité est de réduire le risque inhérent à l'insolvabilité technique, les dirigeants choisiront d'investir davantage dans les actifs à court terme et moins dans les immobilisations. Cette stratégie aura cependant pour effet de réduire la rentabilité espérée sur l'actif total de l'entreprise. Par contre, si l'objectif est de maximiser la rentabilité espérée, on investira beaucoup en actifs immobilisés et peu en disponibilités, ce qui aura pour effet d'accroître le risque que court l'entreprise de ne pas être en mesure de rencontrer ses obligations à court terme.

3. En ce qui a trait au financement de l'entreprise, on peut dire que, de façon générale, le recours aux exigibilités s'avère moins onéreux que l'utilisation des instruments de financement à long terme. Les deux raisons suivantes expliquent pourquoi il en est ainsi: (1) plusieurs dettes à court terme (les comptes à payer, les salaires à payer, etc.) n'entraînent aucun coût direct et (2) la plupart du temps on observe, sur les marchés financiers, une relation directe entre le rendement exigé par le prêteur et l'échéance de l'emprunt. Ainsi, dans la mesure où le coût du financement à court terme est inférieur à celui du financement à long terme, l'entreprise aura avantage à se financer par de la dette à court terme si elle désire maximiser sa rentabilité espérée. Toutefois, il convient de souligner que lorsque l'entreprise a recours à la dette à court terme pour financer ses actifs, plutôt que d'utiliser la dette à long terme ou les fonds propres, ceci a pour conséquence d'accroître son niveau de risque et ce, pour les deux raisons suivantes: (1) dans le cas d'un emprunt à long terme, le taux d'intérêt est constant d'une année à l'autre alors que dans le cas d'un emprunt à court terme le taux d'intérêt peut fluctuer considérablement d'une période à l'autre et (2) il existe toujours un risque que l'entreprise ne puisse renouveler son emprunt à court terme lorsque celui-ci viendra à échéance.

L'exemple numérique présenté ci-dessous permettra de mieux saisir l'impact que peut avoir la politique relative au fonds de roulement sur le risque et la rentabilité de l'entreprise.

Exemple

Le bilan simplifié de l'entreprise Triaxe Inc. au 31/12/1990 est le suivant:

Triaxe Inc.
Bilan au 31/12/1990

Actif		Passif	
Disponibilités	3 800 $	Exigibilités	2 300 $
Immobilisations	6 200	Dette à long terme	3 400
		Avoir des actionnaires ordinaires	4 300
Total	10 000 $	Total	10 000 $

Autres informations:

On suppose que l'entreprise obtient les rendements suivants sur ses actifs:

. Rendement moyen sur les disponibilités: 3% soit 114$ (3% x 3800$)
. Rendement moyen sur les immobilisations: 12% soit 744$ (12% x 6200$)
. Rendement moyen sur l'actif total: 8,58% soit 858$
. Fonds de roulement net: 3800 - 2300 = 1500$

On suppose que les coûts de financement sont les suivants:

. Coût de financement moyen sur les exigibilités: 4% soit 92$ (4% x 2300$)
. Coût de financement moyen sur la dette à long
  terme et sur l'avoir des actionnaires ordinaires: 9% soit 693$ (9% x 7700$)
. Coût de financement moyen de l'entreprise: 7,85% soit 785$

Scénario 1: On augmente les immobilisations de 500$ et on diminue d'autant les disponibilités.

On aura alors:

$$\text{Rendement moyen sur l'actif total} = (0,03 \times 3300) + (0,12 \times 6700)$$
$$= 903\$ \text{ ou } 9,03\%$$

Fonds de roulement net = 3300 - 2300 = 1000$.

Conclusion

En diminuant les disponibilités au profit des immobilisations, cela contribue à augmenter la rentabilité de l'entreprise, à réduire son fonds de roulement net et à accroître de ce fait le risque d'insolvabilité technique.

Scénario 2:   On augmente de 500$ les exigibilités et on diminue d'autant la dette à long terme.

On aura alors:

Coût de financement moyen
de l'entreprise $= (0,04 \times 2800) + (0,09 \times 7200)$

$= 760$$ ou $7,60\%$

Fonds de roulement net $= 3800 - 2800 = 1000$$

1.122
6.482
———
7.60

Conclusion

En augmentant les exigibilités au détriment de la dette à long terme, cela contribue à diminuer le coût de financement moyen de l'entreprise et de ce fait à accroître sa rentabilité. Par contre, ce scénario entraîne une diminution du fonds de roulement net et, par conséquent, une hausse du risque.

4.6 RELATION ENTRE L'ACTIF À COURT TERME ET LE VOLUME DES VENTES

Le niveau de l'actif à court terme d'une entreprise est lié directement à son chiffre d'affaires. De plus, notons que l'importance de l'actif à court terme, pour un volume donné des ventes, dépend également de l'équilibre recherché par les gestionnaires entre le risque et la rentabilité espérée. En effet, tout dépendant de leur attitude face au risque, les gestionnaires opteront soit pour une politique agressive en matière de gestion du fonds de roulement, soit pour une politique conservatrice ou encore pour une politique se situant quelque part entre ces deux extrêmes, appelée politique moyenne. La figure 3 illustre l'importance de l'actif à court terme en fonction des ventes selon chacune de ces trois politiques.

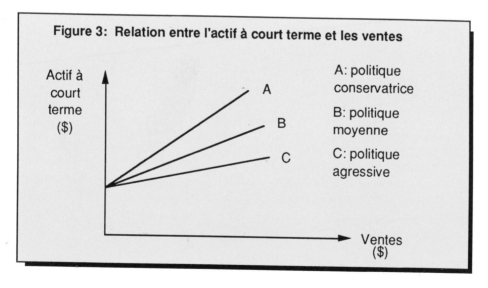

Figure 3: Relation entre l'actif à court terme et les ventes

Politique conservatrice en matière de gestion du fonds de roulement

La droite «A» représente une approche conservatrice en matière de gestion du fonds de roulement. Cette dernière privilégie un investissement élevé en actifs à court terme afin d'éviter tout problème de liquidité et réduire ainsi le risque d'insolvabilité. L'encaisse, les comptes à recevoir et les stocks seront alors maintenus à des niveaux élevés. Cette politique procure à l'entreprise une excellente marge de manoeuvre au niveau gestion et le prix à payer pour cette sécurité se situe habituellement au niveau de la faible rentabilité de l'actif total. Notons toutefois que l'approche conservatrice en matière de gestion du fonds de roulement, qui se concrétise notammment par une politique de crédit plutôt souple et le maintien de stocks élevés, peut favoriser un volume de ventes élevé, ce qui peut compenser, du moins partiellement, pour la faible rentabilité que procurent généralement à l'entreprise les actifs à court terme.

Politique agressive en matière de gestion du fonds de roulement

La droite «C» représente une approche beaucoup plus agressive en matière de gestion du fonds de roulement en ce sens que l'on cherche à minimiser les montants investis dans les actifs à court terme de façon à augmenter la rentabilité globale de l'entreprise. Le fait de maintenir au minimum l'encaisse, les comptes à recevoir et les stocks est cependant susceptible d'occasionner certains problèmes aux administrateurs. En effet, une encaisse trop faible peut, par exemple, faire en sorte que l'entreprise ne sera pas en mesure de payer certains de ses fournisseurs et que, par conséquent, elle éprouvera à l'avenir certaines difficultés à s'approvisionner. De même, des comptes à recevoir peu élevés peuvent signifier que l'entreprise a adopté une politique de crédit trop restrictive, ce qui peut entraîner la perte de certains clients. Enfin, des stocks de matières premières trop faibles peuvent provoquer une interruption de la production et se traduire par des pertes importantes au niveau des ventes. Ces effets négatifs peuvent venir à l'encontre de l'objectif même de cette politique qui est de maximiser la rentabilité espérée. En effet, une politique agressive de gestion du fonds de roulement est susceptible de faire perdre des ventes à l'entreprise, ce qui aura pour effet de contrebalancer, du moins partiellement, les économies associées au maintien d'un faible niveau d'actifs à court terme.

Politique moyenne en matière de gestion du fonds de roulement

Cette politique représente en quelque sorte un compromis entre les deux politiques extrêmes discutées précédemment. Pour l'entreprise, cette politique est moins risquée que la politique conservatrice. D'autre part, elle permet d'obtenir un rendement sur les actifs plus élevé que celui associé à la politique conservatrice, mais moins élevé que celui lié à l'adoption d'une politique agressive. Pour la majorité des entreprises, la politique dite moyenne permet d'obtenir un juste équilibre entre le risque et le rendement espéré et constitue un optimum à atteindre.

4.7 LE FINANCEMENT DE L'ACTIF À COURT TERME

Comme nous l'avons déjà mentionné, les actifs à court terme de l'entreprise croissent avec l'augmentation du volume des ventes. Ceci signifie qu'une croissance continue des ventes va générer une augmentation permanente des actifs à court terme. A ce phénomène, s'ajoutent les fluctuations saisonnières des ventes qui, à leur tour, provoquent des variations cycliques au niveau des actifs à court terme requis. Dans ces conditions, l'entreprise devra, en plus de financer ses immobilisations, trouver du financement pour ses actifs permanents à court terme et pour ses actifs temporaires ou saisonniers à court terme.

Pour satisfaire ses besoins de financement permanents et temporaires, l'entreprise optera pour une politique de financement qui sera fonction de l'attitude de ses gestionnaires face au risque. Dans ce contexte, nous présentons, ci-dessous, trois approches en matière de financement qui pourraient être utilisées par une entreprise.

Approche typique

La première approche (voir figure 4) nous indique que l'entreprise a recours à la dette à court terme pour financer ses actifs à court terme temporaires et utilise des sources à long terme (dette à long terme et fonds propres) pour financer ses actifs permanents (c.-à-d. ses immobilisations et ses actifs à court terme permanents). Cette approche permet de faire coïncider l'échéance des emprunts avec la période pendant laquelle l'entreprise a besoin des fonds. Une telle synchronisation des échéances procure à l'entreprise deux avantages. Premièrement, elle lui évite d'avoir à payer des intérêts lorsqu'elle n'a plus besoin des fonds. Ainsi, si l'entreprise a besoin de capitaux pendant une période de quelques mois et qu'elle se finance par le biais d'une émission d'obligations échéant dans 10 ans, elle devra payer des intérêts pendant 10 ans alors que les fonds ne seront utilisés que pendant quelques mois. Dans un tel cas, le financement à long terme s'avère inapproprié et occasionnerait une baisse de la rentabilité de l'entreprise. Deuxièmement, le respect du principe de la correspondance des échéances permet à l'entreprise de s'assurer qu'elle disposera des fonds nécessaires lorsqu'elle devra rembourser les emprunts contractés. Ainsi, si l'entreprise finance l'achat d'immobilisations ayant une durée de vie de 10 ans par un emprunt remboursable dans un an, elle devra dans un an renouveler son emprunt, puisque les fonds générés au cours de l'année par les actifs acquis en début d'année seront fort probablement très inférieurs à la somme totale à rembourser. Dans ce cas, il existe un risque que le prêteur ne veuille pas renouveler l'emprunt (si, par exemple, la situation financière de l'entreprise s'est détériorée significativement au cours de l'année) ou encore que l'emprunt puisse être renouvelé mais à un taux d'intérêt excédant celui de l'emprunt original.

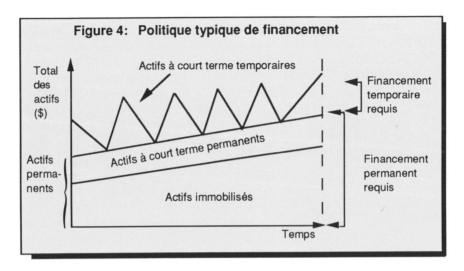

Figure 4: Politique typique de financement

Approche conservatrice

La deuxième approche (voir figure 5) constitue une politique de financement plus conservatrice. En effet, selon cette approche, l'entreprise finance par de la dette à long terme une partie de ses actifs à court terme temporaires. Dans ce cas, il faut s'attendre à ce que l'entreprise possède, durant certaines périodes, des surplus de liquidité qui pourront être investis dans des titres à court terme. Toutefois, comme le rendement des titres à court terme est généralement inférieur au coût des sources de financement à long terme, il en résulte que le choix d'une politique de financement conservatrice a un impact négatif sur la rentabilité de l'entreprise.

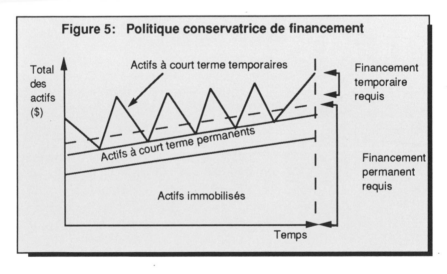

Figure 5: Politique conservatrice de financement

Approche agressive

La dernière approche, de type plus agressive, propose de financer (partie A sur la figure 6) une portion des actifs à court terme permanents par de la dette à court terme. Cette politique est de nature à réduire le fonds de roulement net de l'entreprise, car la dette à court terme s'en trouve alors accrue. De plus, elle a pour conséquence d'accroître le risque de l'entreprise, car il se peut que ses bailleurs de fonds ne veuillent pas renouveler ses emprunts à court terme ou encore que le coût du crédit ait augmenté substantiellement.   Finalement, le choix d'une politique agressive permet d'accroître la rentabilité de l'entreprise, puisque le taux d'intérêt exigé sur un emprunt à court terme est, la plupart du temps, inférieur à celui demandé sur un emprunt à moyen ou long terme.

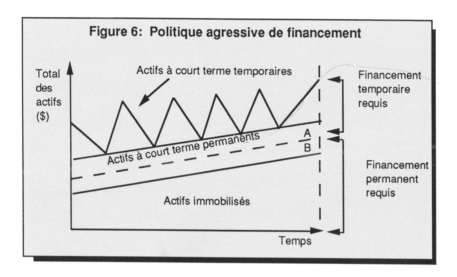

Figure 6: Politique agressive de financement

En conclusion, on peut dire que la première approche est celle qui reflète le mieux l'attitude des bailleurs de fonds et, en particulier, celle des institutions bancaires qui refusent généralement de financer à long terme des actifs à court terme et vice versa. D'un point de vue théorique, la première approche s'avère également pertinente et fait habituellement l'objet d'un consensus auprès des théoriciens de la finance.

4.8 L'ÉVALUATION DES BESOINS DE FINANCEMENT EN FONDS DE ROULEMENT

De façon générale, lorsque le chiffre d'affaires de l'entreprise s'accroît, il en résulte une augmentation de ses comptes à recevoir et de ses stocks. Au niveau du passif à court terme, ses comptes à payer devraient également augmenter suite à une hausse du volume des achats attribuable à une progression des ventes. Toutefois, étant donné qu'un accroissement du chiffre d'affaires provoque une augmentation de l'actif à court terme qui excède la hausse des comptes à payer, il s'ensuit que l'entreprise devra financer par des sources internes (bénéfices non distribués en dividendes) et/ou externes (emprunt bancaire et/ou émission d'actions) la hausse de son fonds de roulement net découlant d'une progression de ses ventes.

Dans le but de déterminer les besoins de financement additionnels en fonds de roulement de l'entreprise, il existe plusieurs approches possibles. Ci-dessous, nous présentons une méthode qui offre l'avantage d'être relativement simple et qui est largement utilisée en pratique par un bon nombre d'institutions financières. Selon cette méthode, les besoins de financement additionnels en fonds de roulement de l'entreprise, suite à une hausse de son chiffre d'affaires, peuvent se calculer ainsi:

$$BFFR = BFCR + BFST - FCP \qquad (3)$$

où   BFFR: Besoins de financement additionnels en fonds de roulement
       BFCR: Besoins de financement relatifs aux comptes à recevoir
       BFST: Besoins de financement relatifs aux stocks
       FCP: Financement provenant des comptes à payer

Chacune des variables ci-dessus peut se calculer de la façon suivante.

Calcul des besoins de financement relatifs aux comptes à recevoir (BFCR)

Ce montant est déterminé par les ventes additionnelles quotidiennes à crédit de l'entreprise et par le délai qu'elle accorde à ses clients pour régler leurs factures. On peut également déterminer, à partir du délai trouvé, le taux de rotation des comptes à recevoir et, par la suite, calculer les besoins de financement relatifs aux comptes à recevoir.

Calcul des besoins de financement relatifs aux stocks (BFST)

Le financement requis pour les stocks est fonction des achats additionnels quotidiens de l'entreprise et de son ratio de rotation des stocks.

Calcul du financement provenant des comptes à payer (FCP)

Le financement provenant des comptes à payer dépend des achats additionnels quotidiens de l'entreprise et du délai qu'elle prend en moyenne pour payer ses fournisseurs.

Exemple

Les informations suivantes sont disponibles concernant l'entreprise Vertex Inc.:

. Ventes de l'année 19X0 (toutes à crédit):	16 600 000 $
. Ventes prévues pour l'année 19X1 (toutes à crédit):	20 000 000 $
. Achats de l'année 19X0 (tous à crédit):	11 200 000 $
. Achats prévus pour l'année 19X1 (tous à crédit):	13 500 000 $
. Délai moyen de recouvrement des comptes à recevoir:	35 jours
. Rotation des comptes à recevoir:	10,42857 fois
. Délai moyen de paiement des comptes à payer:	40 jours
. Rotation des stocks:	7,2 fois

A partir des informations précédentes, estimez les besoins de financement additionnels en fonds de roulement de Vertex Inc. pour l'année 19X1.

Solution

Les besoins de financement relatifs aux comptes à recevoir se calculent comme suit:

$$BFCR = \begin{pmatrix} \text{Augmentation} \\ \text{des ventes quoti-} \\ \text{diennes à crédit} \end{pmatrix} \begin{pmatrix} \text{Délai moyen de} \\ \text{recouvrement des} \\ \text{comptes à recevoir} \end{pmatrix}$$

$$= \begin{pmatrix} \text{Augmentation} \\ \text{des ventes quoti-} \\ \text{diennes à crédit} \end{pmatrix} \left(\frac{\text{Comptes à recevoir}}{\text{Ventes annuelles à crédit/365}} \right)$$

$$= \left(\frac{20\ 000\ 000 - 16\ 600\ 000}{365} \right) (35)$$

$$= 326\ 027\$$$

On pourrait également procéder de la façon suivante:

$$BFCR = \begin{pmatrix} \text{Augmentation} \\ \text{des ventes quoti-} \\ \text{diennes à crédit} \end{pmatrix} \left(\frac{365}{\text{Rotation des comptes à recevoir}} \right)$$

$$= \left(\frac{20\ 000\ 000 - 16\ 600\ 000}{365} \right) \left(\frac{365}{10,42857} \right)$$

$$= 326\ 027\$$$

Les besoins de financement relatifs aux stocks s'évaluent ainsi:

$$BFST = \begin{pmatrix} \text{Augmentation des} \\ \text{achats quotidiens} \end{pmatrix} \left(\frac{365}{\text{Rotation des stocks}} \right)$$

$$= \left(\frac{13\ 500\ 000 - 11\ 200\ 000}{365} \right) \left(\frac{365}{7,2} \right)$$

$$= 319\ 444\$$$

Le financement provenant des comptes à payer se calcule comme suit:

$$FCP = \begin{pmatrix} \text{Augmentation des} \\ \text{achats quotidiens} \end{pmatrix} \begin{pmatrix} \text{Délai moyen de paiement} \\ \text{des comptes à payer} \end{pmatrix}$$

$$= \left(\frac{13\ 500\ 000 - 11\ 200\ 000}{365} \right) (40)$$

$$= 252\ 055\$$$

Par conséquent, les besoins de financement additionnels en fonds de roulement sont:

$$BFFR = 326\ 027 + 319\ 444 - 252\ 055$$
$$= 393\ 416\$$$

Cette approche simpliste nous permet de constater que les besoins de financement additionnels en fonds de roulement de l'entreprise sont relativement importants. De façon à diminuer ces derniers, l'entreprise pourrait soit accroître son taux de rotation des stocks, soit réduire son délai moyen de recouvrement des comptes à recevoir ou encore augmenter son délai moyen de paiement des comptes à payer.

4.9   EXERCICES

1. Vrai ou faux.

F   a)   Le gestionnaire financier passe la majeure partie de son temps à l'élaboration du budget des investissements à long terme.

V   b)   Le fonds de roulement net correspond à la différence entre l'actif à court terme et le passif à court terme.

F   c)   Le paiement des comptes à payer a pour conséquence de diminuer le fonds de roulement net.

F   d)   De façon générale, l'actif à court terme constitue environ 15% de l'actif total d'une entreprise.

F   e)   L'achat de matières premières a pour effet de diminuer le fonds de roulement net.

V   f)   La vente d'un bâtiment a pour effet d'accroître le fonds de roulement net.

V   g)   Une politique conservatrice en matière de gestion du fonds de roulement se caractérise par un ratio élevé du fonds de roulement.

V   h)   Le recours aux sources de financement à court terme, plutôt qu'à la dette à long terme ou aux fonds propres, a pour conséquence d'accroître le risque de l'entreprise.

F   i)   De façon générale, les sources de financement à court terme sont plus onéreuses que celles à long terme.

F   j)   De façon générale, le taux de rendement des actifs à court terme excède celui des immobilisations.

V   k)   Toutes choses étant égales par ailleurs, plus ses ventes sont volatiles, plus l'entreprise devrait maintenir un fonds de roulement net élevé.

V   l)   Toutes choses étant égales par ailleurs, plus ses gestionnaires ont de l'aversion pour le risque, plus l'entreprise devrait maintenir un fonds de roulement net élevé.

F   m)   Généralement, lorsque ses ventes augmentent, les besoins de fonds de roulement de l'entreprise diminuent.

F   n)   Selon l'approche typique en matière de gestion du fonds de roulement, les actifs immobilisés sont financés par de la dette à court terme.

V   o)   Lorsque le fonds de roulement net est négatif, cela indique que des immobilisations sont financées par de la dette à court terme.

p) Dans le calcul du fonds de roulement net, on doit considérer le montant des impôts reportés à long terme à payer.

q) De façon générale, une augmentation des ventes entraîne une diminution des comptes à payer.

2. Le ratio du fonds de roulement de l'entreprise Sécor est de 2,4. Son passif à court terme s'élève à 600 000$. Déterminez:

$$\frac{Act}{Pas} = 2.4$$

a) le fonds de roulement de cette entreprise;

b) le fonds de roulement net de cette entreprise.

3. Le bilan simplifié de l'entreprise UXOR au 31/12/1990 est le suivant:

UXOR Inc.
Bilan du 31/12/1990

Actif		Passif	
Disponibilités	10 000 $	Exigibilités	8 000 $
Immobilisations	20 000	Capital permanent	22 000
Total	30 000 $		30 000 $

Autres informations:

. Taux de rendement des disponibilités: 5%
. Taux de rendement des immobilisations: 14%
. Coût de la dette à court terme: 8%
. Coût du capital permanent: 12%

a) Quel est actuellement le taux de rendement moyen sur l'actif total de l'entreprise?

b) Si on diminue les immobilisations de 3000$ et qu'on augmente d'autant les disponibilités, quel sera alors le taux de rendement moyen sur l'actif total de l'entreprise?

c) Quel est actuellement le coût de financement moyen de l'entreprise?

d) Si on diminue les exigibilités de 3000$ et qu'on augmente d'autant le capital permanent, quel sera alors le coût de financement moyen de l'entreprise? Quel serait l'impact d'une telle transaction sur le risque financier de l'entreprise?

4. Deux femmes d'affaires envisagent de lancer une nouvelle entreprise. Selon les estimations, le démarrage de cette entreprise nécessitera des investissements de 700 000$ en immobilisations et de 300 000$ en disponibilités. Les trois stratégies de financement envisagées sont les suivantes:

	Stratégie A	Stratégie B	Stratégie C
Dette à court terme (à 10%)	400 000 $	250 000 $	100 000 $
Dette à long terme (à 14%)	100 000 $	250 000 $	400 000 $
Capital-actions ordinaire	500 000 $	500 000 $	500 000 $

Le BAII annuel devrait s'élever à 140 000$. Le taux d'impôt prévu est de 36%.

a) En utilisant les chiffres du début de l'année, calculez pour chacune des stratégies de financement:

   i)   le fonds de roulement net
   ii) le ratio de fonds de roulement
   iii) le rendement espéré sur la mise de fonds des actionnaires
   iv) le ratio d'endettement
   v)   le ratio de couverture des intérêts

b) Laquelle des stratégies de financement envisagées vous apparaît la plus risquée?   La moins risquée?

5. A partir des renseignements ci-dessous, estimez les besoins de financement additionnels en fonds de roulement de l'entreprise Micromix Inc. pour l'année 19X1:

. Ventes de l'année 19X0 (toutes à crédit):	3 000 000 $
. Ventes prévues pour l'année 19X1 (toutes à crédit):	3 400 000 $
. Achats de l'année 19X0 (tous à crédit):	2 400 000 $
. Achats prévus pour l'année 19X1 (tous à crédit):	2 720 000 $
. Stocks au début de l'année 19X0:	300 000 $
. Stocks à la fin de l'année 19X0:	325 000 $
. Comptes à recevoir au début de l'année 19X0:	200 000 $
. Comptes à recevoir à la fin de l'année 19X0:	225 000 $
. L'entreprise prend, en moyenne, 30 jours pour payer ses fournisseurs.	

Note: Pour calculer le délai moyen de recouvrement des comptes à recevoir, utilisez la valeur moyenne des comptes à recevoir en 19X0. Pour le calcul du ratio de rotation des stocks, utilisez la valeur moyenne des stocks en 19X0 et le coût des ventes en 19X0.

SOMMAIRE

Chapitre 5

La gestion de l'encaisse et des titres négociables

Chapitre 5

LA GESTION DE L'ENCAISSE ET DES TITRES NÉGOCIABLES

5.1 INTRODUCTION

Dans ce chapitre, nous discutons de la gestion de l'encaisse et des titres négociables. L'encaisse d'une entreprise comprend l'argent en espèces et les dépôts à demande. Ces dépôts constituent, en général, la majeure partie de l'encaisse. Quant aux titres négociables, ils représentent des placements à court terme effectués à partir des surplus d'encaisse temporaires dont dispose l'entreprise.

Le solde d'encaisse détenu peut varier considérablement d'une entreprise à l'autre en fonction des conditions spécifiques dans lesquelles opère l'entreprise en cause et du degré d'aversion pour le risque de ses gestionnaires. Ci-dessous, nous discutons de certains facteurs qui déterminent le solde d'encaisse d'une entreprise à un moment donné dans le temps.

5.2 MOTIFS DE DÉTENTION D'UNE ENCAISSE

Plusieurs raisons peuvent inciter une entreprise à maintenir un niveau d'encaisse approprié. Parmi ces raisons, notons:

1. **Les besoins reliés aux transactions**. Le principal motif pour l'entreprise de maintenir un niveau d'encaisse raisonnable est relié aux transactions habituelles (paiement d'une facture, d'un dividende, des salaires, des impôts, etc.) qu'elle doit effectuer. De plus, il est important pour l'entreprise de disposer des liquidités nécessaires afin d'être en mesure de bénéficier des escomptes consentis par ses fournisseurs.

2. **Le motif de précaution**. Pour faire face à certains imprévus, tels qu'une chute soudaine des ventes, une augmentation non prévue des coûts de production ou des difficultés à recouvrer certains comptes à recevoir importants, l'entreprise a avantage à maintenir un niveau d'encaisse comportant une certaine marge de manoeuvre. En général, plus les entrées et sorties de fonds de l'entreprise sont difficiles à prévoir, plus ses besoins d'encaisse à des fins de précaution seront élevés. Toutefois, lorsque l'entreprise peut emprunter rapidement, ses besoins d'encaisse pour le motif de précaution s'en trouvent alors réduits.

3. **Le motif de spéculation.** Afin d'être en mesure de profiter de certaines offres d'achat alléchantes ou d'une hausse des taux d'intérêt, il peut être avantageux pour l'entreprise de détenir une encaisse supérieure au minimum requis pour ses opérations normales. Toutefois, de nos jours, peu d'entreprises détiennent une encaisse importante pour le seul motif de spéculation. En effet, les entreprises ont plutôt recours à leur capacité d'emprunt ou à leur portefeuille de titres à court terme pour profiter des occasions intéressantes lorsque ces dernières se présentent.

4. **Le maintien d'un solde compensateur.** En contrepartie des services qu'elle rend à l'entreprise (compensation des chèques, divers conseils, service de cases postales, renseignements portant sur le crédit, etc.) la banque exige de cette dernière qu'elle maintienne un certain solde, appelé solde compensateur, sans quoi elle se verra imposer des frais pour les services qui lui sont offerts par l'institution bancaire.

Dans l'établissement de son solde d'encaisse optimal, l'entreprise doit tenir compte de ses besoins reliés aux quatre motifs mentionnés ci-dessus. Toutefois, de façon générale, le montant total d'encaisse requis par une entreprise ne correspond pas à la somme de ses besoins d'encaisse à des fins de transaction, de précaution, de spéculation et de maintien d'un solde compensateur. Ceci s'explique par le fait que le même argent peut servir à plusieurs fins.

Notons également que plus le solde d'encaisse de l'entreprise est élevé, plus cette dernière est en mesure de satisfaire aisément ses différents besoins et plus ses risques d'insolvabilité sont faibles. Toutefois, étant donné que l'encaisse est un actif qui génère peu de revenus, le maintien d'un solde d'encaisse trop élevé risque d'affecter négativement la rentabilité de l'entreprise et le prix de ses actions. Dans ces conditions, l'entreprise doit tenter, au niveau de la gestion de son encaisse, de concilier les objectifs contradictoires que sont la minimisation des risques d'insolvabilité et la maximisation de la rentabilité espérée.

5.3 LE CYCLE DE L'ENCAISSE

Le cycle de l'encaisse ou le cycle de trésorerie est la période de temps qui s'écoule entre le moment où l'entreprise paie ses fournisseurs et le moment où elle encaisse les sommes d'argent relatives aux ventes effectuées. Afin d'illustrer ce concept, considérons l'exemple suivant.

Exemple

L'entreprise Valmont Ltée achète toutes ses matières premières à crédit et paie, en moyenne, ses comptes à payer trente-cinq jours plus tard. Sa politique de crédit est d'accorder à ses clients un délai de 75 jours pour acquitter leurs comptes. Selon les statistiques disponibles, le délai moyen de recouvrement des comptes à recevoir est de 70 jours et la période moyenne entre le moment où l'entreprise achète les matières premières et celui où les produits finis sont vendus est de 85 jours.

La figure 1 illustre le cycle de l'encaisse de l'entreprise Valmont.

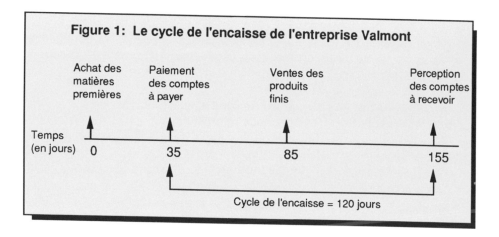

Figure 1: Le cycle de l'encaisse de l'entreprise Valmont

La figure précédente nous indique qu'à partir du moment où l'entreprise acquitte ses comptes à payer un délai de 120 jours est nécessaire pour que cette dernière transforme en argent ses inventaires de matières premières.

On peut également aboutir au même résultat en procédant ainsi:

$$\text{Cycle de l'encaisse} = \left(\begin{array}{c} \text{Nombre de jours s'écoulant} \\ \text{entre l'achat des matières premières} \\ \text{et la vente des produits finis} \end{array} \right) + \left(\begin{array}{c} \text{Nombre de jours s'écoulant} \\ \text{entre la vente des produits finis et} \\ \text{la perception des comptes à recevoir} \end{array} \right)$$
$$- \left(\begin{array}{c} \text{Nombre de jours s'écoulant} \\ \text{entre l'achat des matières premières et} \\ \text{le paiement des comptes à payer} \end{array} \right)$$

$$120 = 85 + 70 - 35$$

La durée du cycle de l'encaisse influe sensiblement sur le niveau des différents postes d'actif à court terme (encaisse, comptes à recevoir et stocks) apparaissant au bilan de l'entreprise et, par conséquent, sur les besoins de financement de sources externes de cette dernière. En effet, plus la durée de son cycle de l'encaisse est longue, plus l'entreprise devra financer un actif à court terme important. Dans la mesure du possible, l'entreprise devrait donc chercher à minimiser la durée de son cycle de l'encaisse de façon à limiter ses besoins de financement de sources externes (ce qui entraîne des charges d'intérêt) et, par conséquent, maximiser sa rentabilité. Afin de minimiser la durée de son cycle de l'encaisse, l'entreprise peut soit retarder le paiement de ses comptes à payer, soit réduire son cycle de production ou encore accélérer le recouvrement de ses comptes à recevoir.

5.4 LA GESTION DES FONDS EN TRANSIT

La notion de fonds en transit

Généralement, le solde d'encaisse figurant aux registres comptables de l'entreprise ne correspond pas au solde du compte de banque de cette dernière. La différence entre les deux montants représente les fonds en transit.

Lorsque l'entreprise émet un chèque pour régler un de ses fournisseurs, il en résulte alors une augmentation des fonds en transit. En effet , au moment de l'émission du chèque, le solde d'encaisse apparaissant aux livres comptables de l'entreprise est immédiatement rajusté à la baisse, tandis que le solde bancaire de cette dernière ne le sera que quelques jours plus tard lorsque son fournisseur encaissera le chèque. Le solde d'encaisse figurant aux registres comptables de l'entreprise sera donc inférieur au solde bancaire de cette dernière d'un montant équivalent à la valeur de ses chèques en circulation. Toutefois, en ce qui a trait aux rentrées de fonds, le solde d'encaisse d'après les livres comptables de l'entreprise sera identique au solde de son compte bancaire étant donné, qu'au Canada, l'entreprise peut disposer des fonds provenant des chèques de ses clients aussitôt qu'elle les dépose. Les entreprises canadiennes n'ont donc pas, comme c'est le cas aux Etats-Unis, à supporter un délai de compensation des chèques de quelques jours.

Exemple

Le solde du compte de banque de la compagnie KSW est actuellement de 2 000 000$. L'entreprise achète d'un de ses fournisseurs des matières premières pour un montant de 2 000 000$. Elle règle son fournisseur en émettant un chèque d'un montant de 2 000 000$. Dans ces conditions, les fonds en transit sont de 2 000 000$, comme l'indique le calcul ci-dessous:

$$\begin{pmatrix} \text{Situation initiale} \\ \text{avant l'achat des} \\ \text{matières premières} \end{pmatrix} : \text{Fonds en transit} = \begin{pmatrix} \text{Solde d'encaisse} \\ \text{à la banque} \end{pmatrix} - \begin{pmatrix} \text{Solde d'encaisse d'après} \\ \text{les livres de l'entreprise} \end{pmatrix}$$

$$= \quad 2\,000\,000 \quad - \quad 2\,000\,000$$

$$= \quad 0$$

$$\begin{pmatrix} \text{L'entreprise émet} \\ \text{un chèque de} \\ \text{2 000 000\$} \end{pmatrix} : \text{Fonds en transit} = \begin{pmatrix} \text{Solde d'encaisse} \\ \text{à la banque} \end{pmatrix} - \begin{pmatrix} \text{Solde d'encaisse d'après} \\ \text{les livres de l'entreprise} \end{pmatrix}$$

$$= \quad 2\,000\,000 \quad - \quad 0$$

$$= \quad 2\,000\,000\$$$

Tant que son fournisseur n'encaissera pas son chèque, KSW disposera d'un solde d'encaisse à la banque de 2 000 000$. Dans le but de maximiser sa rentabilité, l'entreprise peut investir ce montant dans des titres à court terme pour quelques jours. Ainsi, si on suppose que le chèque de KSW demeurera en circulation pendant 5 jours et que les fonds peuvent être placés au taux d'intérêt annuel de 12%, l'investissement d'une somme de 2 000 000$ pendant 5 jours permettra de générer des revenus d'intérêt de 3287,67$. Ce montant se calcule comme suit:

$$\begin{aligned}\text{Revenus d'intérêt} &= \begin{pmatrix} \text{Montant} \\ \text{du chèque} \end{pmatrix}\begin{pmatrix} \text{Taux d'intérêt} \\ \text{annuel} \end{pmatrix}\begin{pmatrix} \dfrac{\text{Nombre de jours}}{\text{où le chèque est en circulation}} \\ \overline{365} \end{pmatrix}\\ &= (2\,000\,000)\,(0{,}12)\left(\frac{5}{365}\right)\\ &= 3287{,}67\$ \end{aligned}$$

Comme le suggère le calcul ci-dessus, l'entreprise a avantage, dans le but de maximiser sa rentabilité et réduire ses besoins d'encaisse, à retarder au maximum ses sorties de fonds. Une autre stratégie possible, qui produit les mêmes effets, consiste pour l'entreprise à accélérer la perception de ses recettes en transit. Ci-dessous, nous discutons de quelques moyens permettant à l'entreprise d'accélérer la perception de ses recettes en transit ou de retarder ses sorties de fonds.

Accélérer la perception des recettes en transit

Plusieurs moyens peuvent être utilisés par l'entreprise pour accélérer la perception des recettes en transit, dont:

1. Le système des cases postales

Le système des cases postales, qui est offert par les institutions bancaires, permet de réduire le délai postal de transmission des paiements ainsi que celui existant entre la réception des paiements et leur dépôt en banque. Ce système fonctionne de la façon suivante. Tout d'abord, l'entreprise loue une case postale dans chacune des régions où elle fait affaire et invite ses clients à faire parvenir leurs paiements à la case postale de leur région. Par la suite, les employés de la succursale bancaire locale accèdent (à chaque jour ou même plusieurs fois par jour) à la case postale afin d'y recueillir les remises des clients. Les chèques recueillis sont alors immédiatement déposés au compte de banque de l'entreprise. Bien entendu, l'entreprise doit payer à l'institution bancaire des frais pour ce service. Par conséquent, avant de recourir à ce système, l'entreprise devra comparer les coûts impliqués et les revenus d'intérêt gagnés attribuables à une augmentation du solde bancaire.

Exemple

La compagnie Simtex effectue des ventes aussi bien au Québec qu'en Ontario. Dans le but d'accélérer le recouvrement de certains comptes à recevoir, la directrice des finances de cette entreprise envisage la possibilité de louer une case postale à Toronto. Selon les prévisions, la case postale traiterait, en moyenne, 40 chèques par jour dont la valeur totale est de 20 000$. Les frais bancaires variables associés à ce service sont de 0,45$ par chèque. De plus, il y a des frais fixes mensuels de 60$. Le recours à une case postale permettrait à l'entreprise de disposer des fonds deux jours plus tôt. L'entreprise peut investir ses fonds au taux d'intérêt annuel de 12%. La compagnie devrait-elle louer une case postale à Toronto?

Solution

Les revenus annuels d'intérêt découlant de l'utilisation d'une case postale se calculent ainsi:

$$\text{Revenus annuels d'intérêt} = \begin{pmatrix} \text{Valeur des chèques} \\ \text{traités annuellement} \end{pmatrix} \begin{pmatrix} \text{Taux d'intérêt} \\ \text{annuel} \end{pmatrix} \begin{pmatrix} \dfrac{\text{Réduction du délai de perception des comptes (en jours)}}{365} \end{pmatrix}$$

$$= (20\ 000)\ (365)\ (0,12) \left(\frac{2}{365}\right)$$

$$= 4800\$$$

Les coûts annuels attribuables à l'utilisation d'une case postale s'obtiennent ainsi:

$$\begin{aligned} \text{Coûts annuels} &= \text{Coûts fixes} + \text{Coûts variables} \\ &= (12)(60) + (40)(365)(0,45) \\ &= 7290\$ \end{aligned}$$

Etant donné que les revenus annuels d'intérêt prévus sont inférieurs aux coûts anticipés, il n'est pas avantageux pour l'entreprise de louer une case postale à Toronto.

2. Le paiement direct dans les banques ou les caisses populaires

Une autre méthode permettant à l'entreprise de percevoir plus rapidement les sommes qui lui sont dues est d'inviter ses clients à payer directement leurs factures à la succursale locale d'une banque ou d'une caisse populaire au lieu de faire parvenir leurs paiements au siège social de la société. Ce mode de paiement est très utilisé par les entreprises de services publics (Bell Canada, Hydro-Québec, etc.) et par les gouvernements. L'entreprise utilisatrice de ce service, ainsi que ses clients, doivent payer des frais à l'institution financière.

3. Les retraits pré-autorisés

Selon ce système de paiement, le client de l'entreprise autorise sa banque à débiter périodiquement (par exemple à chaque mois) son compte d'un montant généralement fixe. Cette méthode de paiement est surtout utilisée lorsque l'entreprise a de nombreux clients qui doivent effectuer une série de versements périodiques uniformes (remboursement d'un prêt-auto ou d'un prêt-étudiant, paiement des primes d'assurance, etc.). Elle évite au client d'avoir à préparer et à poster périodiquement des chèques. Du côté de l'entreprise, ce système lui permet de réduire les délais d'encaissement, de diminuer les risques de mauvaises créances et d'économiser les frais de facturation.

Ralentir les sorties de fonds

Evidemment, la façon la plus simple pour l'entreprise de profiter des fonds quelques jours de plus consiste à payer ses factures après les délais consentis par ses fournisseurs. En général, cette pratique s'avère peu recommandable, car elle risque d'affecter négativement les relations entre l'entreprise et ses fournisseurs ainsi que la cote de crédit de cette dernière.

Une autre stratégie possible consiste à payer les factures au moyen de traites bancaires plutôt qu'en utilisant des chèques. Par opposition à un chèque, qui est payable à demande, la banque doit transmettre la traite à l'entreprise émettrice qui doit en approuver le paiement. Une fois qu'elle en a approuvé le paiement, l'entreprise doit alors déposer à la banque les fonds nécessaires pour effectuer le paiement. Compte tenu que ce processus prend un certain temps, l'entreprise peut disposer des fonds quelques jours de plus.

5.5 LA GESTION DE L'ENCAISSE À L'AIDE DE MODÈLES MATHÉMATIQUES

Plusieurs modèles mathématiques ont été développés dans le but de déterminer le solde d'encaisse optimal à maintenir. Deux des modèles les plus connus sont présentés ci-dessous.

5.5.1 Le modèle de Baumol

Le modèle de Baumol[1], initialement conçu pour la gestion des stocks, fut par la suite adapté à la gestion de l'encaisse. Ce modèle repose sur l'hypothèse que l'entreprise verse suivant une fréquence régulière une certaine somme d'argent dans son encaisse afin de faire face à ses engagements financiers au cours d'une période donnée. Les montants d'argent versés proviennent de la vente de placements ou d'un emprunt. Comme les fonds maintenus dans l'encaisse ne portent pas intérêt, ceci implique que la détention d'encaisse a pour l'entreprise un coût de renonciation correspondant au rendement qu'elle pourrait obtenir sur des placements à court terme. Enfin, l'achat ou la vente de placements entraîne des frais directs de transaction ainsi que des frais de gestion attribuables au temps que les employés de l'entreprise doivent consacrer pour effectuer ces placements. On supposera que ces frais sont fixes (c.-à-d. les mêmes pour chaque transaction).

---

[1] Baumol, W.J., "The Transactions Demand for Cash: An Inventory Theoretic Approach", **Quarterly Journal of Economics**, Novembre 1952, pp. 545-556.

Graphiquement, le modèle de Baumol se présente ainsi:

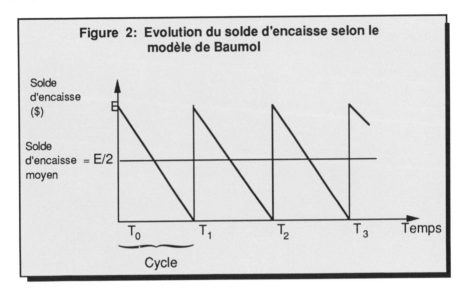

Figure 2: Evolution du solde d'encaisse selon le modèle de Baumol

La figure 2 nous indique que l'entreprise devra injecter dans son encaisse un montant E au début du cycle et que ce dernier sera dépensé à un rythme constant jusqu'à épuisement. Par la suite, d'autres versements seront effectués aux temps T_1, T_2, T_3, etc. Les montants injectés dans l'encaisse proviendront de la vente de placements à court terme ou seront empruntés.

Dérivation du modèle

L'objectif du modèle de Baumol consiste à déterminer le montant optimal E à verser dans l'encaisse de façon à minimiser le coût total relié à l'encaisse C.

Le coût total relié à l'encaisse peut se calculer de la façon suivante:

$$\begin{pmatrix} \text{Coût total} \\ \text{relié à l'encaisse} \end{pmatrix} = \begin{pmatrix} \text{Coût des} \\ \text{transactions} \\ \text{effectuées} \end{pmatrix} + \begin{pmatrix} \text{Coût de renonciation} \\ \text{lié à l'encaisse} \\ \text{moyen détenu} \end{pmatrix}$$

$$C = \left(\frac{D}{E}\right)(F) + \left(\frac{E}{2}\right)(i) \tag{1}$$

où

F: Frais de transaction et de gestion attribuables à la vente de placements ou à un emprunt.

D: Montant des déboursés effectués par l'entreprise pour toute la période (habituellement une année).

E: Montant à verser dans l'encaisse au début de chaque cycle (c.-à-d. à T_0, T_1, T_2, T_3, etc.).

$\dfrac{D}{E}$:   Nombre de transactions ou de versements à effectuer par période.

i: Taux d'intérêt que l'entreprise peut obtenir sur ses placements à court terme. Ce taux reflète le coût de renonciation lié au maintien de l'encaisse.

$\dfrac{E}{2}$:   Solde d'encaisse moyen.

De façon à minimiser C, on doit dériver l'équation (1) par rapport à E et égaler cette dérivée à 0. On obtient alors:

$$\frac{dC}{dE} = \frac{-DF}{E^2} + \frac{i}{2} = 0$$

$$\frac{DF}{E^2} = \frac{i}{2}$$

$$2\,DF = iE^2$$

$$E = \sqrt{\frac{2DF}{i}}$$

(2)

Cette dernière expression nous indique que le montant optimal à verser dans l'encaisse augmente avec les frais de transaction (F) et le montant des déboursés effectués pendant toute la période (D), mais est lié inversement au niveau des taux d'intérêt (i).

Exemple

L'entreprise Bofixe Ltée débourse annuellement 800 000$ pour rencontrer ses différents engagements financiers. L'entreprise place généralement ses liquidités dans des bons du Trésor canadiens et obtient un rendement moyen de 9%. Le contrôleur de l'entreprise estime qu'il en coûte environ 250$ à chaque fois qu'une transaction est effectuée relativement à l'achat ou à la vente de bons du Trésor. Les déboursés de l'entreprise s'effectuent à un rythme relativement régulier au cours de l'année.

a)   Calculez le montant optimal de bons du Trésor que l'entreprise doit vendre à intervalles réguliers afin de minimiser le coût total relatif à l'encaisse.

b)   Quel sera le nombre de ventes de titres au cours de l'année?

c)   Quel sera le solde d'encaisse moyen?

d)   Quel est le coût total relatif à l'encaisse associé à la stratégie optimale?

Solution

a)   Ici, on a :

D = 800 000$
F = 250$
i   = 9%

Par conséquent:

$$E = \sqrt{\frac{(2)(800\ 000)(250)}{0,09}} = 66\ 667\$$$

b)   Le nombre de ventes de titres au cours de l'année se calcule ainsi:

$$\frac{D}{E} = \frac{800\ 000}{66\ 667} = 12$$

c)   Le solde d'encaisse moyen se calcule ainsi:

$$\frac{E}{2} = \frac{66\ 667}{2} = 33\ 334\$$$

d)   Le coût total relatif à l'encaisse se calcule à l'aide de l'expression (1):

$$C = \left(\frac{800\ 000}{66\ 667}\right)(250) + \left(\frac{66\ 667}{2}\right)(0,09)$$
$$C = 6000\$$$

Vérification des résultats

Si le contrôleur de l'entreprise décidait de fixer à 10 ou 15 le nombre de ventes de titres au cours de l'année, on aurait alors ce qui suit:

	Nombre de ventes de titres	Montant optimal de titres à vendre	Coût total relatif à l'encaisse
	10	800 000$	6100$
Stratégie optimale	12	66 667$	6000$
	15	53 333$	6150$

Limites du modèle

Le modèle de Baumol est fondé sur des hypothèses qui ne sont pas une description exacte de la réalité. En effet, il suppose notamment que nous sommes dans un univers certain où les entrées et sorties de fonds sont régulières tout au long de la période. Cependant, en dépit de ses hypothèses restrictives, le modèle peut servir de point de départ pour établir le solde d'encaisse optimal pour les besoins de transactions.

5.5.2   Le modèle de Miller et Orr

Pour Miller et Orr[2], les mouvements d'encaisse de l'entreprise sont beaucoup plus complexes que ceux illustrés à la figure 2. Selon eux, les mouvements d'encaisse sont plutôt stochastiques et leur comportement aléatoire peut s'apparenter à une suite d'essais indépendants de Bernoulli. La figure 3 représente le comportement temporel du solde d'encaisse selon le modèle de Miller et Orr.

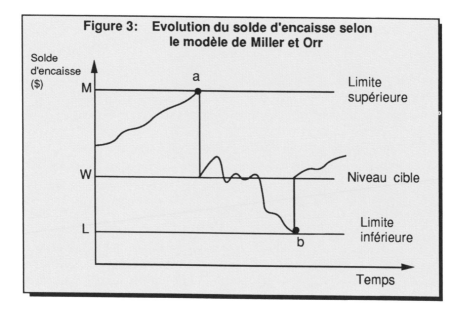

La figure 3 nous indique que le solde d'encaisse varie aléatoirement entre la limite inférieure L et la limite supérieure M. De plus, sur cette figure, W représente le solde d'encaisse cible. Tant que le solde d'encaisse demeure inférieur à M, mais supérieur à L, aucune transaction n'a lieu. Lorsque l'encaisse atteint le niveau M (point a sur la figure 3), l'entreprise achète M-W dollars de titres à court terme dans le but de ramener le solde d'encaisse à son niveau cible W. De la même façon,

2   Miller, M.H. et D. Orr, "A Model of the Demand for Money by Firms", **Quarterly Journal of Economics,** Août 1966, pp. 413-435.

lorsque le solde d'encaisse devient égal à L (point b sur la figure 3), l'entreprise vend W-L dollars de titres afin de rétablir le solde d'encaisse à son niveau cible W. Dans ce modèle, la limite inférieure L est fixée par les dirigeants de l'entreprise. Elle dépend de la probabilité d'une insuffisance de fonds que l'entreprise est prête à tolérer.

L'objectif du modèle de Miller et Orr consiste alors à minimiser le coût relatif à la gestion de l'encaisse en déterminant les valeurs optimales de M et W. Dans ce but, les chercheurs concernés supposent que les entrées et sorties de fonds sont stochastiques et que, pour une journée donnée, l'encaisse peut augmenter ou diminuer avec une probabilité égale. Après quelques manipulations mathématiques, que nous passerons sous silence, ils aboutissent aux résultats suivants:

$$W = \sqrt[3]{\frac{3F\,\sigma^2\,(\Delta E)}{4\,i}} + L \qquad (3)$$

$$M = 3W - 2L \qquad (4)$$

$$\text{Solde d'encaisse moyen} = \frac{4W - L}{3} \qquad (5)$$

où

W   : Niveau cible de l'encaisse
F   : Frais de transaction et de gestion attribuables à l'achat ou à la vente de titres à court terme. Comme dans le modèle de Baumol, ces frais sont supposés fixes par transaction.
$\sigma^2(\Delta E)$: Variance des fluctuations journalières du solde d'encaisse.
i   : Taux d'intérêt quotidien que l'entreprise peut obtenir sur ses placements à court terme.
L   : Limite inférieure de l'encaisse.
M   : Limite supérieure de l'encaisse.

L'expression (3) nous indique que le niveau cible d'encaisse augmente avec les frais de transaction, mais est lié inversement au niveau des taux d'intérêt. Ces conclusions sont identiques à celles que l'on peut tirer à partir du modèle de Baumol. De plus, le modèle de Miller et Orr montre que le niveau cible d'encaisse et le solde d'encaisse moyen sont liés positivement à la variance des fluctuations journalières du solde d'encaisse. Cela signifie que plus les flux monétaires d'une entreprise sont difficiles à prévoir, plus cette dernière devrait maintenir un solde d'encaisse moyen élevé.

Exemple

On vous fournit les renseignements suivants concernant l'entreprise Cétol Inc.:

.   Coût fixe d'un achat ou d'une vente de titres: 320$.

. Taux d'intérêt effectif annuel que l'entreprise peut obtenir sur ses placements à court terme: 8,50%.
. Ecart-type des fluctuations journalières de l'encaisse: 2000$.
. Limite inférieure de l'encaisse: 3000$.

A partir de ces renseignements, déterminez:

a) le niveau cible de l'encaisse;
b) la limite supérieure de l'encaisse;
c) le solde d'encaisse moyen.

Solution

a) Ici, on a:

F   : 320$
$\sigma^2(\Delta E)$: $(2000)^2 = 4\ 000\ 000$
i   : Taux d'intérêt quotidien
           équivalent à un taux $= (1 + 0,085)^{1/365} - 1 = 0,000223531$
           effectif annuel de 8,50%

Par conséquent:

$$W = \sqrt[3]{\frac{(3)\ (320)\ (4\ 000\ 000)}{(4)\ (0,000\ 223\ 531)}} + 3000$$

$$W = 19\ 255\$$$

b) La limite supérieure se calcule ainsi:

$$M = (3)\ (19\ 255) - (2)\ (3000)$$
$$M = 51\ 765\$$$

Les résultats précédents nous indiquent que lorsque le solde d'encaisse sera de 3000$, l'entreprise vendra des titres d'une valeur de 16 255$ (c.-à-d. 19 255$ - 3000$). A l'inverse, lorsque le solde d'encaisse atteindra 51 765$, l'entreprise achètera des titres d'une valeur de 32 510$ (c.-à-d. 51 765$ - 19 255$). En agissant ainsi, l'entreprise minimisera ses coûts relatifs à la gestion de l'encaisse.

c) Le solde d'encaisse moyen est:

$$\text{Solde d'encaisse moyen} = \frac{(4)(19\ 255) - 3000}{3} = 24\ 673\$.$$

Limites du modèle

Le modèle de Miller et Orr, contrairement à celui de Baumol, suppose que les flux monétaires de l'entreprise sont totalement imprévisibles. Pour bien des entreprises, cette hypothèse n'est évidemment pas conforme à la réalité. Dans ce contexte, le gestionnaire ne doit pas appliquer aveuglément ce modèle mathématique car ce dernier pourrait, dans certaines circonstances, l'induire en erreur.

En guise de conclusion à cette section, il nous semble important de souligner que les modèles mathématiques applicables à la gestion de l'encaisse doivent être perçus comme des outils aidant le gestionnaire à prendre de meilleures décisions et non pas comme des substituts au jugement de ce dernier.

5.6   LES TITRES NÉGOCIABLES

Dans le but de maximiser sa rentabilité, l'entreprise investit souvent ses surplus d'encaisse dans des titres à court terme. Dans cette catégorie de titre, on retrouve notamment les bons du Trésor, les dépôts à terme, les papiers commerciaux, les acceptations bancaires et les ententes de rachat[3]. Ces différents instruments du marché monétaire sont décrits brièvement ci-dessous.

Les bons du Trésor

Les bons du Trésor sont des titres à court terme émis par le gouvernement fédéral et certaines provinces. Ceux émis par le gouvernement fédéral sont achetés tous les jeudis par voie de soumission par les banques à charte et les courtiers en valeurs mobilières. Leur échéance est habituellement de 91 ou 182 jours.

Les bons du Trésor sont des titres émis à escompte et remboursés à leur valeur nominale au moment de l'échéance. La différence entre la valeur nominale et le prix payé constitue le rendement de l'investisseur. Il n'y a donc pas de taux d'intérêt comme tel sur ce genre de titre. Au niveau fiscal, la différence entre la valeur nominale et le prix payé est traitée comme un revenu d'intérêt et non pas comme un gain en capital.

Le taux de rendement annuel d'un bon du Trésor peut se calculer comme suit:

$$\text{Taux de rendement nominal annuel} = \left(\frac{\text{Valeur nominale - Prix payé}}{\text{Prix payé}}\right)\left(\frac{365}{\text{Echéance en jours}}\right) \quad (6)$$

Pour illustrer, considérons l'exemple suivant.

---

[3]   Pour une description détaillée du marché monétaire, voir: Sarpkaya, S., **The Money Market in Canada**, 2e édition, Toronto, Butterworths, 1980.

Exemple

Un bon du Trésor d'une valeur nominale de 10 000$, échéant dans 91 jours, se vend 9825$.

a) Quel est son taux de rendement nominal annuel?
b) Quel est son taux de rendement effectif annuel?

Solution

a) A partir de l'expression (6), on obtient:

$$\text{Taux de rendement nominal annuel} = \left(\frac{10\ 000 - 9825}{9825}\right)\left(\frac{365}{91}\right) = 7.14\%$$

b) Le taux de rendement effectif annuel du titre se calcule ainsi:

$$\text{Taux de rendement périodique (pour 91 jours)} = \frac{10\ 000 - 9825}{9825} = 1{,}78\%$$

d'où:

$$\text{Taux de rendement effectif annuel} = (1 + 0{,}0178)^{365/91} - 1 = 7{,}33\%$$

Les certificats de dépôt

Les certificats de dépôt sont des prêts qu'effectuent les investisseurs aux institutions financières. Ces certificats sont émis à leur valeur nominale et rapportent aux investisseurs de l'intérêt. Leur échéance peut varier entre 30 jours et 5 ans. A la date d'échéance, l'institution financière rembourse à l'investisseur le montant du dépôt ainsi que les intérêts gagnés. Le taux d'intérêt offert sur un certificat de dépôt dépend notamment de la durée du placement. Habituellement, plus les fonds sont placés pour une longue période, plus le taux d'intérêt offert par les institutions financières est élevé.

Les papiers commerciaux

Le papier commercial est un billet à court terme non garanti émis par les grandes entreprises ayant une excellente cote de crédit. Le papier commercial est discuté plus en détail au chapitre 7.

Les acceptations bancaires

Une acceptation bancaire est un titre de dette à court terme émis par une entreprise et endossé par une banque. La banque s'engage alors à verser le montant indiqué lorsque l'acceptation sera présentée à l'échéance. Les acceptations bancaires sont discutées plus en détail au chapitre 7.

Les ententes de rachat

Dans ce genre d'entente, l'investisseur achète d'un courtier en valeurs mobilières des bons du Trésor dont la date d'échéance est plus lointaine que celle correspondant à ses préférences. Le vendeur s'engage alors à racheter les bons du Trésor à une date précise et à un prix spécifié, qui excède le prix payé originalement par l'acheteur. Habituellement, les ententes de rachat ne sont valables qu'à très court terme (une journée ou quelques jours).

Critères de sélection des titres négociables

Avant d'investir dans des titres à court terme, l'entreprise doit s'assurer que les revenus qu'elle peut tirer de tels placements excèdent les frais de transaction et de gestion qu'elle doit assumer. De plus, dans la sélection des titres négociables, l'entreprise doit prendre en considération les quatre critères suivants: (1) le risque de défaut de paiement, (2) l'échéance, (3) la négociabilité et (4) le rendement.

1. Le risque de défaut de paiement

Comme les fonds investis dans des titres négociables constituent des sommes dont l'entreprise aura besoin dans un avenir rapproché pour faire face à certains besoins spécifiques, il est hautement souhaitable que les surplus d'encaisse temporaires disponibles soient investis dans des titres comportant un risque minimal de défaut de paiement. Toutefois, il convient de souligner que les titres comportant les risques de défaut de paiement les plus faibles sont généralement ceux qui offrent les taux de rendement les moins élevés. Par exemple, les bons du Trésor émis par le gouvernement fédéral comportent, à toutes fins utiles, un risque de défaut de paiement qui est nul mais, en contrepartie, procurent aux investisseurs un taux de rendement inférieur à celui des titres comportant un certain degré de risque comme, par exemple, les papiers commerciaux émis par certaines compagnies.

2. L'échéance

Dans la sélection des titres négociables, le gestionnaire financier doit considérer le fait que les titres à long terme d'un même émetteur sont plus risqués que ceux échéant à court terme mais que, selon la relation risque-rendement prévalant sur les marchés financiers, ils procurent généralement à l'investisseur un taux de rendement plus élevé. De plus, la date d'échéance des titres achetés devrait normalement coïncider avec la période pendant laquelle les surplus d'encaisse temporaires sont disponibles.

3. La négociabilité

Un titre est dit facilement négociable s'il peut être vendu rapidement à un prix voisin de sa valeur au marché. Les bons du Trésor du gouvernement fédéral sont des titres possédant cette caractéristique. De façon générale, le gestionnaire financier doit éviter d'investir les surplus d'encaisse temporaires dans des titres qui pourraient s'avérer difficiles à vendre le moment venu.

4. Le rendement

Avant d'investir les excédents d'encaisse temporaires dont dispose l'entreprise, le gestionnaire financier doit comparer les taux de rendement offerts sur différents titres à court terme. Toutes choses étant égales par ailleurs (risque, négociabilité, etc.), il devrait opter pour les titres offrant les taux de rendement espérés les plus élevés.

5.7   EXERCICES

1. Vrai ou faux.

a) Le solde d'encaisse optimal à maintenir est le même pour toutes les entreprises.

b) De façon à maximiser sa rentabilité, l'entreprise doit maintenir le solde d'encaisse le plus élevé possible.

c) Le cycle de l'encaisse est la période de temps qui s'écoule entre le moment où l'entreprise achète ses matières premières et celui où elle encaisse les sommes d'argent relatives aux ventes effectuées.

d) Une réduction du cycle de l'encaisse entraîne une baisse du niveau de l'encaisse dont aura besoin l'entreprise.

e) Une réduction du délai moyen de recouvrement des comptes à recevoir entraîne une hausse du niveau de l'encaisse dont aura besoin l'entreprise.

f) Le modèle de Baumol suppose que les mouvements d'encaisse sont stochastiques.

g) Lorsque les taux d'intérêt sont élevés, l'entreprise aurait avantage à maintenir un solde d'encaisse relativement élevé.

h) Le modèle de Miller et Orr indique que le niveau cible d'encaisse est lié inversement avec la variance des fluctuations journalières du solde d'encaisse.

i) Si les frais de transaction et de gestion relatifs à l'achat et à la vente de placements à court terme augmentent, il s'ensuivra une hausse du solde d'encaisse optimal.

j)   Les bons du Trésor du gouvernement fédéral sont des titres très risqués.

k)   En général, le gestionnaire financier doit investir les surplus d'encaisse temporaires de l'entreprise dans des titres comportant un risque élevé de défaut de paiement.

l)   La bourse de Vancouver est l'endroit idéal pour investir les surplus d'encaisse temporaires de l'entreprise.

m)   De façon générale, une augmentation du taux d'inflation devrait entraîner une hausse du solde d'encaisse optimal.

2. La compagnie MST envisage la possibilité de louer une case postale à Vancouver. Selon les prévisions, la case postale traiterait, en moyenne, 250 chèques par semaine dont la valeur totale est de 80 000$. Les frais bancaires variables associés à l'utilisation d'une case postale sont de 0,50$ par chèque. De plus, il y a des frais fixes annuels de 500$. Le recours à une case postale permettrait à l'entreprise de disposer des fonds quatre jours plus tôt. L'entreprise peut investir ses fonds au taux d'intérêt annuel de 10%.

a)   La compagnie devrait-elle louer une case postale à Vancouver?

b)   A partir de quel taux d'intérêt annuel la location d'une case postale devient-elle intéressante?

3. Le 1er décembre, la compagnie Paibien reçoit une facture de 300 000$. Cette facture doit être payée au plus tard le 20 décembre. Les fonds nécessaires pour acquitter la facture sont actuellement placés dans des titres négociables offrant un taux de rendement annuel de 12%. Quelle somme la compagnie peut-elle épargner en payant la facture le 20 décembre au lieu du 1er décembre?

4. La compagnie AJB envisage de louer une case postale à Winnipeg. Les ventes à crédit effectuées dans cette région s'élèvent annuellement à 10 000 000$. Ces ventes se font à un rythme relativement uniforme tout au cours de l'année. Le recours à une case postale permettrait à l'entreprise de disposer des fonds quatre jours plus tôt. Les frais bancaires totaux associés à la case postale sont de 15 000$ annuellement. L'entreprise peut investir ses fonds au taux d'intérêt annuel de 10%.

a)   L'entreprise devrait-elle utiliser une case postale?

b)   Quel montant maximal AJB devrait-elle payer pour l'utilisation d'une case postale?

5. Dans le but d'accélérer le recouvrement de ses recettes, une importante compagnie de Québec envisage de louer une case postale à Toronto. Les frais bancaires annuels fixes reliés à un tel service sont de 20 000$. De plus, les frais variables sont de 0,45$ par chèque. Le recours à une case postale permettrait à l'entreprise de disposer des fonds deux jours plus tôt. Dans cette région, la valeur moyenne d'un chèque émis par un client est de 5000$. Combien de chèques l'entreprise doit-elle recevoir en moyenne chaque jour afin que la location d'une case postale s'avère une décision judicieuse? Supposez que l'entreprise peut investir ses fonds au taux d'intérêt annuel de 12%.

6. Les déboursés prévus de la compagnie Mica sont de 100 000$ par mois pour la prochaine année. Ces déboursés se font à un rythme régulier tout au long de l'année. L'entreprise peut placer ses liquidités dans des bons du Trésor qui rapportent annuellement 12%. Chaque fois qu'une transaction est effectuée relativement à l'achat ou à la vente de bons du Trésor, il en coûte 125$ à l'entreprise.

   a) Déterminez le montant optimal de bons du Trésor que l'entreprise doit vendre à intervalles réguliers de façon à minimiser le coût total relatif à l'encaisse.

   b) Quel sera le nombre de ventes de titres au cours de l'année?

   c) Quel sera le solde d'encaisse moyen?

   d) Quel est le coût total relatif à l'encaisse associé à la stratégie optimale?

   e) Représentez graphiquement l'évolution du solde d'encaisse en fonction du temps selon le modèle de Baumol.

7. Les informations suivantes sont disponibles relativement à l'entreprise Amex:

   · Ecart-type des fluctuations journalières de l'encaisse: 3000$
   · Frais de transaction et de gestion occasionnés par chaque achat ou vente de titres à court terme: 225$
   · Taux d'intérêt quotidien sur les placements à court terme: 0,0329%
   · Limite inférieure de l'encaisse: 2000$.

   a) Dans le modèle de Miller et Orr, quelles sont les variables qui déterminent le niveau cible d'encaisse?

   b) Déterminez le niveau cible d'encaisse de l'entreprise Amex à l'aide du modèle de Miller et Orr.

   c) Calculez la limite supérieure de l'encaisse. Que devrait faire l'entreprise lorsque le solde d'encaisse atteindra cette limite supérieure?

d) Déterminez le solde d'encaisse moyen.

8. Quel est le taux de rendement effectif annuel d'un bon du Trésor d'une valeur nominale de 10 000$ échéant dans 8 semaines si:

a) la valeur au marché du titre est de 9750$;

b) la valeur au marché du titre est de 9825$.

SOMMAIRE

Chapitre 6

La gestion des comptes à recevoir et des stocks

Chapitre 6

LA GESTION DES COMPTES À RECEVOIR ET DES STOCKS

6.1 INTRODUCTION

Ce chapitre est consacré à la gestion des comptes à recevoir et des stocks. Ces deux postes représentent généralement près du quart de l'actif total d'une entreprise. Compte tenu de l'importance des sommes investies dans ces deux éléments d'actif, une bonne gestion de ces derniers nous apparaît essentiel.

6.2 LA GESTION DES COMPTES À RECEVOIR

Les comptes à recevoir ou les comptes-clients résultent des ventes à crédit effectuées par l'entreprise[1]. Ils représentent les avances de fonds consenties par le vendeur à ses clients dans le but d'accroître son chiffre d'affaires et ses profits.

Pour une entreprise donnée, le montant investi dans les comptes à recevoir est lié directement au volume des ventes à crédit qu'elle effectue et au délai moyen de recouvrement des comptes à recevoir. Ce dernier délai dépend de la politique de crédit que s'est donnée l'entreprise et des conditions économiques qui prévalent (par exemple, en période de récession, certains clients de l'entreprise peuvent être portés à retarder leurs paiements).

Exemple

Les ventes journalières à crédit de l'entreprise IMC s'élèvent actuellement à 10 000$. Le délai moyen de recouvrement des comptes à recevoir est de 30 jours.

a) Déterminez le solde moyen des comptes à recevoir.

b) En supposant que le délai moyen de recouvrement des comptes à recevoir passe de 30 à 45 jours, quel sera alors le solde moyen des comptes à recevoir?

---

[1] Au niveau comptable, lorsque la vente de marchandises s'effectue à crédit, il en résulte une augmentation du solde des comptes à recevoir dans les livres du vendeur et une augmentation du solde des comptes à payer dans les livres de l'acheteur.

Solution

a)   Le solde moyen des comptes à recevoir se calcule ainsi:

$$\text{Solde moyen des comptes à recevoir} = \left(\begin{array}{c}\text{Ventes quotidiennes}\\ \text{à crédit}\end{array}\right)\left(\begin{array}{c}\text{Délai moyen de recouvrement}\\ \text{des comptes à recevoir en jours}\end{array}\right)$$

$$= (10\ 000)\ (30)$$

$$= 300\ 000\$$$

b)   Le nouveau solde moyen des comptes à recevoir sera alors de:

$$\text{Solde moyen des comptes à recevoir} = (10\ 000)\ (45)$$

$$= 450\ 000\$$$

Pour l'entreprise, investir dans les comptes à recevoir comporte à la fois des avantages et des coûts. En effet, lorsque l'entreprise accorde du crédit, il en résulte habituellement une augmentation de son chiffre d'affaires. En contrepartie, toutefois, les mauvaises créances, les frais de recouvrement et le coût d'option des fonds investis dans les comptes à recevoir croissent avec l'importance des comptes à recevoir. Dans ce contexte, avant d'accorder du crédit, on doit s'assurer que les bénéfices additionnels qui y sont associés excèdent les différents coûts s'y rattachant.

L'entreprise qui désire vendre à crédit doit nécessairement avoir une politique de crédit qui tient compte des variables suivantes: (1) les normes de crédit, (2) la période de crédit, (3) les escomptes accordés et (4) les procédures de recouvrement. Ces différentes variables ont une incidence sur le solde des comptes à recevoir de l'entreprise, sur son chiffre d'affaires, sur sa profitabilité et sur son risque. Par exemple, si on allonge la période de crédit, il s'ensuivra probablement une hausse du chiffre d'affaires. En contrepartie, cependant, il faut s'attendre à ce que le solde des comptes à recevoir augmente également.

Ci-dessous, les différentes variables que le gestionnaire doit tenir compte dans l'établissement d'une politique de crédit sont discutées à tour de rôle.

1. Les normes de crédit

Les normes de crédit sont les critères utilisés par l'entreprise pour déterminer à quels clients elle accordera du crédit. Avant d'accorder du crédit à un nouveau client, le responsable de la gestion du crédit analysera les états financiers de ce dernier (ses actifs, son fonds de roulement, son ratio d'endettement actuel, ses bénéfices, etc.) et tiendra compte des références fournies. De plus, le responsable de la gestion du crédit pourra obtenir, si les sommes impliquées le justifient, des renseignements supplémentaires sur le client en s'adressant à une agence d'évaluation spécialisée, telle que Dun and Bradstreet. Cette importante agence d'évaluation a établi des cotes de crédit pour approximativement 3 000 000 d'entreprises. D'autres sources de renseignements, comme les bureaux de crédit, le banquier et les fournisseurs du client peuvent également fournir de précieux renseignements. Bien entendu, dans le cas d'un de ses clients actuels, l'entreprise tiendra également compte de son expérience passée avec ce client.

De façon générale, un assouplissement des normes de crédit a pour effet d'accroître les ventes de l'entreprise et le solde de ses comptes à recevoir. Il en résulte alors une hausse des coûts associés à la gestion du crédit. A l'inverse, des normes de crédit plus restrictives entraînent habituellement une diminution du chiffre d'affaires de l'entreprise et des coûts liés à la gestion des comptes à recevoir. Dans ces conditions, avant de modifier les normes de crédit en vigueur dans l'entreprise, le gestionnaire doit s'assurer que les changements envisagés généreront des revenus additionnels qui dépasseront les coûts marginaux impliqués. Pour illustrer le genre d'analyse à effectuer, analysons l'exemple ci-dessous.

Exemple

Actuellement, l'entreprise Séco a une politique de crédit plutôt restrictive. Les renseignements suivants concernant cette entreprise sont disponibles:

- Ventes actuelles: 600 000$/année
- Coûts variables: 70% des ventes
- Mauvaises créances: 2% des ventes
- Frais de recouvrement: 6000$/année
- Délai moyen de recouvrement des comptes à recevoir: 30 jours
- Coût des fonds investis dans les comptes à recevoir: 12%

L'entreprise envisage la possibilité d'adopter des normes de crédit plus libérales qui auraient, selon les estimations, les conséquences suivantes:

- Ventes additionnelles: 200 000$/année
- Mauvaises créances sur les ventes additionnelles: 5% des ventes
- Augmentation des frais de recouvrement: 4000$/année
- Délai moyen de recouvrement des comptes à recevoir sur les ventes additionnelles : 40 jours

L'entreprise devrait-elle modifier sa politique de crédit actuelle?

Solution

Les éléments à prendre en considération pour décider s'il est avantageux, d'un point de vue financier, de modifier les normes de crédit actuelles sont les suivants:

1. l'augmentation du profit brut attribuable aux ventes additionnelles;
2. l'augmentation des mauvaises créances;
3. l'augmentation des frais de recouvrement;

4. l'augmentation des coûts de financement des comptes à recevoir liée aux ventes additionnelles.

1. L'augmentation du profit brut attribuable aux ventes additionnelles

$$\text{Augmentation du profit brut attribuable aux ventes additionnelles} = \left(\begin{array}{c}\text{Ventes}\\\text{additionnelles}\end{array}\right) - \left(\begin{array}{c}\text{Coûts variables}\\\text{additionnels}\end{array}\right)$$

$$= 200\ 000 - (0{,}70)(200\ 000)$$
$$= 60\ 000\$$$

Remarque. Nous supposons que l'entreprise opère actuellement en-deçà de sa capacité maximale de production et que, par conséquent, ses frais fixes ne seront pas affectés par les ventes additionnelles. Lorsque cette hypothèse n'est pas vérifiée, il faut tenir compte dans l'analyse de tous les coûts additionnels (fixes et variables) qu'entraînerait une modification de la politique de crédit.

2. L'augmentation des mauvaises créances

$$\text{Augmentation des mauvaises créances} = \left(\begin{array}{c}\text{Ventes}\\\text{additionnelles}\end{array}\right)\left(\begin{array}{c}\text{Mauvaises créances}\\\text{en pourcentage des ventes}\end{array}\right)$$

$$= (200\ 000)(0{,}05)$$
$$= 10\ 000\$$$

3. L'augmentation des frais de recouvrement

Les frais de recouvrement additionnels sont de 4000$.

4. L'augmentation des coûts de financement des comptes à recevoir liée aux ventes additionnelles

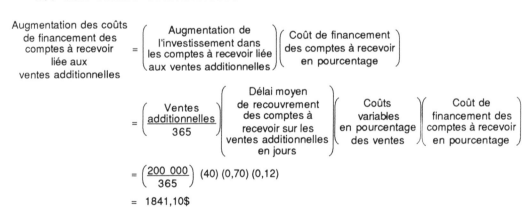

$$\begin{array}{c}\text{Augmentation des coûts de financement des comptes à recevoir liée aux ventes additionnelles}\end{array} = \left(\begin{array}{c}\text{Augmentation de l'investissement dans les comptes à recevoir liée aux ventes additionnelles}\end{array}\right)\left(\begin{array}{c}\text{Coût de financement des comptes à recevoir en pourcentage}\end{array}\right)$$

$$= \left(\begin{array}{c}\text{Ventes}\\\text{additionnelles}\\\hline 365\end{array}\right)\left(\begin{array}{c}\text{Délai moyen de recouvrement des comptes à recevoir sur les ventes additionnelles en jours}\end{array}\right)\left(\begin{array}{c}\text{Coûts variables en pourcentage des ventes}\end{array}\right)\left(\begin{array}{c}\text{Coût de financement des comptes à recevoir en pourcentage}\end{array}\right)$$

$$= \left(\frac{200\ 000}{365}\right)(40)\ (0{,}70)\ (0{,}12)$$

$$= 1841{,}10\$$$

Comme les revenus marginaux (60 000$) excèdent les coûts marginaux (15 841,10$ = 10 000$ + 4000$ + 1841,10$), l'entreprise aurait avantage à modifier ses normes de crédit actuelles. Si les estimations fournies sont exactes, il en résultera alors une augmentation du profit avant impôt de 44 158,90$ (c.-à-d. 60 000$ - 15 841,10$).

2. La période de crédit

La période de crédit est le délai maximal accordé au client pour acquitter la facture. Cette période, qui peut varier de quelques jours à quelques mois, dépend notamment des facteurs suivants:

1. **La nature du bien vendu.** De façon générale, la période de crédit est plus courte dans le cas de biens périssables qu'elle ne l'est lorsque les biens sont sujets à une lente détérioration.

2. **La probabilité de non-paiement.** Une entreprise aura tendance à consentir un délai de paiement plus long à ses clients opérant dans des secteurs industriels peu risqués qu'à ceux oeuvrant dans des secteurs très risqués.

3. **Le montant du compte à recevoir.** Etant donné que les petits comptes à recevoir occasionnent des frais de gestion proportionnellement plus élevés que les comptes importants, on peut s'attendre à ce que la longueur de la période de crédit soit liée inversement au montant du compte à recevoir.

4. **Le délai accordé par les principaux concurrents.** De façon à être compétitive, une entreprise aura tendance à consentir à ses clients un délai de paiement similaire à celui offert par ses principaux concurrents.

La décision d'allonger la période de crédit doit se prendre en considérant les ventes additionnelles et les coûts qui en découleraient. L'exemple ci-dessous illustre le genre d'analyse à effectuer.

Exemple

Dans le but de stimuler les ventes, le directeur du marketing de la compagnie Beauclair pense que l'on devrait allonger la période de crédit de 30 à 45 jours. Selon les prévisions, en allongeant ainsi la période de crédit, les ventes annuelles de l'entreprise devraient passer de 800 000$ à 1 000 000$. Les frais variables représentent 70% des ventes et le coût des fonds investis dans les comptes à recevoir est de 12%. On estime, en outre, que les mauvaises créances demeureront à 5% des ventes et que les frais de recouvrement annuels resteront à leur niveau actuel, soit 10 000$. La compagnie devrait-elle allonger sa période de crédit?

Solution

Les éléments à prendre en considération pour en arriver à une décision judicieuse sont les suivants:

1. l'augmentation du bénéfice brut attribuable aux ventes additionnelles;
2. l'augmentation des mauvaises créances;
3. l'augmentation des coûts de financement des comptes à recevoir liée aux ventes actuelles;
4. l'augmentation des coûts de financement des comptes à recevoir liée aux ventes additionnelles.

1. L'augmentation du bénéfice brut attribuable aux ventes additionnelles

$$\begin{pmatrix} \text{Augmentation du} \\ \text{bénéfice brut} \\ \text{attribuable aux} \\ \text{ventes additionnelles} \end{pmatrix} = \begin{pmatrix} \text{Ventes} \\ \text{additionnelles} \end{pmatrix} - \begin{pmatrix} \text{Coûts variables} \\ \text{additionnels} \end{pmatrix}$$

$$= 200\ 000 - (0,70)\ (200\ 000)$$
$$= 60\ 000\$$$

2. L'augmentation des mauvaises créances

$$\begin{pmatrix} \text{Augmentation des} \\ \text{mauvaises créances} \end{pmatrix} = \begin{pmatrix} \text{Ventes} \\ \text{additionnelles} \end{pmatrix} \begin{pmatrix} \text{Mauvaises créances} \\ \text{en pourcentage} \\ \text{des ventes} \end{pmatrix}$$

$$= (200\ 000)\ (0,05)$$
$$= 10\ 000\$$$

3. L'augmentation des coûts de financement des comptes à recevoir liée aux ventes actuelles

$$\begin{pmatrix} \text{Augmentation des} \\ \text{coûts de financement} \\ \text{des comptes à} \\ \text{recevoir liée aux} \\ \text{ventes actuelles} \end{pmatrix} = \begin{pmatrix} \text{Augmentation de} \\ \text{l'investissement dans} \\ \text{les comptes à recevoir} \\ \text{liée aux ventes actuelles} \end{pmatrix} \begin{pmatrix} \text{Coût de financement} \\ \text{des comptes à recevoir} \\ \text{en pourcentage} \end{pmatrix}$$

$$= \begin{pmatrix} \dfrac{\text{Ventes}}{\text{actuelles}} \\ \dfrac{\phantom{\text{Ventes}}}{365} \end{pmatrix} \begin{pmatrix} \text{Augmentation} \\ \text{du délai moyen} \\ \text{de recouvrement} \\ \text{des comptes à} \\ \text{recevoir en jours} \end{pmatrix} \begin{pmatrix} \text{Coût de financement} \\ \text{des comptes à recevoir} \\ \text{en pourcentage} \end{pmatrix}$$

$$= \left(\frac{800\ 000}{365} \right) (15)\ (0,12)$$

$$= 3945,21\$$$

4. L'augmentation des coûts de financement des comptes à recevoir liée aux ventes additionnelles

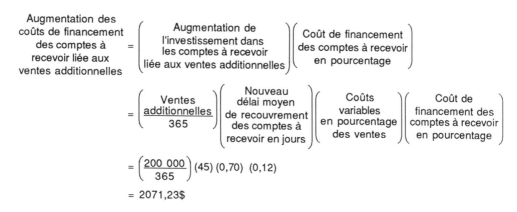

$$
\begin{aligned}
&\text{Augmentation des coûts de financement des comptes à recevoir liée aux ventes additionnelles} \\
&= \left(\text{Augmentation de l'investissement dans les comptes à recevoir liée aux ventes additionnelles}\right)\left(\text{Coût de financement des comptes à recevoir en pourcentage}\right) \\
&= \left(\frac{\text{Ventes additionnelles}}{365}\right)\left(\text{Nouveau délai moyen de recouvrement des comptes à recevoir en jours}\right)\left(\text{Coûts variables en pourcentage des ventes}\right)\left(\text{Coût de financement des comptes à recevoir en pourcentage}\right) \\
&= \left(\frac{200\ 000}{365}\right)(45)\,(0{,}70)\ (0{,}12) \\
&= 2071{,}23\$
\end{aligned}
$$

Si les prévisions effectuées s'avèrent exactes, il s'ensuivra une augmentation du bénéfice avant impôt de 43 983,56$ (c.-à-d. 60 000$ - 10 000$ - 3945,21$ - 2071,23$). L'entreprise aurait donc avantage à allonger sa période de crédit de 30 à 45 jours. Notons, toutefois, que l'analyse ci-dessus ne tient pas compte des réactions possibles des concurrents de la compagnie Beauclair. Si ces derniers décident également d'allonger leur période de crédit, il y a de fortes chances que la hausse des ventes anticipée de 200 000$ ne se concrétise pas.

Remarques. 1. Les calculs ci-dessus tiennent compte du fait que l'investissement dans les comptes à recevoir augmentera pour les deux raisons suivantes: (1) les clients actuels de l'entreprise effectueront leurs paiements le 45 ième jour, au lieu du 30 ième jour, si la période de crédit est allongée et (2) les ventes additionnelles engendreront de nouveaux comptes à recevoir.

2. Nous avons calculé l'augmentation de l'investissement dans les comptes à recevoir liée aux ventes actuelles en tenant compte du montant total des comptes à recevoir, puisque les clients actuels de l'entreprise devraient payer la totalité du prix de vente au bout de 30 jours si les conditions de crédit restaient inchangées. Cependant, l'investissement dans les comptes à recevoir lié aux ventes additionnelles est calculé en considérant le fait que le montant investi par l'entreprise dans les nouveaux comptes à recevoir n'est constitué que des coûts variables de la marchandise.

3. Les escomptes de caisse

Dans le but de les inciter à régler rapidement leurs factures, une entreprise consent souvent à ses clients un escompte de caisse. Cet escompte, qui s'applique au prix de vente net, n'est généralement valable que dans les quelques jours suivant la date de la facture. Par exemple, des conditions de crédit 2/10, net 30 (ce qui est courant en pratique) signifient que l'escompte de 2% n'est applicable que si le règlement est effectué dans les 10 jours suivant la date de la facture et que le montant intégral de la facture est exigible dans les 30 jours de la facturation.

De façon générale, une entreprise qui décide de consentir un escompte à ses clients peut s'attendre à voir son chiffre d'affaires augmenté et son délai moyen de recouvrement des comptes à recevoir réduit. Evidemment, le fait de consentir un escompte à ses clients occasionne pour l'entreprise une perte de revenus. La décision d'accorder ou non un escompte nécessite une comparaison des bénéfices et les coûts qui en résulteraient. Pour illustrer le genre d'analyse à effectuer, considérons l'exemple ci-dessous.

Exemple

A l'heure actuelle, la compagnie Boileau ne consent aucun escompte de caisse à ses clients et ces derniers doivent régler le montant intégral de la facture dans les 30 jours de la facturation (condition net 30). L'entreprise envisage la possibilité d'offrir à ses clients des conditions de crédit plus avantageuses, soit 2/10, net 30. Selon les prévisions, un tel changement de politique aurait pour conséquence de faire passer les ventes de l'entreprise de 500 000$ à 600 000$. De plus, on estime que 50% des clients de l'entreprise se prévaudront de l'escompte et paieront leurs factures le 10ème jour. Par conséquent, le délai moyen de recouvrement des comptes à recevoir passera à 20 jours (c.-à-d. 50% x 10 jours + 50% x 30 jours). Le coût des fonds investis dans les comptes à recevoir est de 12% et les coûts variables représentent 70% des ventes. Les mauvaises créances sont négligeables. Compte tenu des prévisions, la compagnie devrait-elle modifier ses conditions de crédit actuelles?

Solution

Pour déterminer si la compagnie Boileau aurait avantage à accorder un escompte de caisse à ses clients, on doit prendre en considération les éléments suivants:

1. l'augmentation du bénéfice brut attribuable aux ventes additionnelles;
2. la diminution du bénéfice brut sur les ventes actuelles attribuable à l'escompte;
3. l'augmentation des coûts de financement des comptes à recevoir liée aux ventes additionnelles;
4. la diminution des coûts de financement des comptes à recevoir liée aux ventes actuelles.

1. L'augmentation du bénéfice brut attribuable aux ventes additionnelles

$$\begin{pmatrix} \text{Augmentation du} \\ \text{bénéfice brut attribuable} \\ \text{aux ventes additionnelles} \end{pmatrix} = \begin{pmatrix} \text{Ventes} \\ \text{additionnelles} \end{pmatrix} \begin{pmatrix} 1 - \begin{matrix} \text{Coûts variables} \\ \text{additionnels en} \\ \text{pourcentage des ventes} \end{matrix} \end{pmatrix}$$

$$- \begin{pmatrix} \text{Ventes} \\ \text{additionnelies} \end{pmatrix} \begin{pmatrix} \text{Proportion des} \\ \text{clients qui se} \\ \text{prévaudront} \\ \text{de l'escompte} \end{pmatrix} \begin{pmatrix} \text{Escompte} \\ \text{accordé en} \\ \text{pourcentage} \end{pmatrix}$$

$$= (100\ 000)\ (1 - 0,70) - (100\ 000)\ (0,50)\ (0,02)$$

$$= 29\ 000\$$$

2. La diminution du bénéfice brut sur les ventes actuelles attribuable à l'escompte

$$\begin{pmatrix} \text{Diminution du} \\ \text{bénéfice brut sur} \\ \text{les ventes actuelles} \\ \text{attribuable à l'escompte} \end{pmatrix} = \begin{pmatrix} \text{Ventes} \\ \text{actuelles} \end{pmatrix} \begin{pmatrix} \text{Proportion} \\ \text{des clients qui} \\ \text{se prévaudront} \\ \text{de l'escompte} \end{pmatrix} \begin{pmatrix} \text{Escompte} \\ \text{accordé en} \\ \text{pourcentage} \end{pmatrix}$$

$$= (500\ 000)\ (0,50)\ (0,02)$$

$$= 5000\$$$

3. L'augmentation des coûts de financement des comptes à recevoir liée aux ventes additionnelles

$$\begin{pmatrix} \text{Augmentation} \\ \text{des coûts de} \\ \text{financement des} \\ \text{comptes à recevoir} \\ \text{liée aux ventes} \\ \text{additionnelles} \end{pmatrix} = \begin{pmatrix} \dfrac{\text{Ventes}}{\text{additionnelles}} \\ 365 \end{pmatrix} \begin{pmatrix} \text{Nouveau délai} \\ \text{moyen de} \\ \text{recouvrement} \\ \text{des comptes} \\ \text{à recevoir} \\ \text{en jours} \end{pmatrix} \begin{pmatrix} \text{Coûts} \\ \text{variables en} \\ \text{pourcentage} \\ \text{des ventes} \end{pmatrix} \begin{pmatrix} \text{Coût de} \\ \text{financement} \\ \text{des comptes à} \\ \text{recevoir en} \\ \text{pourcentage} \end{pmatrix}$$

$$= \left(\frac{100\ 000}{365} \right) (20)\ (0,70)\ (0,12)$$

$$= 460,27\$$$

4. La diminution des coûts de financement des comptes à recevoir liée aux ventes actuelles

$$
\begin{pmatrix} \text{Diminution} \\ \text{des coûts de} \\ \text{financement des} \\ \text{comptes à recevoir} \\ \text{liée aux ventes} \\ \text{actuelles} \end{pmatrix} = \left(\dfrac{\text{Ventes actuelles}}{365} \right) \begin{pmatrix} \text{Diminution du} \\ \text{délai moyen} \\ \text{de recouvrement} \\ \text{des comptes à} \\ \text{recevoir en jours} \end{pmatrix} \begin{pmatrix} \text{Coût de} \\ \text{financement des} \\ \text{comptes à recevoir} \\ \text{en pourcentage} \end{pmatrix}
$$

$$
= \left(\frac{500\ 000}{365} \right) (10)\ (0,12)
$$

$$
= 1643,84\$
$$

Puisque l'augmentation prévue du profit avant impôt est de 25 183,57\$ (c.-à-d. 29 000\$ - 5000\$ - 460,27\$ + 1643,84\$), l'entreprise aurait avantage à accorder un escompte de caisse à ses clients.

4. Les procédures de recouvrement

Les procédures de recouvrement sont les moyens utilisés par l'entreprise pour recouvrer les créances non acquittées après la date d'échéance. Parmi les moyens dont dispose cette dernière, mentionnons: l'envoi d'une lettre, un appel téléphonique, une visite personnelle, la menace de poursuites judiciaires, la cession du compte à une agence de recouvrement et les poursuites judiciaires. Certaines des mesures énumérées ci-dessus (comme, par exemple, les poursuites judiciaires) entraînent des coûts substantiels, alors que d'autres (comme, par exemple, une lettre de rappel ou un appel téléphonique) sont peu dispendieuses. Avant d'utiliser des méthodes de recouvrement ultimes et onéreuses, l'entreprise se doit de comparer les bénéfices qui en résulteraient et les coûts impliqués. En principe, lorsque les coûts de recouvrement dépassent le montant qui peut être récupéré, le compte devrait être radié. Toutefois, il peut arriver qu'une entreprise engage des coûts de recouvrement qui excèdent le montant de la créance et ce, dans le but d'éviter que le non-paiement de la facture ne devienne pratique courante.

Le tableau 1 résume l'impact prévu des diverses composantes de la politique de crédit sur les ventes, le délai moyen de recouvrement des comptes à recevoir et les mauvaises créances.

Tableau 1. Les diverses composantes de la politique de crédit et leur impact prévu sur les ventes, le délai moyen de recouvrement des comptes à recevoir et les mauvaises créances.

	Variable de décision	Décision prise	Impact prévu sur les ventes	Impact prévu sur le délai moyen de recouvrement des comptes à recevoir	Impact prévu sur les mauvaises créances
1.	Normes de crédit	Assouplissement	Augmentation	Augmentation	Augmentation
2	Période de crédit	Allongement	Augmentation	Augmentation	Augmentation
3.	Escomptes de caisse	Augmentation du taux d'escompte	Augmentation	Diminution	Diminution
4.	Procédures de recouvrement	Augmentation des frais engagés pour la perception des comptes en souffrance	Diminution	Diminution	Diminution

6.3   LA GESTION DES STOCKS

Pour un bon nombre d'entreprises, les stocks constituent l'élément le plus important de l'actif à court terme. Il est à noter, toutefois, que le niveau des stocks et le type de stocks détenus varient considérablement d'une industrie à l'autre. Ainsi, les entreprises opérant dans le secteur des services (bureaux de consultants en administration, agences de publicité, etc.) ne détiennent généralement que très peu de stocks. Les entreprises commerciales, de leur côté, gardent principalement en stock des produits immédiatement disponibles pour la vente. Enfin, les stocks des entreprises manufacturières sont habituellement composés de matières premières (c.-à-d. des biens achetés dans le but de fabriquer un produit), de produits en cours ou semi-finis (c.-à-d. des produits dont la fabrication n'est pas encore complétée) et de produits finis (c.-à-d. des produits dont la fabrication est complétée et qui n'ont pas encore été vendus).

Comme c'est le cas pour l'encaisse, l'entreprise doit tenter de maintenir des stocks ni trop faibles, ni trop élevés. En effet, des stocks insuffisants peuvent faire perdre des ventes à l'entreprise et, par conséquent, affecter négativement sa rentabilité. De même, des stocks de matières premières trop faibles peuvent provoquer une interruption de la production et entraîner des délais de livraison. Enfin, commander en trop petites quantités peut faire perdre à l'entreprise des escomptes à l'achat. Cependant, comme les coûts associés à la détention des stocks (c.-à-d. les frais d'entreposage, la prime d'assurance, les pertes liées aux dommages, aux vols et à la désuétude, le coût d'option du capital, etc.) croissent avec le niveau des stocks, il s'ensuit que plus le montant investi dans les stocks est élevé, plus la rentabilité de l'entreprise sera faible (toutes choses étant égales par ailleurs). Dans ces conditions, il importe pour le gestionnaire de déterminer le niveau des stocks qui équilibre en quelque sorte les avantages et les coûts associés à la détention des stocks. A cette fin, plusieurs modèles mathématiques, qui prennent en considération des facteurs comme les ventes prévues, les délais de livraison de la marchandise ainsi que les coûts de commande et de détention des stocks, ont été développés pour assister le gestionnaire. Dans ce qui suit, nous discutons du plus connu et du plus utilisé de ces modèles de gestion des stocks.

6.3.1 Le modèle de la quantité économique de commande (QEC OU Q*)

L'objectif de la gestion des stocks consiste à minimiser les coûts liés aux investissements dans les stocks et, par conséquent, d'accroître la rentabilité de l'entreprise, tout en s'assurant que cette dernière puisse disposer des marchandises au moment voulu. Dans ce but, le modèle de la quantité économique de commande (QEC) peut nous être utile. En effet, ce modèle permet de répondre aux questions suivantes:

1. Quelle devrait être la taille optimale de chaque commande[2]?
2. Combien de commandes l'entreprise devrait-elle placer par période?
3. Quels sont les coûts totaux liés aux stocks pendant une période donnée?

Avant d'aborder la formulation mathématique de ce modèle, il convient d'énoncer les hypothèses sur lesquelles il est basé et de discuter des différents genres de coûts associés à la gestion des stocks.

Hypothèses du modèle

Les hypothèses fondamentales de ce modèle sont les suivantes:

1. la demande est constante au cours de la période et connue avec certitude en début de période;

2. il n'y a aucun délai de livraison des marchandises;

3. le prix unitaire de la marchandise et les coûts associés à une commande sont indépendants de la quantité commandée;

4. le coût unitaire de détention des stocks est fixe.

---

2   Dans ce qui suit, nous discutons du modèle QEC dans le cas de quantités achetées. Toutefois, ce modèle s'applique aussi bien à des quantités fabriquées.

Coûts liés à la gestion des stocks

On peut répartir les coûts liés aux stocks en trois catégories: (1) les coûts de détention des stocks, (2) les coûts de commande et (3) les coûts d'une rupture des stocks.

1. Les coûts de détention des stocks ont trait aux coûts que doit assumer l'entreprise pour maintenir en stock une certaine quantité d'un produit au cours d'une période de temps donnée. Ces coûts comprennent notamment les frais d'entreposage, la prime d'assurance, les pertes liées aux dommages, aux vols et à la désuétude et le coût d'option des fonds investis dans les stocks. Comme l'illustre la figure 1, les coûts de détention des stocks augmentent avec la taille de la commande.

2. Les coûts de commande, quant à eux, ont trait principalement aux frais cléricaux que doit encourir l'entreprise pour placer les commandes et vérifier les marchandises lors de leur réception. Il est à noter que le nombre de commandes que devra placer l'entreprise au cours d'une période donnée est en relation inverse avec la taille de la commande. Comme les coûts associés à une commande sont supposés fixes (c.-à-d. indépendants de la taille de la commande), il s'ensuit que les coûts de commande totaux pour une période donnée diminueront avec la taille de la commande comme l'indique la figure 1.

3. Finalement, les coûts d'une rupture des stocks concernent les ventes et clients perdus par l'entreprise ainsi que les interruptions de la production attribuables à des stocks insuffisants. Ces frais, qui sont probablement les plus difficiles à quantifier, sont liés inversement avec la taille de la commande.

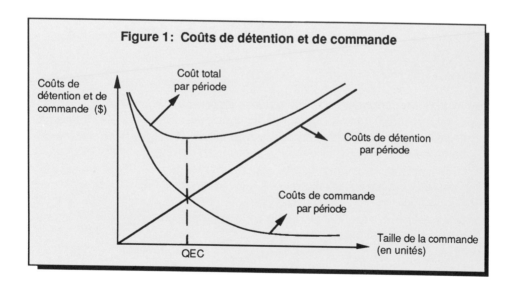

Figure 1: Coûts de détention et de commande

Elaboration du modèle et détermination de la quantité optimale à commander

Dans le but de déterminer la taille de la commande pour laquelle le coût total associé à la gestion des stocks[3] (c.-à-d. la somme des coûts de détention et de commande) est à son plus bas niveau, définissons d'abord les symboles suivants:

CT: Coût total de la période
D: Demande pour la période
Q: Taille de chaque commande
Q*:   Quantité optimale à commander
F: Frais relatifs à une commande
S: Coût unitaire de détention
N: Nombre de commandes par période

Le coût total pour la période peut s'exprimer ainsi:

$$\text{Coût total} = \text{Frais de commande} + \text{Frais de détention}$$

Les frais de commande totaux pour la période valent:

$$\text{Frais de commande totaux} = \left(\begin{array}{c}\text{Nombre de}\\\text{commandes}\end{array}\right)\left(\begin{array}{c}\text{Frais relatifs à}\\\text{une commande}\end{array}\right)$$

$$= \left(\frac{\text{Demande pour la période}}{\text{Taille de la commande}}\right)\left(\begin{array}{c}\text{Frais relatifs à}\\\text{une commande}\end{array}\right)$$

$$= \left(\frac{D}{Q}\right)(F)$$

D'autre part, en supposant une demande uniforme au cours de la période, le stock moyen de la période correspondra à la taille de la commande divisée par deux. Par conséquent, les frais de détention totaux pour la période peuvent se calculer ainsi:

$$\text{Frais de détention totaux} = \left(\begin{array}{c}\text{Stock}\\\text{moyen}\end{array}\right)\left(\begin{array}{c}\text{Coût unitaire}\\\text{de stockage}\end{array}\right)$$

$$= \left(\frac{\text{Taille de la commande}}{2}\right)\left(\begin{array}{c}\text{Coût unitaire}\\\text{de stockage}\end{array}\right)$$

$$= \left(\frac{Q}{2}\right)(S)$$

---

[3]   Les coûts d'une rupture des stocks ne sont pas considérés dans la version de base de ce modèle.

Le coût total de la période sera donc égal à:

$$CT = \left(\frac{D}{Q}\right)(F) + \left(\frac{Q}{2}\right)(S) \qquad (1)$$

Pour obtenir la valeur de Q qui minimise CT, il s'agit de calculer la dérivée première de CT par rapport à Q et d'annuler cette dérivée. La dérivée première est:

$$\frac{dCT}{dQ} = \frac{d}{dQ}\left(DFQ^{-1} + \frac{QS}{2}\right) = \frac{-DF}{Q^2} + \frac{S}{2}$$

En annulant cette dérivée première, on obtient alors[4]:

$$\frac{-DF}{Q^2} + \frac{S}{2} = 0$$

$$\frac{DF}{Q^2} = \frac{S}{2}$$

$$2DF = SQ^2$$

$$Q^* = QEC = \sqrt{\frac{2DF}{S}} \qquad (2)$$

L'expression précédente est souvent appelée formule de Wilson. Elle nous indique que la taille optimale de commande augmente avec les frais de commande et la demande périodique, mais diminue avec les frais de détention des stocks. De plus, notons que la quantité à commander est indépendante du coût d'achat ou de fabrication unitaire.

Quant au nombre optimal de commande (N*), on peut le calculer ainsi:

$$N^* = \frac{\text{Demande pour la période}}{\text{Quantité optimale à commander}}$$

$$= \frac{D}{Q^*}$$

---

[4]   Afin de s'assurer que nous avons localisé un minimum, plutôt qu'un maximum, il faut vérifier si la dérivée seconde est positive. Le calcul de la dérivée seconde donne:

$$\frac{d^2CT}{dQ^2} = \frac{d}{dQ}\left(-DFQ^2 + \frac{S}{2}\right) = \frac{2DF}{Q^3}$$

Puisque D, F et Q ne prennent que des valeurs positives, on peut conclure que:

$$\frac{2DF}{Q^3} > 0$$

Par conséquent, Q* minimise bien CT.

Exemple

La compagnie Lumino vend par année 1000 lampes de type FGOW14. Le prix de vente est de 24$ l'unité. Chaque commande entraîne des frais de 10$. Le coût de détention annuel est de 2$ par lampe. Les délais de livraison sont nuls et la demande est uniforme au cours de l'année. La politique actuelle de la compagnie est de commander 50 lampes à la fois.

a) Quel est le coût total annuel associé à la politique actuelle d'approvisionnement?

b) Quelle est la quantité optimale à commander?

c) Quel est le coût total annuel associé à la politique optimale d'approvisionnement?

d) Quel est le nombre optimal de commandes à placer à chaque année?

e) Supposons maintenant qu'il existe un délai de livraison de 5 jours ouvrables. Dans ces conditions, quelle est la quantité optimale à commander?

Solution

a) Ici, on a:

$$D = 1000 \text{ lampes}$$
$$Q = 50 \text{ lampes}$$
$$F = 10\$$$
$$S = 2\$$$

Par conséquent, le coût total annuel associé à la gestion de ce stock de lampes (à l'exclusion du coût d'achat proprement dit des lampes) est:

$$CT = \left(\frac{1000}{50}\right)(10) + \left(\frac{50}{2}\right)(2)$$

$$CT = 250\$$$

b) La quantité optimale à commander se calcule à partir de l'expression (2):

$$Q^* = \sqrt{\frac{(2)(1000)(10)}{2}} = 100 \text{ lampes}$$

Afin de minimiser le coût total annuel associé à la gestion des stocks, on devrait donc commander 100 lampes à chaque fois que le stock devient nul.

c) Le coût total annuel correspondant à la politique optimale se calcule ainsi:

$$CT = \left(\frac{1000}{100}\right)(10) + \left(\frac{100}{2}\right) = 200\$$$

d) Le nombre optimal de commandes (N*) est:

$$N^* = \frac{1000}{100} = 10 \text{ commandes}$$

En supposant que l'année comporte 250 jours ouvrables, on devra commander un lot de 100 lampes à tous les 25 jours. Le niveau des stocks en fonction du temps évoluera alors ainsi:

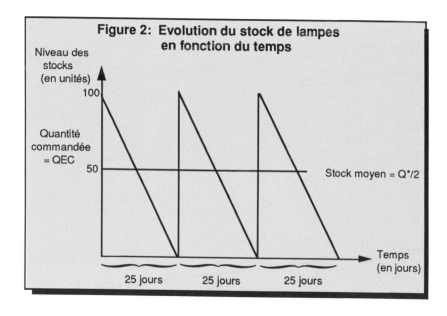

Figure 2: Evolution du stock de lampes en fonction du temps

e) La quantité optimale à commander demeure inchangée. Cependant, de façon à éviter des ruptures de stocks, l'entreprise devra placer une commande lorsque le niveau des stocks atteint 20 unités. Ce nombre se calcule comme suit:
Délai de livraison (en jours) x demande journalière

$$5 \quad x \quad \frac{1000}{250} = 20 \text{ unités}$$

6.3.2 Stock de sécurité

Jusqu'à maintenant (sauf dans la partie (e) de l'exemple précédent), nous avons supposé une demande constante et certaine et des délais de livraison nuls. Bien entendu, ces hypothèses ne sont généralement pas conformes à la réalité. En effet, dans plusieurs situations rencontrées en pratique (on n'a qu'à penser aux entreprises impliquées dans la vente de jouets ou de motoneiges), la demande est plutôt saisonnière et ne peut être prévue avec certitude en début de période. De même, des facteurs comme les grèves, les conditions de la météo et les erreurs humaines peuvent occasionner des retards dans la livraison des marchandises. Dans ces conditions, afin de réduire les risques d'une rupture des stocks, le responsable de la gestion des stocks doit voir à ce que le niveau des stocks de l'entreprise ne devienne jamais inférieur à un certain seuil minimal, appelé stock de sécurité. L'importance du stock de sécurité dépendra du degré d'incertitude de la demande et des délais de livraison ainsi que des coûts qu'implique une rupture des stocks.

Notons que la détention d'un stock de sécurité réduit ou élimine les coûts associés à une rupture des stocks, mais a également pour effet d'accroître les coûts de détention des stocks. Dans ce contexte, certains modèles mathématiques, dont la description déborde le cadre du présent ouvrage, peuvent être utiles pour déterminer le niveau optimal du stock de sécurité.

Exemple

Supposons que le délai de livraison des lampes soit de 5 jours ouvrables et que l'on désire maintenir un stock de sécurité de 16 unités. Dans ces conditions, à quel moment devrait-on placer une commande?

Solution

On devra commander des lampes lorsque le niveau des stocks atteint 36 unités. Ce nombre se calcule ainsi:

$$\text{Point de commande} = \begin{pmatrix} \text{Délai de} \\ \text{livraison} \\ \text{en jours} \end{pmatrix} \begin{pmatrix} \text{Demande} \\ \text{journalière} \end{pmatrix} + \begin{pmatrix} \text{Stock de} \\ \text{sécurité} \end{pmatrix}$$

$$= (5)\,(4) + 16$$

$$= 36 \text{ unités}$$

Il est à noter que la quantité optimale à commander est toujours de 100 lampes.

Lorsqu'on tient compte d'un délai de livraison de 5 jours et d'un stock de sécurité de 16 unités, le niveau des stocks évolue ainsi au fil du temps:

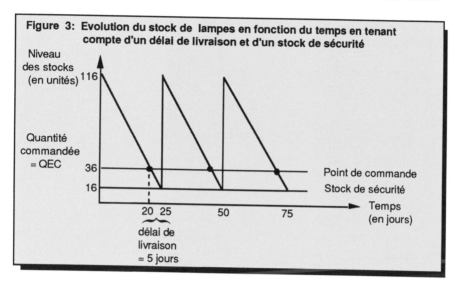

Figure 3: Evolution du stock de lampes en fonction du temps en tenant compte d'un délai de livraison et d'un stock de sécurité

6.4 EXERCICES

1. Vrai ou faux.

   a) De façon générale, lorsque l'entreprise allonge sa période de crédit cela a pour conséquence d'accroître son chiffre d'affaires.

   b) Des conditions de crédit «1/10, net 60» signifient que le client bénéficie d'un escompte de 1% s'il règle sa facture au bout de 60 jours.

   c) Si les conditions de crédit d'une entreprise passent de «net 30» à «2/10, net 30», on peut s'attendre à ce que son chiffre d'affaires augmente.

   d) La période de crédit est le délai durant lequel le client peut bénéficier d'un escompte s'il règle sa facture.

   e) Si les procédures de recouvrement utilisées par une entreprise deviennent moins contraignantes, il s'ensuivra alors une diminution du délai moyen de recouvrement des comptes à recevoir.

   f) L'objectif de la gestion des comptes à recevoir est de maximiser les ventes à crédit de l'entreprise.

   g) Le modèle de la quantité économique de commande (QEC) est basé sur des hypothèses qui sont généralement vérifiées dans un contexte pratique.

   h) Lorsque la taille de la commande augmente, les coûts de détention des stocks diminuent.

i)   La taille optimale de commande est reliée inversement avec les frais de commande.

j)   Plus les délais de livraison sont incertains, plus le stock de sécurité devrait être élevé.

k)   L'objectif de la gestion des stocks est de minimiser les coûts de commande par période.

l)   Toutes choses étant égales par ailleurs, plus les taux d'intérêt sont élevés, plus la quantité optimale à commander devrait être élevée.

2.   CCG Ltée envisage la possibilité d'allonger sa période de crédit de 30 jours à 45 jours. On estime qu'un tel changement aurait pour effets de faire passer les ventes annuelles à crédit de l'entreprise de 1 000 000$ à 1 200 000$ et les frais de recouvrement annuels de 2000$ à 3000$. Les coûts variables représentent 70% des ventes et le coût des fonds investis dans les comptes à recevoir est de 14%. Les mauvaises créances s'élèvent à 4% des ventes. CCG Ltée devrait-elle allonger sa période de crédit?

3.   On dispose des renseignements suivants concernant l'entreprise Ladouceur:

. Ventes actuelles: 400 000$/année
. Délai moyen de recouvrement des comptes à recevoir: 60 jours
. Mauvaises créances: 7% des ventes
. Coûts variables: 75% des ventes
. Coût des fonds investis dans les comptes à recevoir: 10%
. Frais de recouvrement annuels: 5000$

L'entreprise considère la possibilité d'instaurer des procédures de recouvrement plus contraignantes et qui, estime-t-on, auraient pour effets de faire passer les ventes à 375 000$ par année, le délai moyen de recouvrement des comptes à recevoir à 45 jours, les mauvaises créances à 3% des ventes et les frais de recouvrement annuels à 15 000$.

L'entreprise devrait-elle modifier ses procédures de recouvrement actuellement en vigueur?

4.   Les ventes annuelles à crédit de la compagnie AJB sont de 2 000 000$. Les conditions de crédit sont «net 30». Les mauvaises créances s'élèvent à 3% des ventes et les frais variables correspondent à 75% des ventes. Le coût des fonds investis dans les comptes à recevoir est de 15%.

La direction de la compagnie envisage de modifier sa politique de crédit. Elle étudie présentement trois propositions qui auraient, selon les estimations, les effets suivants:

Proposition	Ventes annuelles à crédit prévues	Mauvaises créances	Délai moyen de recouvre-ment des comptes à recevoir	Augmentation des frais de recouvrement annuels
Proposition 1: allonger la période de crédit de 30 à 45 jours	2 400 000$	5% sur les nouvelles ventes et 3% sur les ventes actuelles	45 jours	5000$
Proposition 2: assouplir les normes de crédit	2 600 000$	8% sur les nouvelles ventes et 3% sur les ventes actuelles	30 jours	20 000$
Proposition 3: offrir un escompte de caisse de 2%. Les nouvelles conditions de crédit seraient 2/10, net 30. On estime que 40% des clients se prévaudront de l'escompte	2 600 000$	3% sur toutes les ventes	22 jours	

L'entreprise devrait-elle modifier sa politique de crédit actuelle? Si oui, quelle proposition devrait-elle adopter?

5.   La compagnie MMC vend un seul produit au prix unitaire de 25$. La demande annuelle est de 100 000 unités, les frais relatifs à une commande sont de 40$ et le coût de détention annuel par unité est de 8% du prix de vente.

a) Quelle est la quantité optimale à commander?

b) Quel est le nombre optimal de commandes à placer à chaque année?

c) Quel est le coût total annuel associé à la politique optimale d'approvisionnement?

6. L'entreprise Mica vend une calculatrice financière au prix unitaire de 40$. Les informations suivantes sont disponibles relativement à ce produit:

    1. Prix d'achat unitaire: 25$
    2. Ventes annuelles: 2000 unités (supposez que l'année comporte 250 jours ouvrables)
    3. Coût de détention annuel par unité: 2,50$
    4. Frais relatifs à une commande: 40$
    5. Stock de sécurité: 80 unités (ce stock est disponible initialement)
    6. Délai de livraison: 4 jours ouvrables
    7. Les commandes doivent nécessairement être passées par tranche de 50 unités.

    a) Quelle est la quantité optimale à commander?

    b) Quel est le nombre optimal de commandes à placer à chaque année?

    c) Quel sera le stock moyen?

    d) Quel est le coût total annuel associé à la politique optimale d'approvisionnement?

    e) A quel niveau des stocks devrait-on placer une commande?

7. La demande pour un certain appareil électro-ménager est de 200 unités par mois. Les frais relatifs à une commande sont de 27$ et le coût de détention annuel par unité est de 36$. Le délai de livraison est de 3 jours ouvrables. On suppose 20 jours ouvrables par mois. Aucune pénurie de stock n'est permise.

    a) Quelle est la quantité optimale à commander?

    b) Quel est le nombre optimal de commandes à placer à chaque année?

    c) Quel est le coût total annuel associé à la politique optimale d'approvisionnement?

    d) A quel niveau des stocks devrait-on placer une commande?

SOMMAIRE

Chapitre 7

Les sources de financement à court et moyen termes

Chapitre 7

LES SOURCES DE FINANCEMENT À COURT ET MOYEN TERMES

7.1 INTRODUCTION

Dans ce chapitre, nous discutons des sources de financement à court et moyen termes les plus fréquemment utilisées par les entreprises. Ces sources de financement sont mentionnées au tableau 1. La notion de court terme réfère ici aux dettes qui seront remboursées au cours de la prochaine année alors que le moyen terme concerne les dettes dont l'échéance varie habituellement entre un et dix ans.

Tableau 1: Les principales sources de financement à court et moyen termes

A. Le financement à court terme
  1. Le crédit commercial
      a) Les comptes à payer
      b) Les billets à ordre

  2. Les prêts bancaires à court terme
      a) La marge de crédit
      b) L'accord de crédit formel
      c) Le crédit relatif à une transaction ou à une opération spécifique

  3. Le papier commercial

  4. Les acceptations bancaires

  5. L'affacturage

B. Le financement à moyen terme

  1. Le prêt à terme

  2. La location

L'entreprise a généralement recours aux sources de financement à court terme pour satisfaire ses besoins de fonds temporaires ou saisonniers. Quant aux sources de financement à moyen terme, elles sont utilisées pour combler des besoins plus permanents, tels que l'acquisition d'immobilisations ou certaines dépenses d'importance que la liquidité normale de l'entreprise ne peut assumer.

7.2   LE FINANCEMENT À COURT TERME

7.2.1   Le crédit commercial

Le crédit commercial résulte principalement des opérations courantes de l'entreprise. Plus précisément, ce type de crédit provient des achats de marchandises et de matières premières effectués par l'entreprise et des prestations de travail fournies par ses employés.

Dans le cas des achats, les deux formes de crédit commercial que l'on rencontre généralement sont les comptes à payer et les billets à ordre, alors que dans le cas des employés il s'agit plutôt de salaires à payer et des remises gouvernementales à verser. Ces formes de crédit ne portent pas intérêt à moins que les délais prescrits ne soient dépassés.

Compte tenu que les délais pour payer les salaires sont relativement courts (une ou deux semaines) et que ces derniers ne sont généralement pas extensibles, nous nous limiterons, dans le cadre de ce chapitre, au crédit commercial découlant des achats.

7.2.1.1   Les comptes à payer

Pour plusieurs entreprises, les comptes à payer constituent la principale source de crédit à court terme. Ils représentent, en général, environ 40% du passif à court terme de l'entreprise. Dans le cas des petites entreprises, qui ont un accès plutôt limité aux marchés financiers, ce pourcentage peut être plus élevé. Une des particularités de ce type de financement est que l'acheteur n'a pas à signer de document formel de reconnaissance de dette envers le vendeur. L'acceptation des marchandises livrées constitue pour l'acheteur un engagement à payer au vendeur le montant de la facture selon les conditions de crédit établies par ce dernier.

Les comptes à payer ou les comptes-fournisseurs représentent pour l'entreprise une source automatique de financement. Ils croissent normalement avec le volume des achats effectués. Ainsi, si les achats à crédit de l'entreprise doublent, on peut s'attendre, si la période de crédit demeure inchangée, à ce que ses comptes à payer doublent également.

La période de crédit

Lorsqu'une entreprise achète de la marchandise à crédit, elle dispose habituellement d'un certain délai pour acquitter la facture. Ce délai, qui lui est accordé par le fournisseur, s'appelle la période de crédit. Cette période varie normalement entre 0 et 90 jours et dépend notamment de la nature des biens achetés, de la santé financière de l'acheteur et de celle du vendeur.

En ce qui a trait à la nature de la marchandise acquise, le délai de paiement accordé à l'acheteur est généralement plus court dans le cas de biens périssables qu'il ne l'est lorsque les biens achetés sont sujets à une lente détérioration. De plus, d'un point de vue financier, le vendeur aura tendance à réduire la période de crédit allouée à l'acheteur lorsque ses liquidités sont faibles ou si la situation financière de l'acheteur est précaire. Dans certains cas, on va même jusqu'à exiger le paiement comptant à la livraison des marchandises, d'où l'expression C.O.D. (cash on delivery).

L'escompte de caisse

Pour inciter l'acheteur à acquitter rapidement sa facture, le vendeur offrira souvent à ce dernier un escompte de caisse. Parmi les conditions de crédit que l'on rencontre en pratique, les conditions «2/10,n/30» sont les plus fréquentes. Cela signifie que l'acheteur peut bénéficier d'un escompte de 2% s'il effectue le paiement dans les 10 jours de la facture et que le montant intégral de la facture est exigible au bout de 30 jours. Dans un tel cas, ne pas profiter de l'escompte peut s'avérer très onéreux comme le montre l'exemple ci-dessous.

Exemple

Soit des conditions de crédit «2/10, n/30» et une facture de 2000$.

a) Quel est le taux d'intérêt nominal implicite associé à ces conditions de crédit?

b) Quel est le taux d'intérêt effectif annuel implicite associé à ces conditions de crédit?

Solution

a) Dans ce cas, l'acheteur paiera 1960$ s'il règle sa facture au bout de 10 jours, alors qu'il devra verser 2000$ si la facture est acquittée le 30e jour. Le vendeur exige donc 40$ pour financer une somme de 1960$ pendant une période de 20 jours. Par conséquent, le taux d'intérêt périodique implicite est:

$$\text{Taux périodique} = \frac{40}{1960} = 2,04\%$$

Le taux nominal correspondant se calcule ainsi:

$$\text{Taux nominal} = (2,04\%)\left(\frac{365}{20}\right) = 37,2\%$$

On peut également calculer directement le taux nominal implicite à l'aide de l'expression suivante:

$$\text{Taux nominal} = \left(\frac{\text{Escompte en \%}}{100\% - \text{Escompte en \%}}\right)\left(\frac{365}{\substack{\text{Jour où le} \\ \text{paiement est} \\ \text{exigible}} - \substack{\text{Période} \\ \text{d'escompte} \\ \text{en jours}}}\right) \quad (1)$$

$$= \left(\frac{2\%}{100\% - 2\%}\right)\left(\frac{365}{30 - 10}\right)$$

$$= 37,2\%$$

b) Le taux effectif annuel implicite est:

$$\text{Taux effectif annuel} = (1 + 0,0204)^{365/20} - 1 = 44,6\%$$

Avec de telles conditions de crédit, ne pas se prévaloir de l'escompte et régler la facture le 30e jour est équivalent à emprunter pour une période de 20 jours à un taux d'intérêt effectif annuel de 44,6% ou à un taux nominal annuel de 37,2%. Si on peut emprunter à la banque ou ailleurs à un taux effectif annuel inférieur à 44,6% (ce qui est fort probable), il est alors avantageux de profiter de l'escompte et de régler la facture le 10e jour. De plus, notons que si aucun escompte n'est offert ou que la période pendant laquelle l'escompte est applicable est déjà écoulée, le paiement de la facture devrait être effectué à la toute fin de la période de crédit, soit le 30e jour dans notre exemple.

7.2.1.2   Les billets à ordre

Par opposition à un compte à payer, le billet à ordre constitue une reconnaissance formelle d'une dette. Ce dernier stipule le montant de la dette de l'acheteur envers le vendeur ainsi que la date précise où le paiement devra être effectué. Ce type de créance doit être signé par l'acheteur lors de la réception des marchandises. Le recours à ce procédé est cependant rare et n'est utilisé que pour les clients dont la santé financière est jugée précaire.

7.2.2   Les prêts bancaires à court terme

Les prêts bancaires constituent, par ordre d'importance, la deuxième source de financement à court terme des entreprises. Habituellement, l'entreprise a recours au crédit bancaire à court terme pour financer ses comptes à recevoir, ses stocks ou autres actifs à court terme. Les principaux types de prêts à court terme que les banques accordent aux entreprises sont discutés ci-dessous.

7.2.2.1   La marge de crédit

La marge de crédit est une entente informelle entre la banque et l'emprunteur établissant un montant maximum de crédit dont pourra bénéficier l'entreprise en cas de besoin. La marge de crédit est généralement renouvelable annuellement et le montant accordé est déterminé en considérant les besoins de crédit et la position financière de l'entreprise. Le taux d'intérêt chargé sur la marge de crédit est habituellement basé sur le taux préférentiel (c.-à-d. le taux auquel la banque prête à ses meilleurs clients) auquel on ajoute un certain pourcentage pour couvrir le risque que représente l'entreprise en cause. Evidemment, l'entreprise ne paye des intérêts que sur le montant réellement emprunté. Ces intérêts sont habituellement exigibles mensuellement.

La banque impose généralement certaines restrictions à l'entreprise lorsqu'elle accorde une marge de crédit. Par exemple, la banque peut se réserver le droit de révoquer la marge de crédit si la situation financière de l'entreprise se détériore significativement, si celle-ci modifie sensiblement la nature de ses activités ou si certains de ses dirigeants-clés décident de la quitter. De plus, la banque peut exiger que l'entreprise maintienne, dans un compte de chèques, un certain solde, appelé solde compensateur, qui peut représenter de 10 à 20% du montant du prêt. Ainsi, si l'entreprise a besoin de 200 000$ et qu'elle doit maintenir un solde compensateur de 20%, elle devra alors emprunter 250 000$ (c.-à-d. $\frac{200\ 000}{1 - 0,20}$) pour disposer de la somme dont elle a besoin. Cette pratique a évidemment pour conséquence d'accroître le coût d'un prêt lorsque le solde compensateur exigé excède le solde que l'entreprise maintiendrait normalement.

7.2.2.2   L'accord de crédit formel

L'accord de crédit formel est en quelque sorte une marge de crédit garantie. Ce type d'accord de crédit constitue un engagement contractuel de la banque d'accorder du crédit à une entreprise jusqu'à concurrence d'un certain montant. Pour bénéficier d'un tel privilège, l'entreprise doit payer certains frais sur la partie inutilisée du crédit. Ces frais permettent en quelque sorte de dédommager la banque pour son engagement à prêter les fonds si l'entreprise en a besoin. Ainsi, dans le cas où un accord formel de crédit de 1 000 000$ a été consenti et que l'entreprise en cause n'emprunte que 800 000$, des frais seront payés sur les 200 000$ inutilisés (par exemple, 0,25% du montant inutilisé = 0,25% x 200 000$ = 500$). En contrepartie, l'entreprise est assurée de pouvoir utiliser le montant de 200 000$ si elle en a besoin. Bien entendu, l'entreprise doit également payer des intérêts sur la partie utilisée du crédit, c'est-à-dire sur un montant de 800 000$ dans notre exemple.

7.2.2.3   Le crédit relatif à une transaction ou à une opération spécifique

Les deux types de financement discutés ci-dessus ne conviennent pas toujours à l'entreprise lorsque celle-ci a un besoin ponctuel de fonds pour une opération ou une transaction spécifique.   Par exemple, l'exécution d'un contrat inattendu peut nécessiter une sortie soudaine d'argent pour l'entreprise.   En pareil cas, une demande spécifique de crédit sera effectuée et le remboursement de la somme avancée aura lieu lorsque l'entreprise sera payée pour le travail accompli.

7.2.2.4   Le calcul du coût des prêts bancaires

Les intérêts sur un prêt bancaire peuvent être payés à la date d'échéance du prêt ou ils peuvent être déduits du montant du prêt initial.   Pour illustrer les deux méthodes de calcul, considérons le cas d'une entreprise qui a besoin d'un montant de 50 000$ pour une période d'un an.   Le taux d'intérêt annuel annoncé par la banque est de 10%.   Si les intérêts sont payés à l'échéance, le taux d'intérêt effectif annuel se calcule alors comme suit:

$$\frac{\text{Taux d'intérêt}}{\text{effectif annuel}} = \frac{\text{Intérêts}}{\text{Montant emprunté}}$$

$$= \frac{(0,10)(50\ 000)}{50\ 000}$$

$$= 10\%$$

Dans ce cas, le taux effectif annuel correspond au taux affiché.

D'autre part, si les intérêts sont déduits du montant du prêt initial (c.-à-d. si le prêt est escompté), le taux d'intérêt effectif annuel sera alors supérieur à 10% comme le montrent les calculs ci-dessous.

Le montant que l'entreprise doit emprunter pour disposer de 50 000$ (X) se calcule ainsi:

$$X - \text{Intérêts escomptés} = 50\ 000$$
$$X - (0,10)(X) = 50\ 000$$
$$0,90\ X = 50\ 000$$

d'où: $$X = 55\ 555,56\$$$

Les intérêts payés sont:

$$\text{Intérêts} = (55\ 555,56)(10\%) = 5555,56\$$$

Par conséquent, le taux d'intérêt effectif annuel est:

$$\begin{aligned}\text{Taux d'intérêt effectif annuel} &= \frac{\text{Intérêts}}{\text{Montant emprunté - Intérêts}} \\ &= \frac{\text{Intérêts}}{\text{Montant dont dispose l'emprunteur}} \\ &= \frac{5555,56}{50\ 000} \\ &= 11,11\%\end{aligned}$$

Finalement, notons que les exigences relatives au maintien d'un solde compensateur ont également un impact sur le taux d'intérêt effectif annuel d'un prêt. Ainsi, dans l'exemple précédent, si la banque exige le maintien d'un solde compensateur de 20% et que les intérêts sont déduits du montant du prêt initial, le montant à emprunter (X), les intérêts à payer et le taux d'intérêt effectif annuel se calculent comme suit:

Montant emprunté - Solde compensateur exigé - Intérêts escomptés = 50 000

$$X - (0,20)(X) - (0,10)(X) = 50\ 000$$
$$(0,70)(X) = 50\ 000$$
$$\text{d'où:}\quad X = 71\ 428,57\$$$

Intérêts payés = (0,10)(71 428,57) = 7142,86$.

$$\begin{aligned}\text{Taux d'intérêt effectif annuel} &= \frac{\text{Intérêts}}{\text{Montant emprunté} - \text{Solde compensateur exigé} - \text{Intérêts escomptés}} \\ &= \frac{\text{Intérêts}}{\text{Montant dont dispose l'emprunteur}} \\ &= \frac{7142,86}{50\ 000} \\ &= 14,29\%\end{aligned}$$

7.2.3 Le papier commercial

Le papier commercial est un titre à court terme émis par les grandes entreprises ayant une excellente cote de crédit. Il peut être émis à escompte (comme un bon du Trésor) ou porter intérêt. Les acheteurs de ce genre de titre comprennent notamment les entreprises, les compagnies d'assurance, les banques et les caisses de retraite. Cette source de financement prend la forme d'un billet à ordre non garanti négociable sur le marché monétaire. Le papier commercial peut être vendu directement aux investisseurs (placement direct) ou indirectement en ayant recours aux services d'une maison de courtage en valeurs mobilières. Dans ce dernier cas, l'entreprise devra évidemment verser une commission à la firme de courtage qui se charge de trouver des acheteurs pour ses titres.

L'échéance du papier commercial peut varier entre une journée et une année. Le taux de rendement offert sur ce genre de titre dépend de l'importance du montant emprunté, du taux d'escompte de la banque du Canada[1] et de la durée de l'emprunt. Pour illustrer le calcul du taux de rendement de cet effet de commerce, considérons l'exemple suivant.

Exemple

L'entreprise MXK émet à escompte un papier commercial dont la valeur nominale est de 2 000 000$ et l'échéance dans 120 jours. L'investisseur verse alors à MXK un montant de 1 930 196$. Cela signifie que l'acheteur de ce papier commercial recevra à la date d'échéance un montant de 2 000 000$ pour une mise de fonds de 1 930 196$. La différence entre ces deux montants 69 804$ (c.-à-d. 2 000 000$ - 1 930 196$) représente les intérêts payés par MXK. Le taux de rendement de l'investisseur ou le coût du financement (avant impôt) de MXK se calcule ainsi:

$$1\ 930\ 196 = \frac{2\ 000\ 000}{1 + i}$$

d'où: i = Taux de rendement pour 120 jours = 3,62%.

Le taux de rendement effectif annuel correspondant (r) est:

$$r = (1 + 0{,}0362)^{365/120} - 1 = 11{,}42\%$$

Pour l'emprunteur, le papier commercial constitue habituellement une source de financement moins onéreuse que l'emprunt bancaire. De plus, dans le cas du papier commercial, l'entreprise n'a pas à maintenir un solde compensateur. Cependant, contrairement à la relation s'établissant entre l'emprunteur et son banquier, le marché du papier commercial est plutôt impersonnel et en cas de difficultés financières la banque serait probablement plus disposée à aider l'entreprise que le courtier en papier commercial.

7.2.4 Les acceptations bancaires

Une acceptation bancaire est un instrument de dette à court terme émis par une entreprise et endossé par une banque. La banque s'engage alors à verser le montant indiqué lorsque l'acceptation sera présentée à l'échéance. Evidemment, pour ce genre de service, les banques exigent une rémunération qui peut être de l'ordre de 0,75% du montant émis.

---

[1] Le taux d'escompte de la banque du Canada correspond au taux de rendement moyen des bons du Trésor à 91 jours plus 0,25%.

Les acceptations bancaires sont généralement vendues à escompte à une maison de courtage en valeurs mobilières et remboursables à leur valeur nominale. A l'instar du papier commercial, elles se transigent sur le marché monétaire. Les acceptations sont généralement émises en multiples de 100 000$ et leur date d'échéance varie habituellement entre 30 et 90 jours. Ces effets de commerce sont souvent utilisés dans le cas de transactions de nature internationale ou lorsque le vendeur entretient certains doutes sur la capacité ou sur la volonté de l'acheteur à payer la marchandise.

7.2.5   L'affacturage

L'affacturage est une méthode de financement par laquelle une entreprise vend ses comptes-clients à une société d'affacturage. Ce mode de financement est surtout utilisé par les petites et moyennes entreprises pour lesquelles il ne serait pas avantageux, compte tenu de leur volume des ventes à crédit, d'avoir un département de crédit.

Moyennant une certaine rémunération (la rémunération peut représenter de 1 à 3% de la valeur des comptes à recevoir cédés), qui est fonction des risques encourus et du montant des créances vendues, la société d'affacturage s'occupe de la perception des comptes-clients de l'entreprise et, dans la plupart des cas, assume les risques de non-paiement. De plus, compte tenu que c'est elle qui assume généralement les risques de mauvaises créances, la société d'affacturage se charge de vérifier la solvabilité des clients potentiels de l'entreprise avant d'approuver les transactions de vente. Finalement, ce genre d'établissement financier peut consentir à l'entreprise des avances de fonds correspondant généralement à 75% du montant des comptes à recevoir vendus. En pareil cas, des frais d'intérêt seront chargés selon un taux préétabli. Ce taux correspond approximativement au taux préférentiel plus 2 à 3%.

L'affacturage constitue pour l'entreprise un mode de financement à court terme rapide, qui permet à cette dernière de se soustraire aux problèmes liés à la vérification de la solvabilité des clients et à la perception des comptes à recevoir. Cependant, ce type de financement est plus onéreux que le crédit bancaire et peut indiquer que l'entreprise éprouve certaines difficultés à obtenir du financement selon les voies usuelles. De plus, compte tenu que selon ce procédé ses clients doivent habituellement faire parvenir directement leurs paiements à la société d'affacturage, le recours à l'affacturage a également comme inconvénient de priver l'entreprise de contacts personnels avec ses acheteurs à crédit.

7.2.6   L'utilisation des garanties dans l'obtention du financement à court terme

Très souvent, les petites et moyennes entreprises, particulièrement celles qui ne sont en affaires que depuis quelque temps, ne peuvent obtenir un prêt auprès d'une banque ou d'une autre institution financière à moins de donner en garantie certains actifs. De plus, en mettant en gage certains actifs, l'entreprise peut généralement obtenir du crédit à un taux d'intérêt moindre.

Plusieurs types d'actif peuvent servir à garantir un prêt. Parmi ceux-ci, notons: des actions, des obligations, des certificats de dépôt, un terrain, un bâtiment, de l'équipement, des comptes à recevoir et des stocks. Les actions de compagnies bien établies, les obligations et les certificats de dépôt constituent d'excellentes garanties à offrir au prêteur. Toutefois, peu de petites et moyennes entreprises détiennent un portefeuille de valeurs mobilières suffisamment important qui pourrait être cédé en garantie. D'autre part, les actifs à long terme de l'entreprise (équipement, bâtiment, etc.) servent généralement à garantir les emprunts à long terme de cette dernière. Dans ces conditions, l'entreprise utilisera habituellement ses actifs à court terme, en particulier ses comptes à recevoir et ses stocks, pour garantir ses dettes à court terme. De plus, dans le cas des petites et moyennes entreprises, le créancier exige parfois que les biens personnels de certains actionnaires soient offerts en garantie.

7.2.6.1 Les comptes à recevoir

Les comptes à recevoir figurent parmi les actifs les plus liquides de l'entreprise et constituent, par conséquent, une des meilleures garanties à offrir au prêteur. Le montant du prêt pouvant être accordé en donnant les comptes à recevoir en garantie dépend de la qualité et du montant des comptes à recevoir de l'entreprise. La qualité se mesure principalement par la santé financière des clients de l'entreprise et par l'âge des comptes à recevoir donnés en garantie. Les institutions financières, comme les banques, les sociétés d'affacturage et les grosses compagnies de finance prêtent habituellement entre 50 et 90% de la valeur aux livres des comptes à recevoir.

En général, les clients de l'entreprise ne sont pas informés que les créances ont été cédées en garantie à une institution financière. Cependant, dans certaines situations, les clients de l'entreprise sont avisés que les comptes à recevoir ont été mis en gage et doivent alors faire parvenir directement leurs paiements à l'institution prêteuse. Ce genre de pratique est de nature à affecter négativement les relations entre l'entreprise et ses acheteurs à crédit.

Le taux de financement exigé pour ce type de prêt à court terme garanti est habituellement le taux préférentiel plus 2 à 5%. Très souvent, des frais de gestion sont également prélevés par l'institution prêteuse pour couvrir les coûts administratifs inhérents à ce genre de prêt. Habituellement, le montant des frais est lié directement au nombre de comptes à recevoir offerts en garantie.

Il est à noter que, contrairement à ce qui se produit dans le cas de l'affacturage des comptes-clients, l'entreprise assume le risque de non-paiement et demeure responsable de la collection des comptes à recevoir. Lorsque ses clients acquittent leurs factures, l'entreprise rembourse alors l'institution prêteuse. De plus, s'il arrive que ses clients ne règlent pas leurs factures, l'entreprise doit quand même rembourser l'emprunt qu'elle a contracté.

7.2.6.2 Les stocks

Pour garantir un prêt à court terme, l'entreprise peut également avoir recours à ses stocks. Cette dernière offrira alors au créancier de prendre en garantie ses stocks de matières premières et de produits finis.

Le montant du prêt qui peut être accordé en mettant en gage les stocks dépend de la nature des stocks détenus et de la facilité avec laquelle on peut revendre ces derniers. Les stocks périssables et ceux qui sont sujets à une dépréciation rapide ne sont généralement pas acceptés comme garantie par les créanciers. Il en va de même pour les stocks comportant des items trop spécialisés ou spécifiques à un secteur d'activité donné. La négociabilité des stocks est probablement la qualité la plus recherchée par les bailleurs de fonds. Lorsque les stocks répondent aux caractéristiques souhaitées par les créanciers, le montant du prêt peut représenter de 40 à 90% (le plus souvent, le pourcentage se situe aux alentours de 50%) de la valeur aux livres des stocks donnés en garantie.

La mise en gage des stocks peut s'effectuer de trois façons, soit (1) la garantie flottante, (2) le certificat fiduciaire et (3) le certificat d'entreposage. Ces trois méthodes de garantie sont discutées brièvement ci-dessous.

1. **La garantie flottante.** Cette forme de mise en gage donne un droit au prêteur sur tous les stocks détenus par l'entreprise. Elle est souvent utilisée dans le cas d'articles de faible valeur qui se vendent rapidement. Il est à noter que selon ce genre d'entente les stocks demeurent en possession de l'emprunteur. Cependant, ce dernier doit régulièrement informer le prêteur de l'évolution du niveau des stocks en lui remettant une copie de ses états financiers périodiques. Le prêteur peut également, de temps à autre, procéder à une inspection physique des stocks. Compte tenu que selon ce type d'accord le prêteur exerce peu de contrôle sur les stocks donnés en garantie, le montant du prêt qui sera octroyé sera généralement très inférieur à la valeur aux livres des stocks (moins de 50%).   Le taux d'intérêt chargé par l'institution prêteuse excède généralement d'environ 5% le taux préférentiel.

2. **Le certificat fiduciaire.** Un certificat fiduciaire est un document attestant que l'entreprise garde certains actifs en fiducie pour le prêteur. Lorsque les actifs en cause sont vendus, l'entreprise rembourse alors le prêteur. Les certificats fiduciaires sont surtout utilisés pour financer des biens dont la valeur est élevée et qui sont facilement identifiables. Les stocks des concessionnaires automobiles sont souvent financés de cette façon.

3. **Le certificat d'entreposage.** Selon cette forme de mise en gage, les stocks de l'entreprise sont transférés dans un entrepôt public qui est administré par une société d'entreposage. Cette société émet alors un certificat d'entreposage qui sera remis à l'institution prêteuse à titre de garantie. Les stocks ne pourront

quitter l'entrepôt public à moins que le détenteur du certificat d'entreposage (c.-à-d. l'institution prêteuse) n'y consente. Lorsque les clients de l'entreprise placent des commandes, celles-ci doivent donc être acheminées au prêteur afin que ce dernier autorise la sortie des marchandises de l'entrepôt. L'entreprise remboursera le capital emprunté, paiera les intérêts et les frais relatifs à la surveillance et à l'entreposage des stocks lorsque ses clients acquitteront leurs factures.

Finalement, notons que lorsque le transfert des stocks de l'entreprise à un entrepôt public occasionne des frais trop élevés, le prêteur a alors recours aux services d'une firme spécialisée pour contrôler dans des entrepôts appartenant à l'emprunteur les stocks donnés en garantie.

7.2.6.3   Les biens personnels des actionnaires

Compte tenu qu'une des caractéristiques de la compagnie est la responsabilité limitée (c.-à-d. que les actionnaires ne peuvent pas perdre un montant excédant leur mise de fonds dans la compagnie), les créanciers exigent souvent que les emprunts de l'entreprise soient garantis par des biens personnels des actionnaires (maison, automobile, bateau, etc.). Dans ce cas, le créancier pourra, afin de se faire rembourser, vendre les biens personnels des actionnaires cédés en garantie si l'entreprise n'est pas en mesure d'honorer ses engagements financiers.

7.3   LE FINANCEMENT À MOYEN TERME

Le financement à moyen terme vise à combler des besoins de fonds qui sont plus que saisonniers ou temporaires comme, par exemple, l'acquisition d'immobilisations ou le financement de l'actif à court terme permanent. Ce genre de financement peut être obtenu auprès des banques canadiennes ou étrangères, des caisses populaires, des compagnies d'assurance, de certains organismes gouvernementaux (par exemple, la Banque fédérale de développement) et des sociétés de financement du secteur privé (par exemple, Roynat).

Ci-dessous, nous discutons de deux des formes de financement à moyen terme les plus utilisées en pratique, soit le prêt à terme et le contrat de location.

7.3.1   Le prêt à terme

Un prêt à terme est un prêt commercial pour une période variant habituellement entre un et dix ans. Dans certains cas, la durée du prêt peut excéder 10 ans. La plupart du temps, le remboursement d'un prêt à terme s'effectue par le biais d'une série de paiements égaux (mensuels, trimestriels, semestriels ou annuels) s'échelonnant sur la durée du prêt. Chaque versement effectué par l'entreprise comporte une partie intérêt et une partie remboursement de capital (voir la section A.5.4 de l'annexe apparaissant à la fin de ce volume pour plus de détails concernant l'amortissement d'un prêt à terme).

Le taux d'intérêt sur un prêt à terme peut être fixe ou variable. Dans le cas des prêts offerts par les banques, le taux d'intérêt est généralement variable alors que dans les autres cas il est habituellement fixe. Lorsque le taux d'intérêt est variable, il évolue en fonction du taux préférentiel. Par exemple, si le taux d'intérêt est établi à 3% au-dessus du taux préférentiel pour un emprunteur donné, l'emprunteur paiera alors 14% lorsque le taux préférentiel se situe à 11% et 16% si le taux préférentiel passe à 13%. Dans le cas des prêts à taux variable, on fixe parfois un plafond quant au taux d'intérêt que peut charger l'institution prêteuse et ce, dans le but de limiter le risque de l'emprunteur.

Le prêt à terme constitue une importante source de financement pour les petites et moyennes entreprises. Toutefois, ce mode de financement comporte certaines clauses restrictives dont les plus courantes concernent le ratio du fonds de roulement et le niveau du fonds de roulement net à maintenir, les emprunts additionnels que pourra contracter l'entreprise, le versement des dividendes, les achats additionnels d'actifs et les renseignements périodiques (incluant les états financiers) que devra fournir l'emprunteur à l'institution prêteuse. Ces clauses ont évidemment pour objectif de protéger la position du prêteur. De plus, dans plusieurs cas, le prêteur exigera que l'entreprise emprunteuse cède des actifs en garantie ou même que certains de ses actionnaires donnent des garanties personnelles.

7.3.2   La location

Une autre façon pour l'entreprise d'obtenir l'usage d'un actif donné consiste à signer un contrat de location. Ce genre de contrat permet au locataire (ou preneur) d'utiliser un actif, sans en être propriétaire, au cours d'une période de temps spécifique. En contrepartie, le locataire s'engage à verser au locateur (ou bailleur) un loyer périodique jusqu'à l'expiration du contrat. Tout dépendant de la durée du contrat, la location peut être classifiée comme un mode de financement à court, moyen ou long terme. La location fait l'objet d'une présentation détaillée dans notre autre ouvrage traitant des décisions financières à long terme.

7.4   L'ANALYSE D'UNE DEMANDE DE PRÊT

Lorsqu'une entreprise sollicite un prêt auprès d'une institution financière, différents critères ou facteurs sont pris en considération par le prêteur dans la décision d'octroyer ou non le prêt demandé. Parmi les principaux, notons:

1.   Le but de l'emprunt
2.   La capacité de remboursement
3.   Les garanties offertes
4.   Le personnel de direction de l'entreprise

Ces différents facteurs sont discutés brièvement ci-dessous.

1. Le but de l'emprunt

Au départ, l'institution prêteuse voudra connaître ce que l'entreprise entend faire avec le produit de l'emprunt. De façon générale, il sera beaucoup plus facile de justifier un emprunt à court terme s'il vise à financer les comptes à recevoir et les stocks plutôt que l'acquisition d'actifs à long terme. En effet, les créanciers préféreront financer les actifs à long terme de l'entreprise par des dettes à long terme. De plus, il est habituellement beaucoup plus facile d'obtenir des fonds pour des activités pour lesquelles l'entreprise possède une expertise que pour financer des nouveaux crénaux de développement ou des projets de nature spéculative.

2. La capacité de remboursement

Le prêteur cherchera ensuite à savoir dans quelle mesure l'entreprise pourra rembourser les fonds empruntés. Dans ce but, des états financiers prévisionnels et un budget de caisse sont habituellement exigés. Ces projections financières sont habituellement accompagnées des principales hypothèses qui y sont sous-jacentes.

Dans le cadre de cet exercice, le prêteur a avantage à connaître à l'avance les normes du créancier concernant certains ratios financiers, tels que le ratio du fonds de roulement, le ratio d'endettement et le ratio de couverture des intérêts. On devra alors s'assurer que les projections effectuées respectent les contraintes imposées par le prêteur.

3. Les garanties offertes

Les garanties offertes jouent souvent un rôle déterminant dans l'obtention d'un prêt. Cette affirmation est d'autant plus vraie si l'emprunteur n'est en affaires que depuis récemment ou si ce dernier est un nouveau client de l'institution financière sollicitée.

Le prêteur exige des garanties afin de s'assurer qu'il pourra être remboursé même si l'entreprise traverse une période difficile. Comme nous l'avons déjà mentionné, le prêteur préférera des garanties faciles à liquider et n'hésitera pas à exiger des garanties personnelles dans le cas d'un prêt à une petite ou moyenne entreprise.

4. La direction de l'entreprise

De nos jours, les banquiers et autres prêteurs attachent de plus en plus d'importance à des facteurs comme l'expérience des dirigeants de l'entreprise, leur compétence professionnelle, leur crédibilité dans le milieu des affaires et leur participation financière dans l'entreprise.

Dans ce contexte, il peut être utile de joindre à la demande de prêt un curriculum vitae des principaux dirigeants de l'entreprise et de spécifier leurs principales réalisations. Il est également important de présenter les résultats passés de l'entreprise afin de pouvoir juger de l'efficacité des gestionnaires en place.

Tout dépendant de l'attitude de l'analyste de crédit face au risque et/ou de la politique de l'institution financière relativement au financement, l'importance à accorder à chacun des critères discutés ci-dessus variera d'un dossier à l'autre.

7.5 EXERCICES

1. Vrai ou faux

   a) Toutes les entreprises émettent du papier commercial.
   b) Le prêt bancaire à court terme est une excellente façon de financer l'acquisition d'immobilisations à long terme.

   c) Le crédit commercial découle des achats qu'une entreprise effectue auprès d'une autre entreprise.

   d) Les stocks de produits en cours constituent habituellement pour le prêteur une meilleure garantie que les stocks de produits finis.

   e) Le taux d'intérêt associé à un emprunt garanti est généralement moins élevé que celui lié à un emprunt non garanti.

   f) Le taux préférentiel est toujours de 10%.

   g) Le taux préférentiel est le taux d'intérêt auquel les compagnies de finance consentent des prêts à leurs clients.

   h) Le papier commercial se transige sur le marché des capitaux.

   i) Les échéances du papier commercial varient habituellement entre 5 et 10 ans.

   j) Habituellement, c'est la société d'affacturage qui assume le risque de non-paiement.

   k) Généralement, lorsque les ventes de l'entreprise augmentent, le financement par les comptes à payer augmente également.

   l) Lorsque les comptes à recevoir garantissent un prêt, le risque de non-paiement est assumé par l'institution prêteuse.

   m) Un prêt à terme est généralement garanti par les comptes à recevoir et les stocks que possède l'entreprise.
   n) Dans le cas d'un financement par location, le locataire ou preneur est propriétaire de l'actif.

o) En général, il n'est pas avantageux pour une entreprise de profiter des escomptes de caisse offerts.

p) Comme un bon du Trésor, un papier commercial peut être émis à escompte ou porter intérêt.

q) Les grandes entreprises canadiennes ont recours fréquemment à l'affacturage comme mode de financement.

r) Les banques prêtent généralement à l'entreprise un montant correspondant à 100% de la valeur aux livres de ses comptes à recevoir.

s) L'affacturage de ses comptes à recevoir permet à l'entreprise d'éviter d'avoir à maintenir un département de crédit.

t) Habituellement, les comptes à recevoir constituent une meilleure garantie à offrir au prêteur que les stocks.

u) Un des avantages de l'affacturage est qu'il permet à l'entreprise d'obtenir des fonds rapidement.

v) Un prêt à terme est toujours consenti à un taux d'intérêt fixe pour toute la durée du prêt.

w) L'entreprise a généralement recours aux sources de financement à court terme pour satisfaire ses besoins de fonds permanents.

x) Le coût d'un emprunt bancaire est le même pour tous les emprunteurs.

y) Généralement, les sources de fonds à court terme sont moins onéreuses que celles à moyen terme.

z) Le ratio d'endettement actuel de l'entreprise est un des facteurs pris en considération par l'institution financière dans la décision d'accorder ou non du crédit additionnel à cette dernière.

2. Calculez le coût annuel implicite (sur une base nominale) de ne pas profiter de l'escompte de caisse lorsque les conditions de crédit sont les suivantes:

    a)   3/5, net 20
    b)   2/5, net 30
    c)   2/30, net 45
    d)   1/10, net 60
    e)   3/10, net 90

3. Refaire le problème 2 en supposant que l'entreprise paie habituellement ses fournisseurs (ces derniers tolèrent cette pratique) 15 jours après la date d'échéance de la facture. Quel est l'impact de cette pratique sur le coût implicite du crédit commercial?

4. La compagnie SVG peut bénéficier d'un escompte de caisse de 3% si elle effectue le paiement dans les 10 jours de la facturation. Cependant, SVG a décidé de ne pas se prévaloir de l'escompte de caisse et de payer 10 jours après la date d'échéance de la facture. Le contrôleur de SVG a estimé que le coût implicite annuel (sur une base nominale) de ne pas se prévaloir de l'escompte est de 18,81%. Combien de jours s'écoule-t-il entre la fin de la période d'escompte et le moment où la facture est acquittée?

5. La compagnie Cymon achète pour 1 000 000$ par année de son fournisseur habituel. Les conditions de crédit offertes sont «net 30».

   a) En supposant que Cymon acquitte toujours ses factures à temps, quel est le solde moyen de ses comptes à payer? (Supposez une année de 365 jours).

   b) Quel est le financement additionnel que pourrait obtenir Cymon en réglant son fournisseur 10 jours plus tard?

6. La compagnie Assek éprouve actuellement certains problèmes de liquidités. Dans ce contexte, le directeur des finances envisage deux possibilités: (1) ne pas profiter des escomptes de caisse offerts et régler les fournisseurs dans 60 jours ou (2) contracter un emprunt bancaire au taux effectif annuel de 15%. Que devrait faire l'entreprise si les conditions de crédit offertes par les fournisseurs sont «2/10, net 60»?

7. La banque X offre de prêter à l'entreprise Kassé au taux annuel de 10% (les intérêts sont payables à la fin de l'année). D'autre part, la banque Y peut prêter au taux annuel de 9,5% si les intérêts sont payés en début d'année. A quel endroit l'entreprise Kassé devrait-elle emprunter?

8. La compagnie Beaumont a besoin d'un montant de 200 000$ pour un an. La banque offre trois possibilités:

   1. Taux d'intérêt annuel: 14%; intérêts payables à l'échéance; aucun solde compensateur.
   2. Taux d'intérêt annuel: 12%; intérêts payables à l'échéance; un solde compensateur de 20% est exigé.
   3. Taux d'intérêt annuel: 11%; intérêts payables en début d'année; un solde compensateur de 16% est exigé.

   Quelle possibilité vous semble la meilleure?

9. Un papier commercial de 1 000 000$, échéant dans 90 jours, est escompté à 973 000$. Calculez:

   a) son taux de rendement nominal annuel;

   b) son taux de rendement effectif annuel.

SOMMAIRE

Annexe

Valeurs actualisées et valeurs capitalisées

Annexe

VALEURS ACTUALISÉES ET VALEURS CAPITALISÉES

A.1 INTRODUCTION

Dans cette annexe, nous présentons les concepts fondamentaux des mathématiques financières[1]. Plus précisément, nous montrons, en premier lieu, comment déterminer la valeur capitalisée (c.-à-d. ce que vaudra à un moment donné dans le futur une somme investie aujourd'hui) et la valeur actualisée (c.-à-d. ce que vaut en dollars d'aujourd'hui une somme à recevoir à un moment donné dans le futur) dans le cas d'un flux monétaire unique. Par la suite, nous abordons le calcul de la valeur capitalisée et de la valeur actualisée dans des situations plus complexes où les flux monétaires sont multiples.

Les mathématiques financières jouent un rôle essentiel dans la prise de décisions financières. En effet, la plupart des décisions financières à long terme de l'entreprise (décision d'investir en actifs réels, décision achat-location, décision de refinancement, etc.) et de l'investisseur (décision d'acheter ou de vendre des actions ou des obligations) exigent la comparaison de flux monétaires dont la chronologie diverge. Afin d'effectuer des comparaisons valables, on doit être en mesure de transformer les flux monétaires prévus en dollars d'une même période. Il est donc essentiel pour le futur gestionnaire financier de bien maîtriser les notions fondamentales d'actualisation et de capitalisation abordées ci-dessous.

A.2 DÉFINITION DE L'INTÉRÊT

On peut considérer l'intérêt comme étant une dépense ou un revenu. Pour l'emprunteur, il s'agit d'une dépense qui correspond au loyer à payer pour l'utilisation d'une somme d'argent que le prêteur a mise à sa disposition. Pour le prêteur, l'intérêt est un revenu qu'il retire en guise de compensation pour s'être privé de la somme prêtée.

Pour calculer l'intérêt, on doit connaître le pourcentage à prélever sur le capital initial ainsi que la durée du prêt ou de l'emprunt. Le pourcentage à utiliser est défini comme étant le taux d'intérêt. Il existe deux sortes d'intérêt: l'intérêt simple et l'intérêt composé.

---

[1] Pour un traitement détaillé des mathématiques financières, voir W. O'Shaughnessy, **Mathématiques financières appliquées à la gestion,** Les éditions SMG, Trois-Rivières, 2e édition, 1983.

A.3 L'INTÉRÊT SIMPLE

Identifions les différents termes utilisés comme suit:

P : Principal ou capital initial
i : Taux d'intérêt par période
n : Nombre de périodes
I_n : Montant en dollars des intérêts
S_n : Valeur définitive, finale ou accumulée au terme de n périodes

L'intérêt rapporté par le capital P au cours de n périodes vaut:

$$I_n = P \cdot i \cdot n = Pin \tag{1}$$

La valeur définitive d'un placement au terme de n périodes est définie comme étant le total du capital investi et des intérêts gagnés. On peut donc écrire:

$$S_n = P + I_n$$
$$S_n = P + P \cdot i \cdot n$$
$$S_n = P(1 + in) \tag{2}$$

Exemple. On vous prête une somme de 10 000$ pour une durée de 4 ans au taux d'intérêt simple de 8% par année.

a) Quel sera le montant d'intérêt que vous aurez à payer pour les deux premières années?

b) Calculez le montant total que vous devrez remettre pendant la durée du prêt.

Solution

a) En utilisant l'expression (1), on obtient:

$I_2 = (10\ 000)\ (0,08)\ (2) = 1600$$

b) En utilisant l'expression (2), on obtient:

$S_4 = 10\ 000\ [1 + (4)\ (0,08)] = 13\ 200$$

Dans le cas de l'intérêt simple, le capital initial reste invariable et les intérêts sont les mêmes d'une période à l'autre. Ainsi, dans l'exemple précédent, les intérêts sont de 800$ pour chacune des quatre années. Notons également que, dans le cas de l'intérêt simple, le fait que les intérêts soient versés une ou plusieurs fois par année n'influe pas sur le montant total d'intérêts qui doit être versé. Dans l'exemple précédent, si les intérêts étaient versés trimestriellement, il faudrait effectuer 4 versements de 200$ à chaque année.

A.4   L'INTÉRÊT COMPOSÉ

Dans le cas de l'intérêt composé, l'intérêt gagné pendant une période s'ajoute au capital pour porter intérêt à son tour pendant les périodes suivantes. Par exemple, si vous placez 1000$ pour 3 ans à un taux d'intérêt annuel de 10%, le capital deviendra au bout d'un an 1100$. A la fin de l'année 2, le capital deviendra 1100 + (0,10) (1100) = 1210$. Dans 3 ans, le capital sera de 1210 + (0,10) (1210) = 1331$. En finance, à moins d'avis contraire, les calculs sont effectués en assumant qu'il s'agit d'intérêts composés.

A.4.1   Calcul de l'intérêt composé

Déterminons l'expression à utiliser pour le calcul de la valeur accumulée d'un capital. Pour ce faire, posons:

i : Taux d'intérêt par période de capitalisation des intérêts (taux périodique)
n : Nombre de périodes de capitalisation

La valeur accumulée à la fin de la période 1 (S_1) est:

S_1 = Principal + Intérêts gagnés au cours de la période 1
$S_1 = P + Pi$
$S_1 = P(1 + i)$

A la fin de la deuxième période, la valeur accumulée est:

S_2 = Valeur accumulée à la fin de la période 1 + Intérêts gagnés au
cours de la période 2
$S_2 = P(1 + i) + P(1 + i) i$
$S_2 = P(1 + i)(1 + i)$
$S_2 = P(1 + i)^2$

De la même façon, la valeur accumulée à la fin de la période 3 est:

S_3 = Valeur accumulée à la fin de la période 2 + Intérêts gagnés au
cours de la période 3

$S_3 = P(1 + i)^2 + P(1 + i)^2 i$
$S_3 = P(1 + i)^2 (1 + i)$
$S_3 = P(1 + i)^3$

On voit que, de façon générale, la valeur accumulée à la fin de la période n (S_n) vaut:

$$S_n = P(1 + i)^n \qquad (3)$$

L'équation (3) est l'équation fondamentale de l'intérêt composé. Elle indique que la valeur accumulée d'un capital croît exponentiellement avec le temps. Comme l'illustre la figure 1, plus le taux d'intérêt est élevé, plus la croissance est accentuée.

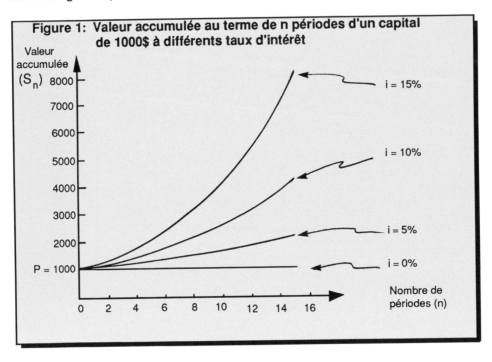

Figure 1: Valeur accumulée au terme de n périodes d'un capital de 1000$ à différents taux d'intérêt

Valeur accumulée au terme de n périodes d'un capital de 1000$

Nombre de périodes (n) / Taux d'intérêt (i%)	n = 1	n = 5	n = 10	n = 15
0%	1000 $	1000,00 $	1000,00 $	1000,00 $
5%	1050 $	1276,28 $	1628,89 $	2078,93 $
10%	1110 $	1610,51 $	2593,74 $	4177,25 $
15%	1150 $	2011,36 $	4045,56 $	8137,06 $

Remarque. La table 1 figurant à la fin du volume donne la valeur du facteur $(1 + i)^n$ pour différentes valeurs de i et de n. Il est à noter cependant que les tables financières sont de moins en moins utilisées depuis l'introduction sur le marché de calculatrices financières permettant d'effectuer rapidement et précisément le calcul des valeurs capitalisées et des valeurs actualisées.

Exemple. Un investisseur place 1000$ pour 8 ans à un taux d'intérêt de 9% composé annuellement.

a) De quelle somme disposera-t-il dans 8 ans si les intérêts sont réinvestis à 9%?

b) Déterminez les intérêts gagnés au cours de la 8e année.

Solution

a) En utilisant l'expression (3), on obtient:

$$S_8 = 1000 (1 + 0,09)^8 = 1992,56\$$$

b) Les intérêts gagnés au cours de la huitième année sont donnés par la différence entre S_8 et S_7:

Intérêts pour la huitième année : $S_8 - S_7 = 1000 (1 + 0,09)^8 - 1000(1 + 0,09)^7$

$$= 1992,56 - 1828,04$$
$$= 164,52\$$$

Exemple. A quel taux d'intérêt composé annuellement un capital double-t-il en 10 ans?

Solution

Soit: P = Capital

Il s'agit de trouver la valeur de i dans l'équation suivante:

$$P (1 + i)^{10} = 2P$$
$$(1 + i)^{10} = 2$$
$$i = 2^{1/10} - 1 = 7,18\%$$

A.4.2 Taux nominal, taux périodique et taux effectif

Il arrive fréquemment en pratique que les intérêts soient capitalisés plus d'une fois au cours d'une année. Ainsi, les intérêts peuvent être capitalisés deux fois au cours d'une année (c.-à-d. semestriellement), quatre fois au cours d'une année (c.-à-d. trimestriellement) ou douze fois au cours d'une année (c.-à-d. mensuellement). Dans un tel contexte, il convient de distinguer entre le taux nominal, le taux périodique et le taux effectif.

Taux nominal

On utilise l'expression taux nominal lorsque les intérêts sont capitalisés plusieurs fois au cours d'une année. A noter que le taux nominal est un taux annuel. Le symbole utilisé pour ce taux d'intérêt est «i_c», où c indique le nombre de périodes de capitalisation des intérêts au cours d'une année (c.-à-d. le nombre de fois où les intérêts sont versés et ajoutés au capital au cours d'une année). Ainsi, «i_2» représente un taux nominal avec capitalisation semestrielle des intérêts, «i_4» un taux nominal avec capitalisation trimestrielle des intérêts, «i_{12}» un taux nominal avec capitalisation mensuelle des intérêts, etc.

Taux périodique

Le taux périodique est celui qui est appliqué à chaque période de capitalisation. Ce taux, symbolisé par la lettre i, se calcule de la façon suivante:

$$i = \frac{\text{Taux nominal}}{\text{Nombre de périodes de capitalisation dans une année}}$$

$$i = \frac{i_c}{c} \qquad (4)$$

Ainsi, un taux nominal annuel de 10% avec capitalisation semestrielle des intérêts est équivalent à un taux périodique semestriel de 5%. De même, un taux nominal de 10% avec capitalisation trimestrielle des intérêts équivaut à un taux périodique trimestriel de 2,5%.

Lorsque les intérêts sont capitalisés plusieurs fois au cours d'une année, l'exposant «n» apparaissant dans la formule $S_n = P(1+i)^n$ (équation 3) doit être ajusté en conséquence selon la convention suivante:

$$n = \textbf{(Durée en années de la transaction) x c} \qquad (5)$$

De plus, le taux d'intérêt «i» qui doit apparaître dans l'équation 3 est nécessairement le taux d'intérêt périodique, soit i_c/c.

Exemple. Une banque paie un intérêt de 12% sur un dépôt de 1000$.

a) Quelle sera la valeur de ce dépôt après 5 ans si la capitalisation des intérêts est semestrielle?

b) Quelle sera la valeur de ce dépôt après 5 ans si la capitalisation des intérêts est mensuelle?

Solution

a) Ici, on a:

n = 5 x 2 = 10 périodes de capitalisation

i = Taux d'intérêt semestriel équivalent = $\dfrac{12\%}{2}$ = 6%

A partir de l'expression (3), on obtient alors:

S_{10} = 1000(1+0,06)^{10} = 1790,85$.

b) Ici, on a:

n = 5 x 12 = 60 périodes de capitalisation

i = Taux d'intérêt mensuel équivalent = $\dfrac{12\%}{12}$ = 1%

Par conséquent:

S_{60} = 1000(1+0,01)^{60} = 1816,70$.

Du point de vue de l'épargnant, on observe que la capitalisation mensuelle des intérêts est plus avantageuse que la capitalisation semestrielle.

Taux effectif annuel

Le taux effectif annuel est symbolisé par la lettre r. C'est le taux qu'on obtient en ramenant le taux d'intérêt périodique sur une base annuelle. On peut également définir le taux effectif annuel comme étant le taux qu'on obtient en divisant l'intérêt composé gagné au cours d'une année par le capital initial placé au début de l'année. Par exemple, si vous placez 1000$ à un taux nominal de 10% avec capitalisation semestrielle des intérêts pour un an, l'intérêt gagné au cours de l'année sera de:

$$\text{Intérêt gagné pour les 6 premiers mois} = (1000)\left(\dfrac{0,10}{2}\right) = 50\$$$

$$\text{Intérêt gagné pour les 6 derniers mois} = (1000 + 50)\left(\dfrac{0,10}{2}\right) = 52,50\$$$

$$\text{Intérêt gagné pour l'année} = 50 + 52,50 = 102,50\$$$

$$\text{D'où: r = Taux effectif annuel} = \dfrac{102,50}{1000} = 10,25\%$$

Ainsi, un taux d'intérêt annuel de 10,25% avec capitalisation annuelle des intérêts est équivalent à un taux d'intérêt annuel de 10% avec capitalisation semestrielle des intérêts. Dans les deux cas, un placement de 1000$ rapporte en intérêts 102,50$ au terme d'une année.

Relation d'équivalence entre les différents taux d'intérêt

Le nombre de fois où les intérêts sont capitalisés dans une année influence le taux de rendement d'un placement ou le coût d'un emprunt. Dans ce contexte, il est essentiel de pouvoir ramener à une même base des taux d'intérêt qui ne sont pas capitalisés le même nombre de fois au cours d'une année. Pour ce faire, on utilise la relation d'équivalence suivante:

$$\left(1 + \frac{i_c}{c}\right)^c = (1 + r) \tag{6}$$

Exemple. Vous empruntez une somme de 10 000$ au taux de 21% par année composé mensuellement pour 5 ans.

a) Quel est le taux nominal?

b) Quel est le taux périodique?

c) Quel est le taux effectif annuel?

d) Quel montant devrez-vous rembourser dans 5 ans?

Solution

a) Taux nominal: $i_{12} = 21\%$

b) Taux périodique: $i = \frac{i_{12}}{12} = \frac{0{,}21}{12} = 1{,}75\%$

c) Pour déterminer le taux effectif annuel (r), on utilise l'expression (6).

On obtient: $r = \left(1 + \frac{0{,}21}{12}\right)^{12} - 1 = 23{,}14\%$

d) Ici, on a: $n = 5 \times 12 = 60$ et $i = 1{,}75\%$. Par conséquent, le capital à rembourser dans 5 ans ou 60 mois est:

$S_{60} = 10\ 000(1+0{,}0175)^{60} = 28\ 318{,}16\$.$

Exemple. Quel est le taux nominal avec capitalisation mensuelle des intérêts qui est équivalent à un taux nominal de 9% avec capitalisation semestrielle des intérêts?

Solution

Dans ce cas, l'équation d'équivalence est:

$$\left(1 + \frac{i_{12}}{12}\right)^{12} = \left(1 + \frac{0,09}{2}\right)^{2}$$

$$\left(1 + \frac{i_{12}}{12}\right) = (1 + 0,045)^{2/12}$$

$$i_{12} = 12\left[(1 + 0,045)^{2/12} - 1\right] = 8,84\%$$

Remarques. 1. Lorsque l'intérêt est capitalisé une fois l'an, on a:

Taux nominal = Taux périodique = Taux effectif annuel

$$i_c = \frac{i_c}{c} = i = r \text{ puisque } c = 1$$

2. Pour un taux nominal donné, plus c est grand, plus r sera grand. Par exemple, il est plus avantageux de placer son argent à un taux nominal de 14% dont les intérêts sont capitalisés trimestriellement qu'à un taux nominal de 14% dont les intérêts sont capitalisés semestriellement. C'est l'inverse lors d'un emprunt.

A.4.3 La valeur actuelle ou présente

Le calcul de la valeur actuelle cherche à répondre à la question suivante: quelle somme P dois-je investir aujourd'hui pendant n périodes au taux d'intérêt stipulé pour obtenir la somme S_n. Par exemple, la valeur actuelle d'une somme de 125 000$ à recevoir dans 3 ans est de 93 914,35$ si le taux d'intérêt annuel est de 10%. Ceci signifie qu'il faudrait placer 93 914,35$ aujourd'hui pour obtenir 125 000$ dans 3 ans. En effet, on a:

$$93\ 914,35\ (1 + 0,10)^3 = 125\ 000\$$$

La valeur actuelle n'est en fait que l'inverse de la valeur accumulée. Comme l'illustre le schéma ci-dessous, lorsqu'on détermine la valeur accumulée d'une somme on avance dans le temps, tandis que lorsqu'on calcule la valeur actuelle d'une somme on se trouve à reculer dans le temps.

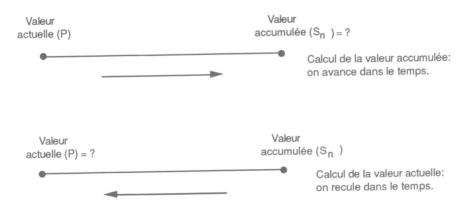

Valeur actuelle (P)

Valeur accumulée $(S_n) = ?$

Calcul de la valeur accumulée:
on avance dans le temps.

Valeur actuelle (P) = ?

Valeur accumulée (S_n)

Calcul de la valeur actuelle:
on recule dans le temps.

Pour calculer la valeur actuelle d'une somme S_n à recevoir dans n périodes, il suffit d'isoler P dans l'expression (3). On obtient alors:

$$S_n = P(1+i)^n$$

$$\text{d'où} \quad P = \frac{S_n}{(1+i)^n} = S_n (1+i)^{-n} \tag{7}$$

Comme la figure 2 permet de le visualiser, la valeur actualisée d'une somme S_n à recevoir dans n périodes est liée inversement au taux d'intérêt utilisé dans les calculs.

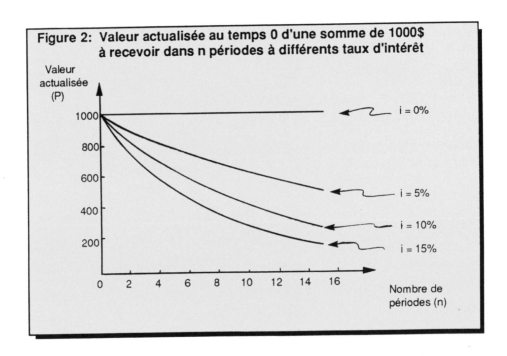

Figure 2: Valeur actualisée au temps 0 d'une somme de 1000$
à recevoir dans n périodes à différents taux d'intérêt

Valeur actualisée au temps 0 d'une somme de 1000$ à recevoir dans n périodes

Nombre de périodes (n) / Taux d'intérêt (i%)	n = 1	n = 5	n = 10	n = 15
0 %	1000,00$	1000,00$	1000,00$	1000,00$
5 %	952,38$	783,53$	613,91$	481,01$
10 %	909,09$	620,92$	385,54$	239,39$
15 %	869,57$	497,18$	247,18$	122,89$

Remarques. 1. Le concept de valeur actuelle intervient dans de nombreuses décisions financières. Il est donc très important de bien maîtriser cette notion.

2. La table 2 à la fin du volume donne la valeur du facteur $(1+i)^{-n}$ pour différentes valeurs de i et de n.

Exemple. Quelle somme doit-on placer aujourd'hui pour disposer de 20 000$ dans 8 ans? Le taux d'intérêt est de 10% avec capitalisation trimestrielle des intérêts.

Solution

Ici, on a: $n = 8 \times 4 = 32$ et $i = \dfrac{10\%}{4} = 2,5\%$.

Par conséquent: $P = 20\ 000(1 + 0,025)^{-32} = 9075,41\$$.

Exemple. Vous avez la possibilité de recevoir 2000$ maintenant ou 4000$ dans 6,5 ans. Quelle option préférez-vous si vous pouvez placer votre argent au taux nominal de 14% avec capitalisation semestrielle des intérêts?

Solution

Il s'agit de calculer la valeur actuelle du montant de 4000$ et de comparer le résultat obtenu avec le montant de 2000$. A l'aide de l'équation (7), on obtient:

$$P = 4000(1 + 0,07)^{-13} = 1659,86\$.$$

La meilleure option est donc de choisir 2000$ maintenant.

A.4.4 La capitalisation continue

Nous avons mentionné à la section A.4.2 que, pour un nominal donné, plus les intérêts sont capitalisés fréquemment, plus le taux effectif annuel correspondant sera élevé. Par exemple, pour un taux nominal de 10%, le taux effectif annuel évolue ainsi en fonction du nombre de périodes de capitalisation des intérêts dans une année:

Nombre de périodes de capitalisation des intérêts dans une année = c	Taux périodique équivalent = i_c/c	Taux effectif annuel correspondant = r
c = 1	10,0%	10%
c = 2	5,0%	10,25%
c = 4	2,5%	10,381%
c = 12	10%/12	10,471%
c = 24	10%/24	10,494%
c = 365	10%/365	10,516%
.	.	.
.	.	.
.	.	.
c →∞	10%/∞	10,517%

Lorsque les intérêts sont capitalisés et ajoutés au capital à tous les instants, on obtient donc un taux effectif annuel de 10,517%. Il s'agit du taux effectif annuel maximal que l'on peut obtenir à partir d'un taux nominal de 10%. Pour obtenir ce taux, il s'agit de faire tendre c vers l'infini dans l'expression (6). On obtient alors:

$$(1 + r) = \lim_{c \to \infty} \left(1 + \frac{i_c}{c}\right)^c \tag{8}$$

En ayant recours aux concepts du calcul différentiel, on peut prouver que:

$$\lim_{c \to \infty} \left(1 + \frac{i_c}{c}\right)^c = e^\delta$$

où: e = 2,718... (constante d'Euler)

$$\delta = \text{Force de l'intérêt} = \lim_{c \to \infty} i_c$$

Par conséquent: $r = e^\delta - 1 = e^{0,10} - 1 = 10,517\%$.

Calcul de la valeur accumulée

Lorsque les intérêts sont capitalisés continuellement, la valeur accumulée au bout de t années d'une somme P investie maintenant se calcule ainsi:

$$S_t = Pe^{t\delta} \tag{9}$$

Exemple

Vous placez 5000$ dans une banque. Le taux d'intérêt annuel à capitalisation continue est 12%. Quelle sera la valeur de ce dépôt après 5 ans?

Solution

A partir de l'expression (9), on obtient:

$$S_5 = 5000 \ e^{(5)(0,12)} = 9110,59\$.$$

Il est à noter que ce résultat est très voisin de celui que l'on trouve lorsque les intérêts sont capitalisés quotidiennement. En effet, dans le cas où les intérêts sont capitalisés à tous les jours, la valeur accumulée au bout de 5 ans est:

$$5000 \left(1 + \frac{0,12}{365}\right)^{(5)(365)} = 9109,70\$$$

Calcul de la valeur actuelle

Pour déterminer la valeur actuelle d'une somme d'argent à recevoir dans t années dans un contexte où les intérêts sont capitalisés à tous les instants, il suffit d'isoler P dans l'expression (9). On obtient alors:

$$S_t = Pe^{t\delta}$$

$$P = \frac{S_t}{e^{t\delta}} = S_t \ e^{-t\delta} \tag{10}$$

Exemple

Quelle est la valeur actuelle d'une somme de 1000$ à recevoir dans 3 ans si le taux nominal à capitalisation continue est de 8%?

Solution

En ayant recours à l'expression (10), on trouve:

$$P = 1000 \ e^{-(3)(0,08)} = 786,63\$$$

Passage d'un taux effectif annuel à un taux nominal à capitalisation continue

Pour calculer le taux nominal à capitalisation continue (δ) équivalent à un taux effectif annuel (r), il s'agit d'isoler δ dans l'équation ci-dessous:

$$e^{\delta} = 1 + r$$

Par conséquent:

$$Ln\ e^{\delta} = Ln(1 + r)$$

$$\delta Ln\ e = Ln(1 + r)$$

Puisque Ln e = 1, on obtient:

$$\delta = Ln(1 + r) \tag{11}$$

Exemple

Quel est le taux nominal à capitalisation continue équivalent à un taux effectif annuel de 15%?

Solution

A l'aide de l'expression (11), on obtient:

$$\delta = Ln(1 + 0,15) = 13,98\%.$$

A.5   LES ANNUITÉS SIMPLES

Une annuité est une série de versements généralement égaux effectués à des intervalles de temps égaux. Un exemple courant est la série de paiements périodiques que l'on doit effectuer pour rembourser un prêt hypothécaire ou un prêt automobile.

L'annuité peut être payable au début ou à la fin de la période. Généralement, les annuités de début de période visent à accumuler un capital alors que les annuités de fin de période ont comme but de rembourser une dette.

Il y a deux sortes d'annuités: les annuités simples et les annuités générales.

On parlera d'annuités simples lorsque la période de capitalisation des intérêts est la même que la période des versements. Un exemple d'annuité simple serait une série de versements semestriels avec une capitalisation semestrielle des intérêts.

On aura une annuité générale lorsque la période de capitalisation des intérêts est différente de la période des versements. Un exemple d'annuité générale serait une série de versements mensuels avec une capitalisation semestrielle des intérêts.

Dans cette section (A.5), nous ne traitons que des annuités simples. A la section suivante (A.6), nous abordons très brièvement le cas des annuités générales.

A.5.1 Les annuités simples de fin de période

Calcul de la valeur définitive ou accumulée

Définissons d'abord les symboles suivants:

V_d : Valeur définitive ou accumulée d'une annuité simple de fin de période d'un montant R$.

R   : Versement périodique.

n   : Nombre de périodes de capitalisation des intérêts. Dans le cas de l'annuité simple, n correspond également au nombre de versements.

i   : Taux d'intérêt par période de capitalisation.

$S_{\overline{n}|i}$: Valeur définitive ou accumulée d'une annuité simple de fin de période de 1$. Dans le cas particulier où R = 1$, on a évidemment $V_d = S_{\overline{n}|i}$.

Pour déterminer la valeur accumulée d'une annuité, il s'agit de calculer la valeur accumulée de chacun des versements R (voir le schéma ci-dessous) à la fin de la période n et d'en faire la somme.

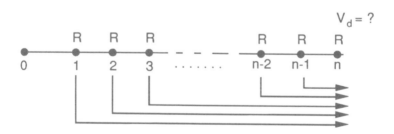

On observe, à partir du schéma précédent, que le premier versement (c.-à-d. celui effectué à la fin de la période 1) rapportera des intérêts pendant n-1 périodes. Sa valeur définitive sera donc de $R(1+i)^{n-1}$ à la fin de la période n. Le second versement rapportera des intérêts pendant n-2 périodes et aura une valeur définitive de $R(1+i)^{n-2}$ à la fin de la période n, etc. Finalement, le dernier versement, qui a lieu à la fin de la période n, ne rapportera évidemment aucun intérêt et sa valeur définitive sera donc de R. Par conséquent, V_d, la valeur définitive d'une annuité de fin de période, peut se calculer ainsi:

$$V_d = R(1+i)^0 + R(1+i)^1 + R(1+i)^2 + ... + R(1+i)^{n-3}$$

$$+ R(1+i)^{n-2} + R(1+i)^{n-1}$$

$$V_d = \sum_{t=0}^{n-1} R(1+i)^t$$

On pourrait utiliser l'expression ci-dessus pour évaluer V_d. Toutefois, si n est grand, les calculs risquent d'être laborieux. Il est préférable de reconnaître que cette expression est la somme d'une progression géométrique, dont le premier terme est R, la raison $(1 + i)$ et le nombre de termes est n. On sait que la somme d'une telle progression vaut:

$$\frac{a(r^n - 1)}{r - 1}$$

où a : Premier terme de la série
   r : Raison de la série: quotient de deux termes successifs
   n : Nombre de termes de la série

En utilisant ce dernier résultat, on obtient:

$$V_d = R\left[\frac{(1 + i)^n - 1}{(1 + i) - 1}\right]$$

$$V_d = R\left[\frac{(1 + i)^n - 1}{i}\right] \tag{12}$$

ou, en fonction de $S_{\overline{n}|i}$:

$$V_d = R\ S_{\overline{n}|i} \tag{12a}$$

Remarques. 1. La différence entre V_d et nR représente le total des intérêts gagnés.

2. La table 3 à la fin du volume donne la valeur du facteur $S_{\overline{n}|i} = \left[\frac{(1 + i)^n - 1}{i}\right]$ pour différentes valeurs de i et de n.

Exemple. Trouvez le capital obtenu en plaçant, à la fin de chaque trimestre, une somme de 200$ à un taux nominal de 8% avec capitalisation trimestrielle des intérêts pendant 5 ans. Quel serait le total des intérêts gagnés?

Solution

Le capital obtenu se calcule en utilisant l'équation (12):

$$V_d = 200 \left[\frac{(1 + 0,02)^{20} - 1}{0,02} \right] = 4859,47\$$$

Les intérêts gagnés sont donnés par la différence entre V_d et nR:

$4859,47 - (20)(200) = 859,47\$$.

Calcul de la valeur actuelle ou présente

Posons:

V_p :   Valeur actuelle ou présente d'une annuité simple de fin de période d'un montant R\$.

$A_{\overline{n}|i}$:   Valeur actuelle ou présente d'une annuité simple de fin de période de 1\$.

Pour déterminer la valeur actuelle d'une annuité, il s'agit de trouver la valeur actuelle de chacun des versements R (voir le schéma ci-dessous) et d'en faire la somme.

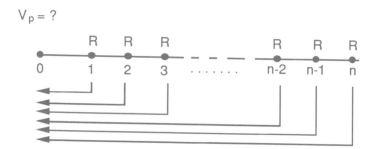

On constate, à partir du schéma ci-dessus, que la valeur actuelle du premier versement est $R(1+i)^{-1}$, que celle du second versement est $R(1+i)^{-2}$, etc. Finalement, on note que la valeur actualisée du dernier versement est $R(1+i)^{-n}$. La valeur actuelle d'une annuité de fin de période, V_p, peut donc se calculer ainsi:

$$V_p = R(1 + i)^{-1} + R(1 + i)^{-2} + R(1 + i)^{-3} + ... + R(1 + i)^{-n+2} + R(1 + i)^{-n+1} + R(1 + i)^{-n}$$

$$V_p = \sum_{t=1}^{n} R(1 + i)^{-t}$$

L'expression précédente est une progression géométrique, dont le premier terme est $R(1 + i)^{-1}$, la raison $(1 + i)^{-1}$ et le nombre de termes est n. En utilisant la formule donnant la somme d'une telle progression, on obtient:

$$V_p = R(1 + i)^{-1} \left[\frac{(1 + i)^{-n} - 1}{(1 + i)^{-1} - 1} \right]$$

Après simplifications, on trouve:

$$V_p = R \left[\frac{1 - (1 + i)^{-n}}{i} \right] \qquad (13)$$

ou, en fonction de $A_{\overline{n}|i}$:

$$V_p = RA_{\overline{n}|i} \qquad (13a)$$

Remarque. La table 4 à la fin du volume donne la valeur du facteur $A_{\overline{n}|i} = \left[\frac{1 - (1 + i)^{-n}}{i} \right]$ pour différentes valeurs de i et de n.

Le calcul de la valeur actuelle d'une annuité de fin de période permet notamment de répondre à la question suivante: quelle somme V_p dois-je placer aujourd'hui au taux d'intérêt "i" afin de pouvoir retirer R\$ à la fin de chaque période pendant n périodes.

Exemple. Vous pouvez placer votre argent au taux annuel de 10% et vous voulez recevoir 100\$ à la fin de chaque année pendant 3 ans. Déterminer le montant qu'il faut placer maintenant.

Solution

En utilisant l'expression (13), on obtient:

$$V_p = 100 \left[\frac{1 - (1 + 0,10)^{-3}}{0,10} \right] = 100A_{\overline{3}|10\%} = 248,69\$$$

Ce résultat signifie que vous devez placer 248,69\$ maintenant afin de recevoir 100\$ à la fin de chaque année pendant 3 ans.

Preuve

Somme disponible à la fin de l'année 1
en plaçant maintenant 248,69$ à 10% =
(248,69) (1 + 0,10)   273,56 $
Moins: Retrait à la fin de l'année 1   100.00
                                                                       173,56 $
Somme disponible à la fin de l'année 2 =
(173,56) (1 + 0,10)   190,91 $
Moins: Retrait à la fin de l'année 2   100.00
                                                                        90,91 $

Somme disponible à la fin de l'année 3 =
(90,91) (1 + 0,10)   100,00 $
Moins: Retrait à la fin de l'année 3   100.00
                                                                        0,00 $

A.5.2 Les annuités simples de début de période

Calcul de la valeur accumulée ou définitive

Définissons:

$\overline{V}_d$:   Valeur accumulée ou définitive d'une annuité simple de début
                de période d'un montant R$.

$S_{\overline{n}|i}(1 + i)$:   Valeur accumulée ou définitive d'une annuité simple de début
                de période de 1$.

Dans le cas d'une annuité de début de période, on a le schéma suivant:

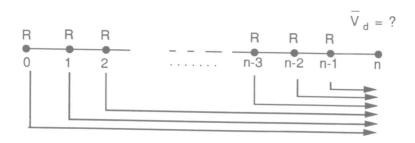

On note que chacun des versements porte intérêt une période de plus que dans le
cas de l'annuité de fin de période. Par conséquent, la valeur définitive de l'annuité
simple de début de période ($\overline{V}_d$) devrait égaler la valeur définitive de l'annuité de fin
de période (V_d) multiplié par le facteur (1 + i):

$$\overline{V}_d = V_d (1 + i)$$

ou

$$\overline{V}_d = R \left[\frac{(1 + i)^n - 1}{i} \right] (1 + i) \qquad (14)$$

$$\overline{V}_d = R \, S_{\overline{n}|i} \, (1 + i) \qquad (14a)$$

Exemple. Entre les deux options suivantes, déterminez la plus avantageuse:

(1)   10 semestrialités de 410$ versées à la fin de chaque semestre.

(2)   10 semestrialités de 400$ versées au début de chaque semestre.

Les fonds peuvent être investis au taux nominal de 10% avec capitalisation semestrielle des intérêts.

Solution

Une façon de procéder est de calculer la somme accumulée dans 5 ans selon chacune des deux options.

Option 1: Fin de période (expression 12)

$$V_d = 410 \left[\frac{(1 + 0,05)^{10} - 1}{0,05} \right] = 5156,94\$$$

Option 2: Début de période (expression 14)

$$\overline{V}_d = 400 \left[\frac{(1 + 0,05)^{10} - 1}{0,05} \right] (1 + 0,05) = 5282,71\$$$

La deuxième option est donc la plus avantageuse.

Calcul de la valeur actuelle ou présente

Soit:

V_p :   Valeur actuelle ou présente d'une annuité simple de début de période d'un montant R$.

$A_{\overline{n}|i} (1+i)$:   Valeur actuelle ou présente d'une annuité simple de début de période de 1$.

Puisque dans le cas d'une annuité de début de période les versements sont actualisés une période de moins que dans le cas d'une annuité de fin de période, la valeur actuelle d'une annuité de début de période ($\overline{V}_p$) devrait correspondre à la valeur actuelle d'une annuité de fin de période (V_p) multiplié par le facteur $(1 + i)$. On obtient alors les expressions suivantes:

$$\overline{V}_p = V_p (1 + i)$$

ou

$$\overline{V}_p = R \left[\frac{1 - (1 + i)^{-n}}{i} \right] (1 + i) \qquad (15)$$

$$\overline{V}_p = RA_{\overline{n}|i} (1 + i) \qquad (15a)$$

Exemple. A l'aide des données de l'exemple précédent, comparez les deux options en utilisant cette fois les valeurs actuelles.

Solution

Option 1

$$V_p = 410 \left[\frac{1 - (1 + 0,05)^{-10}}{0,05} \right] = 3165,91\$$$

Option 2

$$\overline{V}_p = 400 \left[\frac{1 - (1 + 0,05)^{-10}}{0,05} \right] (1 + 0,05) = 3243,13\$$$

Peu importe la méthode utilisée, la deuxième option demeure évidemment la plus avantageuse.

A.5.3 Les annuités différées

Une annuité différée est une suite de versements qui ne devient due ou payable qu'après une certaine période d'attente. Le schéma ci-dessous représente une annuité différée de h périodes.

Pour calculer la valeur actuelle d'une telle annuité au temps 0, il existe deux façons de procéder.

Méthode 1

Il s'agit d'abord de calculer la valeur actuelle de l'annuité au temps h. Par la suite, on doit actualiser cette valeur en la multipliant par $(1 + i)^{-h}$. On trouve:

$$V_p = RA_{\overline{n}|i} (1 + i)^{-h} \tag{16}$$

Méthode 2

Une seconde façon de calculer la valeur actuelle d'une annuité différée est de supposer des versements fictifs au cours de la période d'attente. Dans ce cas, la valeur actuelle de l'annuité différée correspond à la différence entre la valeur actuelle de deux annuités de fin de période, la première constituée de h versements fictifs et n réels (h + n versements) et la seconde de versements fictifs (h versements) (voir le schéma ci-dessous).

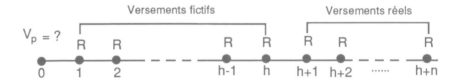

On obtient alors:

$$V_p = RA_{\overline{h+n}|i} - RA_{\overline{h}|i}$$

$$V_p = R\left[A_{\overline{h+n}|i} - A_{\overline{h}|i}\right] \tag{17}$$

Exemple. Quelle est la valeur actualisée d'une série de 8 paiements annuels de 200$ commençant dans 4 ans si le taux d'intérêt effectif annuel est de 10%?

Solution

Méthode 1

On a le schéma suivant:

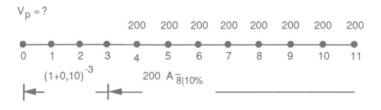

Selon cette méthode, on calcule, dans un premier temps, la valeur actuelle de cette annuité au temps 3.   Par la suite, il s'agit de multiplier le résultat obtenu par $(1+0,10)^{-3}$. On obtient alors:

$$V_p = 200A_{\overline{8}|10\%} (1 + 0,10)^{-3} = 801,64\$$$

Méthode 2

On a le schéma suivant:

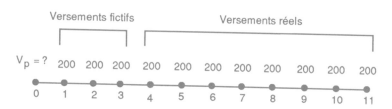

Selon cette méthode, on a:

V_p = [Valeur actuelle des versements fictifs et réels] - [Valeur actuelle des versements fictifs]
$V_p = 200A_{\overline{11}|10\%} - 200A_{\overline{3}|10\%} = 801,64\$$

A.5.4   Remboursements de prêts

Plusieurs prêts (prêt automobile, prêt aux entreprises) doivent être remboursés par une série de versements périodiques uniformes.   Chaque versement périodique comporte une partie intérêt et une partie remboursement de capital.   Pour diverses raisons, il peut être utile de déterminer la partie intérêt et la partie remise de capital de chaque versement.   Ainsi, du point de vue fiscal, pour les entreprises et les individus en affaires, les intérêts sont une dépense admissible, d'où la nécessité de pouvoir identifier la partie intérêt de chaque versement.   Au niveau comptable, on doit, lors de l'établissement des états financiers, déterminer le capital restant à rembourser sur les emprunts contractés par l'entreprise.

L'établissement d'un tableau d'amortissement du prêt sera illustré à l'aide de l'exemple ci-dessous.

Exemple. Une entreprise de construction emprunte 100 000$ au taux nominal de 12% (les intérêts sont capitalisés semestriellement).   Cet emprunt est remboursable par une série de 8 versements semestriels égaux de fin de période.

a)   Quel est le versement semestriel?

b)   Quel est le solde de la dette immédiatement après le 5ème versement?

c)   Dressez un tableau d'amortissement du prêt.

Solution

a) Le montant emprunté correspond à la valeur actualisée des 8 versements semestriels. On peut donc écrire:

$$100\ 000 = RA_{\overline{8}|6\%}$$

Le versement semestriel sera alors:

$$R = 16\ 103,59\$$$

b) Le solde d'une dette à une date donnée doit nécessairement égaler la valeur actualisée des versements qui restent à effectuer à cette date. Pour obtenir le solde de la dette immédiatement après le 5ème versement, il s'agit donc de calculer, au début du 6ème semestre, la valeur actualisée des trois versements de 16 103,59$ qui n'ont pas encore été effectués. On obtient alors:

$$\text{Solde de la dette} = 16\ 103,59 A_{\overline{3}|6\%}$$

$$= 43\ 045,09\$$$

c) Tableau d'amortissement du prêt

(1)	(2)	(3)	(4)=(2)x6%	(5)=(3)-(4)	(6)=(2)-(5)
Période	Solde en début de période	Versement de fin de période	Intérêt sur le solde	Rembours. de capital	Solde en fin de période
1	100 000,00	16 103,59	6000,00	10 103,59	89 896,41
2	89 896,41	16 103,59	5393,78	10 709,81	79 186,60
3	79 186,60	16 103,59	4751,20	11 352,39	67 834,21
4	67 834,21	16 103,59	4070,05	12 033,54	55 800,67
5	55 800,67	16 103,59	3348,04	12 755,55	43 045,12
6	43 045,12	16 103,59	2582,71	13 520,88	29 524,24
7	29 524,24	16 103,59	1771,45	14 332,14	15 192,10
8	15 192,10	16 103,59	911,53	15 192,06	$\cong 0$

Remarques. 1. L'intérêt décroît de période en période puisqu'il est calculé sur un solde décroissant.

2. Le capital remboursé augmente de période en période selon une progression géométrique dont la raison est (1 + 0,06). Par exemple, le remboursement de capital inclus dans le 6ème versement peut se calculer à partir du remboursement de capital inclus dans le 1er versement de la façon suivante:

$$13\ 520,88 = 10\ 103,59\ (1 + 0,06)^5$$

3. La décomposition du versement peut s'illustrer ainsi:

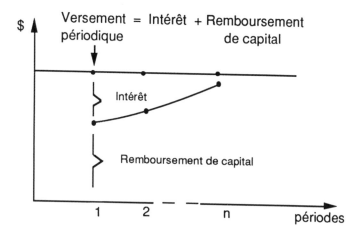

A.6   LES ANNUITÉS GÉNÉRALES

Une annuité générale est une suite de versements généralement égaux effectués à des périodes de temps égales et dont le nombre de périodes de capitalisation de l'intérêt est différent du nombre de versements. Un exemple courant est un emprunt hypothécaire. Dans ce cas particulier, l'intérêt est généralement capitalisé semestriellement et les versements sont effectués en fin de mois.

Principe pour calculer une annuité générale

Il s'agit de ramener le taux d'intérêt périodique sur une même base que la fréquence des versements.

Posons:

v : Nombre de versements dans une année
c : Nombre de périodes de capitalisation des intérêts dans une année
i : Taux d'intérêt périodique, soit $\dfrac{i_c}{c}$
j : Taux d'intérêt équivalent par période de versement

Selon la relation d'équivalence entre les différents taux d'intérêt, on doit avoir:

$$(1 + j)^v = (1 + i)^c$$

D'où:

$$j = (1 + i)^{c/v} - 1 = \left(1 + \frac{i_c}{c}\right)^{c/v} - 1 \qquad (18)$$

Ainsi, dans le cas où les versements sont effectués mensuellement et les intérêts capitalisés semestriellement, on a:

$$j = \left(1 + \frac{i_c}{c}\right)^{2/12} - 1$$

Une fois connue la valeur de j, il suffit de procéder de la même façon que pour une annuité simple.

Exemple. Vous venez d'emprunter 44 000$ pour acheter une maison unifamiliale. Le financement de cette maison se fera sur une période de 25 ans au moyen de versements mensuels de fin de période. Le taux hypothécaire est de 11% avec capitalisation des intérêts à tous les 6 mois.

a) Quel est le versement mensuel à effectuer?

b) Quel est le solde de l'hypothèque après le 60e versement?

c) Quelle est la partie intérêt incluse dans le 61e versement?

Solution

a) On doit trouver, en premier lieu, le taux d'intérêt mensuel j. Pour ce faire, on utilise l'équation (18).

$$j = \left(1 + \frac{0,11}{2}\right)^{2/12} - 1 = 0,0089634$$

Par la suite, on pose:

$$44\ 000 = RA_{\overline{300}|0,0089634}$$

Le versement mensuel sera donc: R = 423,51$

b) Solde de l'hypothèque après le 60e versement $=$ Valeur actuelle des versements restants [(25)(12) - 60 = 240 versements]

$$= 423,51 A_{\overline{240}|0,0089634}$$

$$= 41\ 698,83\$$$

c) Intérêt dans le 61e versement $=$ (Solde de l'hypothèque après le 60e versement) · j

$$= (41\ 698,83)\ (0,0089634)$$

$$= 373,76\$$$

A.7   LES PERPÉTUITÉS

Une perpétuité est une annuité dont les versements débutent à une date précise et se poursuivent indéfiniment. On ne peut calculer la valeur accumulée d'une perpétuité, puisque cette valeur tend vers l'infini. Par contre, on peut calculer la valeur actuelle d'une perpétuité. Pour ce faire, il s'agit de faire tendre n vers l'infini dans la formule donnant la valeur présente d'une annuité simple de fin de période (équation 13). On obtient alors:

$$V_p = \lim_{n \to \infty} \left[\frac{1 - (1 + i)^{-n}}{i} \right]$$

$$V_p = \frac{R}{i} \tag{19}$$

puisque $(1 + i)^{-n}$ tend vers 0 lorsque n est grand.

Si les versements sont effectués en début de période, il s'agit, comme dans le cas d'une annuité, de multiplier V_p par le facteur $(1 + i)$. On obtient alors:

$$\overline{V}_p = \frac{R(1 + i)}{i} \tag{20}$$

Exemple

a) Trouvez la valeur actuelle d'une perpétuité de 800$ payable à la fin de chaque trimestre si le taux nominal avec capitalisation trimestrielle des intérêts est de 10%.

b) Refaire (a) en supposant que les versements ont lieu au début de chaque trimestre.

Solution

a) $V_p = \dfrac{800}{0,025} = 32\ 000\$$

b) $\overline{V}_p = \dfrac{800(1 + 0,025)}{0,025} = 32\ 800\$$

A.8   EXERCICES

1.   Un investisseur de 30 ans veut disposer d'une somme de 1 000 000$ lorsqu'il atteindra 65 ans. Quel montant doit-il investir maintenant à un taux nominal de 16% avec capitalisation trimestrielle des intérêts pour accumuler cette somme?

2. Combien doit-on investir maintenant à un taux effectif annuel de 12% pour disposer de 10 000$ dans 5 ans et 3 mois?

3. Combien d'années faut-il pour quadrupler un investissement quelconque, si le taux nominal annuel avec capitalisation trimestrielle des intérêts est de 16%?

4. Lequel des taux suivants est préférable pour l'emprunteur:

   a) taux nominal de 24%, capitalisation semestrielle
   b) taux nominal de 24%, capitalisation mensuelle
   c) taux nominal de 24%, capitalisation trimestrielle
   d) taux effectif annuel de 25%
   e) taux nominal de 23%, capitalisation mensuelle
   f) taux nominal de 22,50% à capitalisation continue

5. Pour le prêteur, lequel des taux de la question précédente est le plus avantageux?

6. Quel est le taux nominal annuel, avec capitalisation des intérêts à tous les trois ans, qui est équivalent à un taux effectif annuel de 4%?

7. Déterminez la valeur actuelle d'une somme de 50 000$ payable dans 10 ans en admettant que le taux nominal avec capitalisation trimestrielle est de 12% pour les 4 premières années et de 18% pour les 6 dernières années.

8. Sur une propriété mise en vente, M. X. offre 18 000$ payables comptant, Mme Y. 25 000$ exigibles dans 8 ans et M. Z. 20 000$ payables dans 5 ans. Quelle est la meilleure offre si le taux nominal avec capitalisation trimestrielle des intérêts est de 8%?

9. Quel montant doit-on placer pour accumuler 1000$ dans 4 ans? On reçoit 6% d'intérêt par année, mais ce revenu est réinvesti à 3%.

10. Un emprunt de 10 000$ est remboursé par des paiements de 400$ effectués au début de chaque trimestre pendant 10 ans. Quel est le taux d'intérêt nominal avec capitalisation trimestrielle des intérêts? Quel est le taux effectif annuel?

11. La valeur actuelle, au temps 0, de la rente suivante est:

V_p = ?

	2	2	0	0	2	2	2	2	2	2
0	1	2	3	4	5	6	7	8	9	10

a) $2 A_{\overline{10}|i}$

b) $2 A_{\overline{10}|i} - 2 A_{\overline{2}|i}$

c) $2 A_{\overline{6}|i} (1 + i)^{-4} + 2 A_{\overline{2}|i}$

d) $2 A_{\overline{10}|i} - 2 A_{\overline{2}|i} (1 + i)^{-1}$

e)   b et c sont vrais

f)   b, c et d sont vrais

12. Vous empruntez 200$ au début de chaque mois pendant 4 ans. Quelle est votre dette au bout de 4 ans si le taux d'intérêt effectif annuel est de 10%?

13. Si le taux d'intérêt est de 19% avec capitalisation mensuelle, déterminez la valeur présente de 24 versements semestriels de 300$ dont le premier aura lieu dans 3 ans.

14. Votre associé vous prête une somme de 10 000$ pour 10 ans. Vous devez rembourser cet emprunt par des versements de 398,36$ à la fin de chaque trimestre. Déterminez:

a)   le taux trimestriel de l'emprunt,
b)   le taux effectif annuel de l'emprunt.

15. Trouvez le versement X à effectuer à la fin de chaque trimestre, pendant 17 ans, pour être en mesure de retirer à compter de la fin de la 18e année et ce, pendant 16 ans, des prestations annuelles indexées à 8% (c.-à-d. chaque prestation est de 8% supérieure à la précédente). Le taux d'intérêt effectif annuel est de 8% et la première prestation sera de 11 000$. Refaites les calculs en supposant que chaque prestation annuelle est indexée à 6%.

16. Si le taux d'intérêt est de 12% avec capitalisation trimestrielle des intérêts, calculez la valeur actuelle d'une perpétuité trimestrielle de 500$

a)   de fin de période;
b)   de début de période;
c)   dont le 1er versement aura lieu dans 4 ans et 6 mois.

17. Vous projetez l'achat d'une maison de 50 000$ et vous ne disposez que de 10 000$. Lors de vos démarches en vue de négocier une hypothèque, vous vous trouvez en face de deux propositions:

Proposition 1: Emprunt de 40 000$, remboursable par 300 versements mensuels de 610$;

Proposition 2: Emprunt de 40 000$ au taux nominal de 20% avec capitalisation semestrielle des intérêts, renégociable dans 5 ans jusqu'à l'échéance, 20 ans plus tard.

Vous pouvez aussi placer vos 10 000$ dans un compte offrant un intérêt de 16% annuel avec capitalisation mensuelle des intérêts et acheter la maison dans 5 ans. Son prix va cependant augmenter au taux d'inflation, soit 12% par année. Vous êtes convaincu que le taux d'intérêt hypothécaire avec capitalisation semestrielle des intérêts sera de 15% dans 5 ans. Déterminez:

a) le taux effectif annuel de la proposition 1,
b) le taux nominal annuel, capitalisé semestriellement, de la proposition 1,
c) le versement mensuel pour les 5 premières années si vous adoptez la proposition 2,
d) le montant à renégocier dans 5 ans,
e) le taux mensuel qui sera en vigueur dans 5 ans,
f) le montant des versements mensuels qui devront alors être effectués,
g) le montant des versements mensuels à effectuer si l'on utilise la troisième possibilité et que l'on emprunte pour 20 ans.

18. Un prêt de 25 000$ au taux effectif annuel de 14% est remboursable au moyen de 5 versements annuels de fin d'année.

a) Quel est le versement annuel?
b) Dressez un tableau montrant la partie capital et la partie intérêt de chacun des versements.

19. Un placement rapportera 18% capitalisé annuellement pendant les deux premières années et 8% capitalisé trimestriellement au cours des cinq années suivantes. Déterminez le taux effectif annuel équivalent à ces deux taux successifs.

20. Un individu âgé de 28 ans désire se constituer un régime de rente supplémentaire. Il prévoit verser à tous les semestres un montant de 1000$, le premier ayant lieu dans six mois et le dernier à l'âge de 59 ans. Son but est de recevoir une rente temporaire semestrielle commençant six mois après avoir atteint l'âge de 60 ans et se terminant à l'âge de 75 ans. On anticipe les taux d'intérêt suivants:

1) Taux effectif annuel de 7% pour la période d'accumulation des versements (28-60 ans)

2) Taux nominal de 9%, capitalisé semestriellement, pendant la période des prestations (60-75 ans)

Déterminez le montant semestriel de cette rente temporaire.

a) $\dfrac{1000\,S_{\overline{62}|3,44\%}\,(1+0,344)^2}{A_{\overline{30}|4,5\%}}$

b) $\dfrac{1000\,S_{\overline{62}|3,5\%}\,(1+0,035)^2}{A_{\overline{30}|4,5\%}}$

c) $\dfrac{1000\,S_{\overline{62}|3,44\%}}{A_{\overline{30}|4,5\%}}$

d) $\dfrac{1000\,S_{\overline{60}|3,5\%}\,(1+0,035)^2}{A_{\overline{30}|4,5\%}}$

e) $\dfrac{1000\,S_{\overline{64}|3,44\%}\,(1+0,0344)^2}{A_{\overline{30}|4,5\%}}$

f) $\dfrac{1000\,S_{\overline{62}|3,44\%}\,(1+0,0344)^2}{A_{\overline{30}|4,5\%}\,(1+0,045)^{-2}}$

21. Un paiement de 10$ est effectué maintenant et des paiements du même montant seront faits perpétuellement par la suite chaque cinq ans. Le taux d'intérêt effectif annuel est de 12%. Quelle est la valeur actualisée de ces paiements?

22. Dans le but d'acquérir de la machinerie, l'entreprise Bérubé emprunte à la banque une certaine somme X. On sait que cet emprunt est remboursable au moyen d'une série de 10 versements annuels égaux de fin de période. De plus, l'amortissement du 1er versement est de 5500$ alors que celui du 5e versement est de 8052,55$.

    a) Déterminez le taux d'intérêt effectif annuel chargé par la banque.

    b) Déterminez le montant emprunté.

    c) Déterminez le solde de la dette immédiatement après le 3e versement.

    d) Déterminez le total des intérêts payés par l'entreprise pendant la durée de l'emprunt.

23. Vrai ou faux.

    a) Un taux d'intérêt de 2% par mois correspond à un taux effectif annuel de 24%.

    b) En assumant que $i > i'$, on a $A_{\overline{n}|i} > A_{\overline{n}|i'}$.

    c) La valeur définitive d'une perpétuité est infinie.

d)   Un taux nominal de 14% avec capitalisation semestrielle des intérêts est équivalent à un taux effectif annuel de 14,49%.

e)   Un taux nominal de 14% avec capitalisation continue des intérêts est équivalent à un taux effectif annuel de 15,03%.

f)   En assumant que $i > i'$, on a $S_{\overline{n}|i} > S_{\overline{n}|i'}$.

g)   La valeur actuelle d'une série de 10 paiements de fin d'année faits dans le but d'accumuler 1000$ dans 10 ans est $1000(1 + i)^{-10}$

TABLES

TABLE 1.   Valeur acquise de \$1 ou valeur de $(1 + i)^n$.

TABLE 2.   Valeur présente de \$1 ou valeur de $(1 + i)^{-n}$.

TABLE 3.   Valeur définitive (acquise) d'une annuité de \$1 ou valeur de:
$$S_{\overline{n}|i} = \frac{(1 + i)^n - 1}{i}.$$

TABLE 4.   Valeur présente d'une annuité de \$1 ou valeur de:
$$a_{\overline{n}|i} = \frac{1 - (1 + i)^{-n}}{i}.$$

TABLE 5.   Loi normale centrée réduite.

Les tables financières ont été constituées sur un ordinateur de grande puissance (CYBER-74). Les valeurs obtenues correspondent à la précision des calculs de cet ordinateur. Nous n'avons retenu toutefois que six décimales.

TABLE 1. - Valeur acquise de $1 ou valeur de $(1 + i)^n$.

n	$\frac{1}{4}\%$	$\frac{1}{2}\%$	$\frac{3}{4}\%$	1%	$1\frac{1}{4}\%$	$1\frac{1}{2}\%$
1	1.002500	1.005000	1.007500	1.010000	1.012500	1.015000
2	1.005006	1.010025	1.015056	1.020100	1.025156	1.030225
3	1.007519	1.015075	1.022669	1.030301	1.037791	1.045678
4	1.010038	1.020151	1.030339	1.040604	1.050945	1.061364
5	1.012563	1.025251	1.038067	1.051010	1.064082	1.077284
6	1.015094	1.030378	1.045852	1.061520	1.077383	1.093443
7	1.017632	1.035529	1.053696	1.072135	1.090850	1.109845
8	1.020176	1.040707	1.061599	1.082857	1.104486	1.126493
9	1.022726	1.045911	1.069561	1.093685	1.118292	1.143390
10	1.025283	1.051140	1.077583	1.104622	1.132271	1.160541
11	1.027846	1.056396	1.085664	1.115668	1.146424	1.177949
12	1.030416	1.061678	1.093807	1.126825	1.160755	1.195618
13	1.032992	1.066986	1.102010	1.138093	1.175264	1.213552
14	1.035574	1.072321	1.110276	1.149474	1.189955	1.231756
15	1.038163	1.077683	1.118603	1.160969	1.204829	1.250232
16	1.040759	1.083071	1.126992	1.172579	1.219890	1.268986
17	1.043361	1.088487	1.135445	1.184304	1.235138	1.288020
18	1.045969	1.093929	1.143960	1.196147	1.250577	1.307341
19	1.048584	1.099399	1.152540	1.208109	1.266210	1.326951
20	1.051206	1.104896	1.161184	1.220190	1.282037	1.346855
21	1.053834	1.110420	1.169893	1.232392	1.298063	1.367058
22	1.056468	1.115972	1.178667	1.244716	1.314288	1.387564
23	1.059109	1.121552	1.187507	1.257163	1.330717	1.408377
24	1.061757	1.127160	1.196414	1.269735	1.347351	1.429503
25	1.064411	1.132796	1.205387	1.282432	1.364193	1.450945
26	1.067072	1.138460	1.214427	1.295256	1.381245	1.472710
27	1.069740	1.144152	1.223535	1.308209	1.398511	1.494800
28	1.072414	1.149873	1.232712	1.321292	1.415992	1.517222
29	1.075096	1.155622	1.241957	1.334504	1.433692	1.539981
30	1.077783	1.161400	1.251272	1.347849	1.451613	1.563080
31	1.080478	1.167207	1.260656	1.361327	1.469759	1.586526
32	1.083179	1.173043	1.270111	1.374941	1.488131	1.610324
33	1.085887	1.178908	1.279637	1.388690	1.506732	1.634479
34	1.088602	1.184803	1.289234	1.402577	1.525566	1.658996
35	1.091323	1.190727	1.298904	1.416603	1.544636	1.683881
36	1.094051	1.196681	1.308645	1.430769	1.563944	1.709140
37	1.096787	1.202664	1.318460	1.445076	1.583493	1.734777
38	1.099528	1.208677	1.328349	1.459527	1.603287	1.760798
39	1.102277	1.214721	1.338311	1.474123	1.623328	1.787210
40	1.105033	1.220794	1.348349	1.488864	1.643619	1.814018
41	1.107796	1.226898	1.358461	1.503752	1.664165	1.841229
42	1.110565	1.233033	1.368650	1.518790	1.684967	1.868847
43	1.113341	1.239198	1.378915	1.533978	1.706029	1.896880
44	1.116125	1.245394	1.389256	1.549318	1.727354	1.925333
45	1.118915	1.251621	1.399676	1.564811	1.748946	1.954213
46	1.121712	1.257879	1.410173	1.580459	1.770808	1.983526
47	1.124517	1.264168	1.420750	1.596263	1.792943	2.013279
48	1.127328	1.270489	1.431405	1.612226	1.815355	2.043478
49	1.130146	1.276842	1.442141	1.628348	1.838047	2.074130
50	1.132972	1.283226	1.452957	1.644632	1.861022	2.105242

n	$\frac{1}{4}\%$	$\frac{1}{2}\%$	$\frac{3}{4}\%$	1%	$1\frac{1}{4}\%$	$1\frac{1}{2}\%$
51	1.135804	1.289642	1.463854	1.661078	1.884285	2.136821
52	1.138644	1.296090	1.474833	1.677689	1.907839	2.168873
53	1.141490	1.302569	1.485894	1.694466	1.931687	2.201406
54	1.144344	1.309083	1.497038	1.711410	1.955833	2.234428
55	1.147205	1.315629	1.508266	1.728525	1.980281	2.267944
56	1.150073	1.322207	1.519578	1.745810	2.005034	2.301963
57	1.152948	1.328818	1.530975	1.763268	2.030097	2.336493
58	1.155830	1.335462	1.542457	1.780901	2.055473	2.371540
59	1.158720	1.342139	1.554026	1.798710	2.081167	2.407113
60	1.161617	1.348850	1.565681	1.816697	2.107181	2.443220
61	1.164521	1.355594	1.577424	1.834864	2.133521	2.479868
62	1.167432	1.362372	1.589254	1.853212	2.160190	2.517066
63	1.170351	1.369184	1.601174	1.871744	2.187193	2.554822
64	1.173277	1.376030	1.613183	1.890462	2.214532	2.593144
65	1.176210	1.382910	1.625281	1.909366	2.242214	2.632042
66	1.179150	1.389825	1.637471	1.928460	2.270242	2.671522
67	1.182098	1.396774	1.649752	1.947745	2.298620	2.711595
68	1.185053	1.403758	1.662125	1.967222	2.327353	2.752269
69	1.188016	1.410777	1.674591	1.986894	2.356444	2.793553
70	1.190986	1.417831	1.687151	2.006763	2.385900	2.835456
71	1.193964	1.424920	1.699804	2.026831	2.415724	2.877988
72	1.196948	1.432044	1.712553	2.047099	2.445920	2.921158
73	1.199941	1.439204	1.725397	2.067570	2.476494	2.964975
74	1.202941	1.446401	1.738337	2.088246	2.507450	3.009450
75	1.205948	1.453633	1.751375	2.109128	2.538794	3.054592
76	1.208963	1.460901	1.764510	2.130220	2.570529	3.100411
77	1.211985	1.468205	1.777744	2.151522	2.602660	3.146917
78	1.215015	1.475546	1.791077	2.173037	2.635193	3.194120
79	1.218053	1.482924	1.804510	2.194768	2.668133	3.242032
80	1.221098	1.490339	1.818044	2.216715	2.701485	3.290663
81	1.224151	1.497790	1.831679	2.238882	2.735254	3.340023
82	1.227211	1.505279	1.845417	2.261271	2.769444	3.390123
83	1.230279	1.512806	1.859258	2.283984	2.804062	3.440975
84	1.233355	1.520370	1.873202	2.306723	2.839113	3.492590
85	1.236438	1.527971	1.887251	2.329790	2.874602	3.544978
86	1.239529	1.535611	1.901405	2.353088	2.910534	3.598153
87	1.242628	1.543289	1.915666	2.376619	2.946916	3.652125
88	1.245735	1.551006	1.930033	2.400385	2.983753	3.706907
89	1.248849	1.558761	1.944509	2.424389	3.021049	3.762511
90	1.251971	1.566555	1.959092	2.448633	3.058813	3.818949
91	1.255101	1.574387	1.973786	2.473119	3.097048	3.876233
92	1.258239	1.582259	1.988589	2.497850	3.135761	3.934376
93	1.261384	1.590171	2.003503	2.522829	3.174958	3.993293
94	1.264538	1.598122	2.018530	2.548057	3.214645	4.053293
95	1.267699	1.606112	2.033669	2.573538	3.254828	4.114072
96	1.270868	1.614143	2.048921	2.599273	3.295513	4.175804
97	1.274046	1.622213	2.064288	2.625266	3.336707	4.238441
98	1.277231	1.630324	2.079770	2.651518	3.378416	4.302017
99	1.280424	1.638476	2.095369	2.678033	3.420646	4.366547
100	1.283625	1.646668	2.111084	2.704814	3.463404	4.432046

TABLE 1. - Valeur acquise de $1 ou valeur de $(1 + i)^n$.

n	$\frac{1}{4}\%$	$\frac{1}{2}\%$	$\frac{3}{4}\%$	1%	$1\frac{1}{4}\%$	$1\frac{1}{2}\%$
101	1.286834	1.654902	2.126917	2.731862	3.506697	4.498526
102	1.290051	1.663176	2.142069	2.759181	3.550531	4.566004
103	1.293276	1.671492	2.158940	2.786772	3.594912	4.634494
104	1.296509	1.679850	2.175132	2.814640	3.639849	4.704012
105	1.299751	1.688249	2.191446	2.842787	3.685347	4.774572
106	1.303000	1.696690	2.207882	2.871214	3.731414	4.846190
107	1.306258	1.705174	2.224441	2.899927	3.778056	4.918883
108	1.309523	1.713699	2.241124	2.928926	3.825282	4.992667
109	1.312797	1.722268	2.257933	2.958215	3.873098	5.067557
110	1.316079	1.730879	2.274867	2.987797	3.921512	5.143570
111	1.319369	1.739534	2.291929	3.017675	3.970531	5.220723
112	1.322668	1.748231	2.309118	3.047852	4.020162	5.299034
113	1.325974	1.756973	2.326436	3.078330	4.070414	5.378520
114	1.329289	1.765757	2.343885	3.109114	4.121294	5.459198
115	1.332612	1.774586	2.361464	3.140205	4.172811	5.541086
116	1.335944	1.783459	2.379175	3.171607	4.224971	5.624202
117	1.339284	1.792376	2.397019	3.203323	4.277783	5.708565
118	1.342632	1.801338	2.414996	3.235356	4.331255	5.794193
119	1.345989	1.810345	2.433107	3.267710	4.385396	5.881106
120	1.349354	1.819397	2.451357	3.300387	4.440213	5.969323
121	1.352727	1.828494	2.469742	3.333391	4.495716	6.058863
122	1.356109	1.837636	2.488265	3.366725	4.551912	6.149746
123	1.359499	1.846824	2.506927	3.400392	4.608811	6.241992
124	1.362898	1.856058	2.525729	3.434396	4.666421	6.335622
125	1.366305	1.865339	2.544672	3.468740	4.724752	6.430656
126	1.369721	1.874665	2.563757	3.503427	4.783811	6.527116
127	1.373145	1.884039	2.582985	3.538461	4.843609	6.625023
128	1.376578	1.893459	2.602358	3.573846	4.904154	6.724398
129	1.380019	1.902926	2.621876	3.609585	4.965456	6.825264
130	1.383469	1.912441	2.641540	3.645680	5.027524	6.927643
131	1.386928	1.922003	2.661351	3.682137	5.090368	7.031558
132	1.390395	1.931613	2.681311	3.718959	5.153998	7.137031
133	1.393871	1.941271	2.701421	3.756148	5.218423	7.244086
134	1.397356	1.950978	2.721682	3.793710	5.283653	7.352748
135	1.400849	1.960732	2.742094	3.831647	5.349698	7.463039
136	1.404352	1.970536	2.762660	3.869963	5.416570	7.574984
137	1.407862	1.980389	2.783380	3.908663	5.484277	7.688609
138	1.411382	1.990291	2.804255	3.947749	5.552830	7.803938
139	1.414911	2.000242	2.825287	3.987227	5.622241	7.920997
140	1.418448	2.010243	2.846477	4.027099	5.692519	8.039812
141	1.421994	2.020295	2.867826	4.067370	5.763675	8.160410
142	1.425549	2.030396	2.889334	4.108044	5.835721	8.282816
143	1.429113	2.040548	2.911004	4.149124	5.908668	8.407058
144	1.432686	2.050751	2.932837	4.190616	5.982526	8.533164
145	1.436267	2.061005	2.954833	4.232522	6.057308	8.661161
146	1.439858	2.071310	2.976994	4.274847	6.133024	8.791079
147	1.443458	2.081666	2.999322	4.317595	6.209687	8.922945
148	1.447066	2.092074	3.021817	4.360771	6.287308	9.056789
149	1.450684	2.102535	3.044480	4.404379	6.365899	9.192645
150	1.454311	2.113048	3.067314	4.448423	6.445473	9.330531

n	$\frac{1}{4}\%$	$\frac{1}{2}\%$	$\frac{3}{4}\%$	1%	$1\frac{1}{4}\%$	$1\frac{1}{2}\%$
151	1.457946	2.123613	3.090319	4.492907	6.526041	9.470488
152	1.461591	2.134231	3.113496	4.537836	6.607617	9.612546
153	1.465245	2.144902	3.136847	4.583215	6.690212	9.756734
154	1.468908	2.155626	3.160374	4.629047	6.773840	9.903085
155	1.472581	2.166405	3.184077	4.675337	6.858513	10.051631
156	1.476262	2.177237	3.207957	4.722091	6.944244	10.202406
157	1.479953	2.188123	3.232017	4.769311	7.031047	10.355442
158	1.483653	2.199063	3.256257	4.817005	7.118935	10.510773
159	1.487362	2.210059	3.280679	4.865175	7.207922	10.668435
160	1.491080	2.221109	3.305284	4.913826	7.298021	10.828462
161	1.494808	2.232215	3.330074	4.962965	7.389246	10.990889
162	1.498545	2.243376	3.355049	5.012594	7.481612	11.155752
163	1.502291	2.254593	3.380212	5.062720	7.575132	11.323088
164	1.506047	2.265866	3.405564	5.113347	7.669821	11.492934
165	1.509812	2.277195	3.431105	5.164481	7.765694	11.665328
166	1.513587	2.288581	3.456839	5.216126	7.862765	11.840308
167	1.517371	2.300024	3.482765	5.268287	7.961050	12.017913
168	1.521164	2.311524	3.508886	5.320970	8.060563	12.198182
169	1.524967	2.323080	3.535202	5.374180	8.161320	12.381154
170	1.528779	2.334697	3.561716	5.427921	8.263336	12.566872
171	1.532601	2.346370	3.588429	5.482201	8.366628	12.755375
172	1.536433	2.358102	3.615342	5.537023	8.471211	12.946705
173	1.540274	2.369893	3.642457	5.592393	8.577101	13.140906
174	1.544125	2.381742	3.669775	5.648317	8.684315	13.338020
175	1.547985	2.393651	3.697299	5.704800	8.792869	13.538090
176	1.551855	2.405619	3.725029	5.761848	8.902779	13.741161
177	1.555735	2.417647	3.752967	5.819466	9.014064	13.947279
178	1.559624	2.429735	3.781114	5.877661	9.126740	14.156488
179	1.563523	2.441884	3.809472	5.936438	9.240824	14.368835
180	1.567432	2.454094	3.838043	5.995802	9.356334	14.584368
181	1.571350	2.466364	3.866829	6.055760	9.473289	14.803133
182	1.575278	2.478696	3.895830	6.116318	9.591705	15.025180
183	1.579217	2.491089	3.925049	6.177481	9.711601	15.250558
184	1.583165	2.503545	3.954486	6.239256	9.832996	15.479316
185	1.587123	2.516062	3.984145	6.301648	9.955909	15.711506
186	1.591091	2.528643	4.014026	6.364665	10.080357	15.947179
187	1.595068	2.541286	4.044131	6.428311	10.206362	16.186386
188	1.599056	2.553992	4.074462	6.492594	10.333941	16.429182
189	1.603054	2.566762	4.105021	6.557520	10.463116	16.675620
190	1.607061	2.579596	4.135808	6.623096	10.593905	16.925754
191	1.611079	2.592494	4.166827	6.689326	10.726328	17.179640
192	1.615107	2.605457	4.198078	6.756220	10.860408	17.437335
193	1.619144	2.618484	4.229564	6.823782	10.996163	17.698095
194	1.623192	2.631576	4.261286	6.892020	11.133615	17.964378
195	1.627250	2.644734	4.293245	6.960940	11.272785	18.233844
196	1.631318	2.657958	4.325444	7.030549	11.413695	18.507352
197	1.635397	2.671248	4.357885	7.100855	11.556366	18.784962
198	1.639485	2.684604	4.390569	7.171863	11.700820	19.066737
199	1.643584	2.698027	4.423499	7.243582	11.847081	19.352738
200	1.647693	2.711517	4.456675	7.316018	11.995169	19.643029

TABLE 1. - Valeur acquise de $1 ou valeur de $(1 + i)^n$.

n	1¾%	2%	2½%	3%	3½%	4%
1	1.017500	1.020000	1.025000	1.030000	1.035000	1.040000
2	1.035306	1.040400	1.050625	1.060900	1.071225	1.081600
3	1.053424	1.061208	1.076891	1.092727	1.108718	1.124864
4	1.071859	1.082432	1.103813	1.125509	1.147523	1.169859
5	1.090617	1.104081	1.131408	1.159274	1.187686	1.216653
6	1.109702	1.126162	1.159693	1.194052	1.229255	1.265319
7	1.129122	1.148686	1.188686	1.229874	1.272279	1.315932
8	1.148882	1.171659	1.218403	1.266770	1.316809	1.368569
9	1.168987	1.195093	1.248863	1.304773	1.362897	1.423312
10	1.189444	1.218994	1.280085	1.343916	1.410599	1.480244
11	1.210260	1.243374	1.312087	1.384234	1.459970	1.539454
12	1.231439	1.268242	1.344889	1.425761	1.511069	1.601032
13	1.252990	1.293607	1.378511	1.468534	1.563956	1.665074
14	1.274917	1.319479	1.412974	1.512590	1.618695	1.731676
15	1.297228	1.345868	1.448298	1.557967	1.675349	1.800944
16	1.319929	1.372786	1.484506	1.604706	1.733986	1.872981
17	1.343028	1.400241	1.521618	1.652848	1.794676	1.947900
18	1.366531	1.428246	1.559659	1.702433	1.857489	2.025817
19	1.390445	1.456811	1.598650	1.753506	1.922501	2.106849
20	1.414778	1.485947	1.638616	1.806111	1.989789	2.191123
21	1.439537	1.515666	1.679582	1.860295	2.059431	2.278768
22	1.464729	1.545980	1.721571	1.916103	2.131512	2.369919
23	1.490361	1.576899	1.764611	1.973587	2.206114	2.464716
24	1.516443	1.608437	1.808726	2.032794	2.283328	2.563304
25	1.542981	1.640606	1.853944	2.093778	2.363245	2.665836
26	1.569993	1.673418	1.900293	2.156591	2.445959	2.772470
27	1.597457	1.706886	1.947800	2.221289	2.531567	2.883369
28	1.625413	1.741024	1.996495	2.287928	2.620172	2.998703
29	1.653858	1.775845	2.046407	2.356566	2.711878	3.118651
30	1.682800	1.811362	2.097568	2.427262	2.806794	3.243398
31	1.712249	1.847589	2.150007	2.500080	2.905031	3.373133
32	1.742213	1.884541	2.203757	2.575083	3.006708	3.508059
33	1.772702	1.922231	2.258851	2.652335	3.111942	3.648381
34	1.803725	1.960676	2.315322	2.731905	3.220860	3.794316
35	1.835290	1.999890	2.373205	2.813862	3.333590	3.946089
36	1.867407	2.039887	2.432535	2.898278	3.450266	4.103933
37	1.900087	2.080685	2.493349	2.985227	3.571025	4.268090
38	1.933338	2.122299	2.555682	3.074783	3.696011	4.438813
39	1.967172	2.164745	2.619574	3.167027	3.825372	4.616366
40	2.001597	2.208040	2.685064	3.262038	3.959260	4.801021
41	2.036625	2.252200	2.752190	3.359899	4.097834	4.993061
42	2.072266	2.299244	2.820995	3.460696	4.241258	5.192784
43	2.108531	2.343189	2.891520	3.564517	4.389702	5.400495
44	2.145430	2.390053	2.963808	3.671452	4.543342	5.616515
45	2.182975	2.437854	3.037903	3.781596	4.702353	5.841176
46	2.221177	2.486611	3.113851	3.895044	4.866941	6.074823
47	2.260048	2.536344	3.191697	4.011895	5.037284	6.317816
48	2.299599	2.587070	3.271490	4.132252	5.213589	6.570528
49	2.339842	2.638812	3.353277	4.256219	5.396065	6.833349
50	2.380789	2.691588	3.437109	4.383906	5.584927	7.106683

n	1¾%	2%	2½%	3%	3½%	4%
51	2.422453	2.745420	3.523036	4.515423	5.780399	7.390951
52	2.464846	2.800328	3.611112	4.650886	5.982313	7.686589
53	2.507980	2.856335	3.701390	4.790412	6.192108	7.994052
54	2.551870	2.913461	3.793925	4.934125	6.408832	8.313814
55	2.596528	2.971731	3.888773	5.082149	6.633141	8.646361
56	2.641967	3.031165	3.985992	5.234613	6.865301	8.992222
57	2.688202	3.091789	4.085642	5.391651	7.105587	9.351910
58	2.735245	3.153624	4.187783	5.553401	7.354282	9.725987
59	2.783112	3.216697	4.292478	5.720003	7.611682	10.115026
60	2.831816	3.281031	4.399790	5.891603	7.878091	10.519627
61	2.881373	3.346651	4.509784	6.068351	8.153824	10.940413
62	2.931797	3.413584	4.622529	6.250402	8.439208	11.378029
63	2.983104	3.481856	4.738092	6.437914	8.734580	11.833150
64	3.035308	3.551493	4.856545	6.631051	9.040291	12.306476
65	3.088426	3.622523	4.977958	6.829983	9.356701	12.799735
66	3.142473	3.694974	5.102407	7.034882	9.684185	13.310685
67	3.197466	3.768873	5.229967	7.245929	10.023132	13.843112
68	3.253422	3.844251	5.360717	7.463307	10.373941	14.396836
69	3.310357	3.921136	5.494734	7.687206	10.737029	14.972710
70	3.368288	3.999558	5.632103	7.917822	11.112825	15.571618
71	3.427233	4.079549	5.772905	8.155357	11.501774	16.194483
72	3.487210	4.161140	5.917228	8.400157	11.904336	16.842262
73	3.548236	4.244363	6.065159	8.652018	12.320988	17.515953
74	3.610330	4.329250	6.216788	8.911578	12.752223	18.216591
75	3.673511	4.415835	6.372207	9.178926	13.198550	18.945255
76	3.737797	4.504152	6.531513	9.454293	13.660500	19.703065
77	3.803209	4.594235	6.694800	9.737922	14.138617	20.491187
78	3.869765	4.686120	6.862170	10.030060	14.633469	21.310835
79	3.937486	4.779842	7.033725	10.330962	15.145640	22.163268
80	4.006392	4.875439	7.209568	10.640891	15.675738	23.049799
81	4.076504	4.972948	7.389807	10.960117	16.224388	23.971791
82	4.147843	5.072407	7.574552	11.288921	16.792242	24.930663
83	4.220430	5.173855	7.763916	11.627588	17.379970	25.927889
84	4.294287	5.277332	7.958014	11.976416	17.988269	26.965005
85	4.369437	5.382879	8.156964	12.335709	18.617859	28.043605
86	4.445903	5.490536	8.360888	12.705780	19.269484	29.165349
87	4.523706	5.600347	8.569911	13.086953	19.943916	30.331963
88	4.602871	5.712354	8.784158	13.479562	20.641953	31.545242
89	4.683421	5.826601	9.003762	13.883949	21.364421	32.807051
90	4.765381	5.943133	9.228856	14.300467	22.112176	34.119733
91	4.848775	6.061996	9.459578	14.729481	22.886102	35.484101
92	4.933629	6.183236	9.696067	15.171366	23.687116	36.903471
93	5.019967	6.306900	9.938469	15.626507	24.516165	38.379610
94	5.107816	6.433038	10.186931	16.095302	25.374230	39.914794
95	5.197203	6.561699	10.441604	16.578161	26.262339	41.511386
96	5.288154	6.692933	10.702644	17.075506	27.181510	43.171841
97	5.380697	6.826792	10.970210	17.587771	28.132863	44.898715
98	5.474859	6.963328	11.244465	18.115404	29.117513	46.694664
99	5.570669	7.102594	11.525577	18.658866	30.136626	48.562450
100	5.668156	7.244646	11.813716	19.218632	31.191408	50.504948

TABLE 1. - Valeur acquise de $1 ou valeur de $(1+i)^n$.

n	$4\frac{1}{2}\%$	5%	$5\frac{1}{2}\%$	6%	$6\frac{1}{2}\%$	7%
1	1.045000	1.050000	1.055000	1.060000	1.065000	1.070000
2	1.092025	1.102500	1.113025	1.123600	1.134225	1.144900
3	1.141166	1.157625	1.174241	1.191016	1.207949	1.225043
4	1.192519	1.215506	1.238825	1.262477	1.286466	1.310796
5	1.246182	1.276282	1.306960	1.338226	1.370087	1.402552
6	1.302260	1.340096	1.378843	1.418519	1.459142	1.500730
7	1.360862	1.407100	1.454687	1.503630	1.553987	1.605781
8	1.422101	1.477455	1.534687	1.593848	1.654996	1.718186
9	1.486095	1.551328	1.619094	1.689479	1.762570	1.838459
10	1.552969	1.628895	1.708144	1.790848	1.877137	1.967151
11	1.622853	1.710339	1.802092	1.898299	1.989151	2.104852
12	1.695881	1.795856	1.901207	2.012196	2.129096	2.252192
13	1.772196	1.885649	2.005774	2.132928	2.267487	2.409845
14	1.851945	1.979932	2.116091	2.260904	2.414874	2.578534
15	1.935282	2.078928	2.232476	2.396558	2.571841	2.759032
16	2.022370	2.182875	2.355263	2.540352	2.739011	2.952164
17	2.113377	2.292018	2.484802	2.692773	2.917046	3.158815
18	2.208479	2.406619	2.621466	2.854339	3.106454	3.379932
19	2.307860	2.526950	2.765647	3.025600	3.308587	3.616528
20	2.411714	2.653298	2.917757	3.207135	3.523645	3.869684
21	2.520241	2.785963	3.078234	3.399564	3.752682	4.140562
22	2.633652	2.925261	3.247537	3.603537	3.996466	4.430402
23	2.752166	3.071524	3.426152	3.819750	4.256386	4.740530
24	2.876014	3.225100	3.614590	4.048935	4.533051	5.072367
25	3.005434	3.386355	3.813392	4.291871	4.827699	5.427433
26	3.140679	3.555673	4.023129	4.549383	5.141500	5.807353
27	3.282010	3.733456	4.244301	4.822346	5.476697	6.213868
28	3.429700	3.920129	4.477843	5.111687	5.831617	6.648838
29	3.584036	4.116136	4.724124	5.418388	6.210672	7.114257
30	3.745318	4.321942	4.983951	5.743491	6.614366	7.612255
31	3.913357	4.538039	5.258069	6.088101	7.044300	8.145113
32	4.089761	4.764941	5.547262	6.453387	7.502179	8.715271
33	4.274030	5.003189	5.852362	6.840590	7.989821	9.325340
34	4.466362	5.253348	6.174242	7.251025	8.509159	9.978114
35	4.667348	5.516015	6.513825	7.686087	9.062255	10.676581
36	4.877378	5.791816	6.872085	8.147252	9.651301	11.423942
37	5.096860	6.081407	7.250050	8.636087	10.278636	12.223618
38	5.326219	6.385477	7.648803	9.154252	10.946747	13.079271
39	5.565899	6.704751	8.069487	9.703507	11.658286	13.994820
40	5.816365	7.039989	8.513309	10.285718	12.416075	14.974458
41	6.078101	7.391988	8.981541	10.902861	13.223119	16.022670
42	6.351615	7.761588	9.475525	11.557013	14.082622	17.144257
43	6.637438	8.149667	9.996679	12.250455	14.997993	18.344355
44	6.936123	8.557150	10.546497	12.985482	15.972862	19.628460
45	7.248248	8.985008	11.126554	13.764611	17.011098	21.002452
46	7.574420	9.434258	11.738515	14.590487	18.116820	22.472623
47	7.915268	9.905971	12.384133	15.465917	19.294413	24.045707
48	8.271456	10.401270	13.065260	16.393872	20.548550	25.728907
49	8.643671	10.921333	13.783849	17.377504	21.884205	27.529930
50	9.032636	11.467400	14.541961	18.420154	23.306679	29.457025
51	9.439105	12.040770	15.341769	19.525364	24.821613	31.519017
52	9.863865	12.642808	16.185566	20.696885	26.435018	33.725348
53	10.307739	13.274949	17.075773	21.938698	28.153294	36.086122
54	10.771587	13.938696	18.014940	23.255020	29.983258	38.612151
55	11.256308	14.635631	19.005762	24.650322	31.933170	41.315001
56	11.762842	15.367412	20.051079	26.129341	34.007761	44.207052
57	12.292170	16.135783	21.153888	27.697101	36.218265	47.301545
58	12.845318	16.942572	22.317352	29.358927	38.572452	50.612653
59	13.423357	17.789701	23.544806	31.120463	41.079662	54.155539
60	14.027408	18.679186	24.839770	32.987691	43.749840	57.946427
61	14.658641	19.613145	26.205958	34.966952	46.593579	62.002677
62	15.318280	20.593802	27.647285	37.064969	49.622162	66.342864
63	16.007603	21.623493	29.167886	39.288868	52.847603	70.986865
64	16.727945	22.704667	30.772120	41.646200	56.282697	75.955945
65	17.480702	23.839901	32.464587	44.144972	59.941072	81.272861
66	18.267334	25.031896	34.250139	46.793670	63.837242	86.961962
67	19.089364	26.283490	36.133896	49.601290	67.986662	93.049299
68	19.948385	27.597665	38.121261	52.577368	72.405795	99.562750
69	20.846063	28.977548	40.217930	55.732010	77.112172	106.532142
70	21.784136	30.426426	42.429916	59.075730	82.124463	113.989392
71	22.764422	31.947747	44.763562	62.620486	87.462553	121.968650
72	23.788821	33.545134	47.225558	66.377715	93.147617	130.506455
73	24.859318	35.222391	49.822963	70.360378	99.202215	139.641907
74	25.977987	36.983510	52.563226	74.582001	105.650359	149.416840
75	27.146996	38.832686	55.454204	79.056921	112.517632	159.876019
76	28.368611	40.774320	58.504185	83.800336	119.831278	171.067341
77	29.645199	42.813036	61.721915	88.828356	127.620311	183.042055
78	30.979233	44.953688	65.116620	94.158058	135.915631	195.854998
79	32.373298	47.201372	68.698034	99.807541	144.750147	209.564848
80	33.830096	49.561441	72.476426	105.795993	154.159007	224.234388
81	35.352451	52.039513	76.462630	112.143753	164.179236	239.930795
82	36.943311	54.641489	80.668074	118.872378	174.850886	256.725950
83	38.605760	57.373563	85.104818	126.004721	186.216194	274.696767
84	40.343019	60.242241	89.785583	133.565004	198.320246	293.925541
85	42.158455	63.254353	94.723791	141.573904	211.211062	314.500328
86	44.055586	66.417071	99.933599	150.073639	224.939781	336.515351
87	46.038080	69.737925	105.429947	159.078057	239.560867	360.071426
88	48.109801	73.224821	111.228594	168.622741	255.132323	385.276426
89	50.274742	76.886062	117.346167	178.740105	271.715925	412.245776
90	52.537105	80.730365	123.800206	189.464511	289.377660	441.102980
91	54.901275	84.766883	130.609217	200.832382	308.186994	471.980188
92	57.371832	89.005227	137.792274	212.882325	328.219147	505.018802
93	59.953541	93.455489	145.371234	225.655264	349.553394	540.370118
94	62.651475	98.128263	153.366747	239.194580	372.274364	578.196026
95	65.470790	103.034676	161.801918	253.546255	396.472198	618.669748
96	68.416977	108.186410	170.701023	268.759030	422.242891	661.976630
97	71.495741	113.595731	180.089580	284.884572	449.688679	708.314994
98	74.713298	119.275517	189.994507	301.977646	478.918443	757.897044
99	78.075137	125.239723	200.444204	320.096305	510.048142	810.949837
100	81.588518	131.501259	211.468636	339.302084	543.201271	867.716326

TABLE 1. - Valeur acquise de $1 ou valeur de $(1 + i)^n$.

n	8 %	9 %	10 %	12 %	16 %	20 %
1	1.080000	1.090000	1.100000	1.120000	1.160000	1.200000
2	1.166400	1.188100	1.210000	1.254400	1.345600	1.440000
3	1.259712	1.295029	1.331000	1.404928	1.560896	1.728000
4	1.360489	1.411582	1.464100	1.573519	1.810639	2.073600
5	1.469328	1.538624	1.610510	1.762342	2.100342	2.488320
6	1.586874	1.677100	1.771561	1.973823	2.436396	2.985984
7	1.713824	1.828039	1.948717	2.210681	2.826220	3.583181
8	1.850930	1.992563	2.143589	2.475963	3.278415	4.299817
9	1.999005	2.171893	2.357948	2.773079	3.802961	5.159780
10	2.158925	2.367364	2.593742	3.105848	4.411435	6.191736
11	2.331639	2.580426	2.853117	3.478550	5.117265	7.430084
12	2.518170	2.812665	3.138428	3.895976	5.936027	8.916100
13	2.719624	3.065805	3.452271	4.363493	6.885791	10.699321
14	2.937194	3.341727	3.797498	4.887112	7.987518	12.839185
15	3.172169	3.642482	4.177248	5.473566	9.265521	15.407022
16	3.425943	3.970306	4.594973	6.130394	10.748004	18.488426
17	3.700018	4.327633	5.054470	6.866041	12.467685	22.186111
18	3.996019	4.717120	5.559917	7.689966	14.462514	26.623333
19	4.315701	5.141661	6.115909	8.612762	16.776517	31.948000
20	4.660957	5.604411	6.727500	9.646293	19.460759	38.337600
21	5.033834	6.108808	7.400250	10.803848	22.574481	46.005120
22	5.436540	6.658600	8.140275	12.100310	26.186398	55.206144
23	5.871464	7.257874	8.954302	13.552347	30.376222	66.247373
24	6.341181	7.911083	9.849733	15.178629	35.236417	79.496847
25	6.848475	8.623081	10.834706	17.000064	40.874244	95.396217
26	7.396353	9.399158	11.918177	19.040072	47.414123	114.475460
27	7.988061	10.245082	13.109994	21.324881	55.000382	137.370552
28	8.627106	11.167140	14.420994	23.883866	63.800444	164.844662
29	9.317275	12.172182	15.863093	26.749930	74.008515	197.813595
30	10.062657	13.267678	17.449402	29.959922	85.849877	237.376314
31	10.867669	14.461770	19.194342	33.555113	99.585857	284.851577
32	11.737083	15.763329	21.113777	37.581726	115.519594	341.821972
33	12.676050	17.182028	23.225154	42.091533	134.002729	410.186270
34	13.690134	18.728411	25.547670	47.142517	155.443166	492.223524
35	14.785344	20.413968	28.102437	52.799620	180.314073	590.668229
36	15.968172	22.251225	30.912681	59.135574	209.164324	708.801875
37	17.245626	24.253835	34.003949	66.231843	242.630616	850.562250
38	18.625276	26.436680	37.404343	74.179664	281.451515	1020.674700
39	20.115298	28.815982	41.144778	83.081224	326.483757	1224.809640
40	21.724521	31.409420	45.259256	93.050970	378.721158	1469.771568
41	23.462483	34.236268	49.785181	104.217087	439.316544	1763.725882
42	25.339482	37.317532	54.763699	116.723137	509.607191	2116.471058
43	27.366640	40.676110	60.240069	130.729914	591.144341	2539.765269
44	29.555772	44.336960	66.264076	146.417503	685.727436	3047.718323
45	31.920449	48.327286	72.890484	163.987604	795.443826	3657.261988
46	34.474085	52.676742	80.179532	183.666116	922.714838	4388.714386
47	37.232012	57.417649	88.197485	205.706050	1070.349212	5266.457263
48	40.210573	62.585237	97.017234	230.390776	1241.605086	6319.748715
49	43.427419	68.217908	106.718957	258.037669	1440.261900	7583.698458
50	46.901613	74.357520	117.390653	289.002190	1670.703804	9100.438150

TABLE 2. – Valeur présente de $1 ou valeur de $(1+i)^{-n}$.

n	$\frac{1}{4}\%$	$\frac{1}{2}\%$	$\frac{3}{4}\%$	1%	$1\frac{1}{4}\%$	$1\frac{1}{2}\%$
1	.997506	.995025	.992556	.990099	.987654	.985222
2	.995019	.990075	.985167	.980296	.975461	.970662
3	.992537	.985149	.977833	.970590	.963418	.956317
4	.990062	.980248	.970554	.960980	.951524	.942184
5	.987593	.975371	.963329	.951466	.939737	.928260
6	.985130	.970518	.956158	.942045	.928175	.914542
7	.982674	.965690	.949040	.932718	.916716	.901027
8	.980223	.960885	.941975	.923483	.905398	.887711
9	.977779	.956105	.934963	.914340	.894221	.874592
10	.975340	.951348	.928003	.905287	.883181	.861667
11	.972908	.946615	.921095	.896324	.872277	.848933
12	.970482	.941905	.914238	.887449	.861509	.836387
13	.968062	.937219	.907432	.878663	.850873	.824027
14	.965648	.932556	.900677	.869963	.840368	.811849
15	.963239	.927917	.893973	.861349	.829993	.799852
16	.960837	.923300	.887318	.852821	.819746	.788031
17	.958441	.918707	.880712	.844377	.809626	.776385
18	.956051	.914136	.874156	.836017	.799631	.764912
19	.953667	.909588	.867649	.827740	.789759	.753607
20	.951289	.905063	.861190	.819544	.780009	.742470
21	.948916	.900560	.854779	.811430	.770379	.731498
22	.946550	.896080	.848416	.803396	.760868	.720688
23	.944190	.891622	.842100	.795442	.751475	.710037
24	.941835	.887186	.835831	.787566	.742197	.699544
25	.939486	.882772	.829609	.779768	.733034	.689206
26	.937143	.878380	.823434	.772048	.723984	.679021
27	.934806	.874010	.817304	.764404	.715046	.668986
28	.932475	.869662	.811220	.756836	.706219	.659099
29	.930150	.865335	.805181	.749342	.697500	.649359
30	.927870	.861030	.799187	.741923	.688889	.639762
31	.9255.7	.856746	.793238	.734577	.680384	.630308
32	.923209	.852484	.787333	.727304	.671984	.620993
33	.920906	.848242	.781472	.720103	.663688	.611816
34	.918610	.844022	.775654	.712973	.655494	.602774
35	.916319	.839823	.769880	.705914	.647402	.593866
36	.914034	.835645	.764149	.698925	.639409	.585090
37	.911754	.831487	.758461	.692005	.631515	.576443
38	.909481	.827351	.752814	.685153	.623719	.567924
39	.907213	.823235	.747210	.678370	.616019	.559531
40	.904950	.819139	.741648	.671653	.608413	.551262
41	.902694	.815064	.736127	.665003	.600902	.543116
42	.900443	.811009	.730647	.658419	.593484	.535089
43	.898197	.806974	.725208	.651900	.586157	.527182
44	.895957	.802959	.719810	.645445	.578920	.519391
45	.893723	.798964	.714451	.639055	.571773	.511715
46	.891494	.794989	.709133	.632728	.564714	.504153
47	.889271	.791034	.703854	.626463	.557742	.496702
48	.887053	.787098	.698614	.620260	.550856	.489362
49	.884841	.783182	.693414	.614119	.544056	.482130
50	.882635	.779286	.688252	.608039	.537339	.475005

n	$\frac{1}{4}\%$	$\frac{1}{2}\%$	$\frac{3}{4}\%$	1%	$1\frac{1}{4}\%$	$1\frac{1}{2}\%$
51	.880433	.775409	.683128	.602019	.530705	.467985
52	.878238	.771551	.678043	.596058	.524153	.461069
53	.876048	.767713	.672995	.590156	.517682	.454255
54	.873863	.763893	.667986	.584313	.511291	.447542
55	.871684	.760093	.663013	.578528	.504979	.440928
56	.869510	.756311	.658077	.572800	.498745	.434412
57	.867342	.752548	.653178	.567129	.492587	.427992
58	.865179	.748804	.648316	.561514	.486506	.421667
59	.863021	.745079	.643490	.555954	.480500	.415435
60	.860869	.741372	.638700	.550450	.474568	.409296
61	.858722	.737684	.633945	.545000	.468709	.403247
62	.856581	.734014	.629226	.539604	.462922	.397288
63	.854445	.730362	.624542	.534261	.457207	.391417
64	.852314	.726728	.619893	.528971	.451563	.385632
65	.850188	.723113	.615278	.523734	.445988	.379933
66	.848068	.719515	.610698	.518548	.440482	.374318
67	.845953	.715935	.606152	.513414	.435044	.368787
68	.843844	.712374	.601639	.508331	.429673	.363337
69	.841739	.708827	.597161	.503298	.424368	.357967
70	.839640	.705303	.592715	.498315	.419129	.352677
71	.837547	.701794	.588303	.493381	.413955	.347465
72	.835459	.698302	.583924	.488496	.408844	.342330
73	.833374	.694828	.579577	.483659	.403797	.337271
74	.831296	.691371	.575262	.478871	.398811	.332287
75	.829223	.687932	.570980	.474129	.393888	.327376
76	.827155	.684509	.566730	.469435	.389025	.322538
77	.825093	.681104	.562511	.464787	.384222	.317771
78	.823035	.677715	.558323	.460185	.379477	.313075
79	.820982	.674343	.554167	.455629	.374794	.308448
80	.818935	.670988	.550042	.451118	.370167	.303890
81	.816893	.667650	.545947	.446651	.365597	.299399
82	.814856	.664329	.541883	.442229	.361083	.294975
83	.812824	.661023	.537849	.437851	.356625	.290615
84	.810797	.657735	.533845	.433515	.352223	.286321
85	.808775	.654462	.529871	.429223	.347874	.282089
86	.806758	.651206	.525927	.424974	.343580	.277920
87	.804746	.647967	.522012	.420766	.339338	.273813
88	.802739	.644743	.518126	.416600	.335148	.269767
89	.800737	.641535	.514269	.412475	.331011	.265780
90	.798740	.638344	.510440	.408391	.326924	.261852
91	.796749	.635168	.506641	.404348	.322888	.257982
92	.794762	.632008	.502869	.400344	.318902	.254170
93	.792780	.628863	.499126	.396380	.314965	.250414
94	.790803	.625735	.495410	.392456	.311076	.246713
95	.788831	.622622	.491722	.388570	.307236	.243067
96	.786863	.619524	.488062	.384723	.303443	.239475
97	.784901	.616442	.484428	.380914	.299697	.235936
98	.782944	.613375	.480822	.377142	.295997	.232449
99	.780991	.610323	.477243	.373408	.292342	.229014
100	.779044	.607287	.473690	.369711	.288733	.225629

TABLE 2. – Valeur présente de $1 ou valeur de $(1 + i)^{-n}$.

n	1/4 %	1/2 %	3/4 %	1 %	1 1/4 %	1 1/2 %
101	.777101	.604265	.470164	.366051	.285169	.222295
102	.775163	.601259	.466664	.362426	.281648	.219010
103	.773230	.598268	.463190	.358838	.278171	.215773
104	.771302	.595291	.459742	.355285	.274737	.212585
105	.769380	.592330	.456320	.351768	.271345	.209443
106	.767460	.589383	.452923	.348285	.267995	.206348
107	.765546	.586451	.449551	.344836	.264686	.203298
108	.763637	.583533	.446205	.341422	.261419	.200294
109	.761732	.580630	.442883	.338041	.258191	.197334
110	.759833	.577741	.439586	.334695	.255004	.194417
111	.757938	.574867	.436314	.331381	.251856	.191544
112	.756048	.572007	.433066	.328100	.248746	.188714
113	.754162	.569161	.429842	.324851	.245675	.185925
114	.752282	.566329	.426642	.321635	.242642	.183177
115	.750406	.563512	.423466	.318451	.239647	.180470
116	.748534	.560708	.420314	.315298	.236688	.177803
117	.746668	.557919	.417185	.312176	.233766	.175175
118	.744806	.555143	.414079	.309085	.230880	.172587
119	.742948	.552381	.410997	.306025	.228030	.170036
120	.741096	.549633	.407937	.302995	.225214	.167523
121	.739247	.546898	.404901	.299995	.222434	.165047
122	.737404	.544177	.401886	.297025	.219688	.162608
123	.735565	.541470	.398895	.294084	.216976	.160205
124	.733731	.538776	.395925	.291172	.214297	.157838
125	.731901	.536096	.392978	.288289	.211651	.155505
126	.730076	.533429	.390053	.285435	.209038	.153207
127	.728255	.530775	.387149	.282609	.206458	.150943
128	.726439	.528134	.384267	.279811	.203909	.148712
129	.724628	.525506	.381406	.277040	.201391	.146514
130	.722820	.522892	.378567	.274297	.198905	.144349
131	.721018	.520291	.375749	.271581	.196449	.142216
132	.719220	.517702	.372952	.268892	.194024	.140114
133	.717426	.515126	.370176	.266230	.191629	.138044
134	.715637	.512564	.367420	.263594	.189263	.136004
135	.713853	.510013	.364685	.260984	.186926	.133994
136	.712072	.507476	.361970	.258400	.184619	.132013
137	.710297	.504951	.359275	.255842	.182339	.130063
138	.708525	.502439	.356601	.253309	.180088	.128140
139	.706758	.499939	.353946	.250801	.177865	.126247
140	.704996	.497452	.351311	.248318	.175669	.124381
141	.703238	.494977	.348696	.245859	.173500	.122543
142	.701484	.492515	.346100	.243425	.171358	.120732
143	.699735	.490064	.343524	.241015	.169243	.118948
144	.697990	.487626	.340967	.238628	.167153	.117190
145	.696249	.485200	.338429	.236266	.165090	.115458
146	.694513	.482786	.335909	.233927	.163052	.113752
147	.692781	.480384	.333409	.231610	.161039	.112071
148	.691053	.477994	.330927	.229317	.159051	.110414
149	.689330	.475616	.328463	.227047	.157087	.108783
150	.687611	.473250	.326018	.224799	.155148	.107175
151	.685896	.470896	.323591	.222573	.153232	.105591
152	.684186	.468553	.321182	.220369	.151340	.104031
153	.682480	.466222	.318791	.218187	.149472	.102493
154	.680778	.463902	.316418	.216027	.147627	.100979
155	.679080	.461594	.314063	.213888	.145804	.099486
156	.677386	.459298	.311725	.211771	.144004	.098016
157	.675697	.457013	.309404	.209674	.142226	.096568
158	.674012	.454739	.307101	.207598	.140470	.095140
159	.672331	.452477	.304815	.205542	.138736	.093734
160	.670655	.450226	.302546	.203507	.137023	.092349
161	.668982	.447986	.300294	.201492	.135332	.090984
162	.667314	.445757	.298058	.199497	.133661	.089640
163	.665650	.443539	.295839	.197522	.132011	.088315
164	.663990	.441332	.293637	.195567	.130381	.087010
165	.662334	.439137	.291451	.193630	.128771	.085724
166	.660682	.436952	.289282	.191713	.127182	.084457
167	.659035	.434778	.287128	.189815	.125612	.083209
168	.657391	.432615	.284991	.187936	.124061	.081979
169	.655752	.430463	.282869	.186075	.122529	.080768
170	.654117	.428321	.280764	.184233	.121016	.079574
171	.652485	.426190	.278673	.182409	.119522	.078398
172	.650858	.424070	.276599	.180602	.118047	.077240
173	.649235	.421960	.274540	.178814	.116590	.076098
174	.647616	.419861	.272496	.177044	.115150	.074974
175	.646001	.417772	.270468	.175291	.113729	.073866
176	.644390	.415693	.268454	.173555	.112324	.072774
177	.642783	.413625	.266456	.171837	.110938	.071699
178	.641180	.411567	.264472	.170136	.109568	.070639
179	.639581	.409520	.262504	.168451	.108215	.069595
180	.637986	.407482	.260549	.166783	.106879	.068567
181	.636395	.405455	.258610	.165132	.105560	.067553
182	.634808	.403438	.256685	.163497	.104257	.066555
183	.633225	.401431	.254774	.161878	.102970	.065571
184	.631646	.399434	.252877	.160276	.101698	.064602
185	.630071	.397446	.250995	.158689	.100443	.063648
186	.628500	.395469	.249126	.157117	.099203	.062707
187	.626932	.393502	.247272	.155562	.097978	.061780
188	.625369	.391544	.245431	.154022	.096768	.060867
189	.623809	.389596	.243604	.152497	.095574	.059968
190	.622254	.387658	.241791	.150987	.094394	.059082
191	.620702	.385729	.239991	.149492	.093229	.058208
192	.619154	.383810	.238204	.148012	.092078	.057348
193	.617610	.381900	.236431	.146546	.090941	.056501
194	.616070	.380000	.234671	.145095	.089818	.055666
195	.614534	.378110	.232924	.143659	.088709	.054843
196	.613001	.376229	.231190	.142236	.087614	.054033
197	.611472	.374357	.229469	.140828	.086532	.053234
198	.609948	.372494	.227761	.139434	.085464	.052447
199	.608427	.370641	.226065	.138053	.084409	.051672
200	.606909	.368797	.224383	.136686	.083367	.050909

TABLE 2. — Valeur présente de \$1 ou valeur de $(1 + i)^{-n}$.

n	1 3/4 %	2 %	2 1/2 %	3 %	3 1/2 %	4 %
1	.982801	.980392	.975610	.970874	.966184	.961538
2	.965898	.961169	.951814	.942596	.933511	.924556
3	.949285	.942322	.928599	.915142	.901943	.888996
4	.932959	.923845	.905951	.888487	.871442	.854804
5	.916913	.905731	.883854	.862609	.841973	.821927
6	.901143	.887971	.862297	.837484	.813501	.790315
7	.885644	.870560	.841265	.813092	.785991	.759918
8	.870412	.853490	.820747	.789409	.759412	.730690
9	.855441	.836755	.800728	.766417	.733731	.702587
10	.840729	.820348	.781198	.744094	.708919	.675564
11	.826269	.804263	.762145	.722421	.684946	.649581
12	.812058	.788493	.743556	.701380	.661783	.624597
13	.798091	.773033	.725420	.680951	.639404	.600574
14	.784365	.757875	.707727	.661118	.617782	.577475
15	.770875	.743015	.690466	.641862	.596891	.555265
16	.757616	.728446	.673625	.623167	.576706	.533908
17	.744586	.714163	.657195	.605016	.557204	.513373
18	.731780	.700159	.641166	.587395	.538361	.493628
19	.719194	.686431	.625528	.570286	.520156	.474642
20	.706825	.672971	.610271	.553676	.502566	.456387
21	.694668	.659776	.595386	.537549	.485551	.438834
22	.682720	.646839	.580865	.521893	.469151	.421955
23	.670978	.634156	.566697	.506692	.453286	.405726
24	.659438	.621721	.552875	.491934	.437957	.390121
25	.648096	.609531	.539391	.477606	.423147	.375117
26	.636950	.597579	.526235	.463695	.408838	.360689
27	.625995	.585862	.513400	.450189	.395012	.346817
28	.615228	.574375	.500878	.437077	.381654	.333477
29	.604647	.563112	.488661	.424346	.368748	.320651
30	.594248	.552072	.476743	.411987	.356278	.308319
31	.584027	.541246	.465115	.399987	.344230	.296460
32	.573982	.530633	.453771	.388337	.332590	.285058
33	.564111	.520229	.442703	.377026	.321343	.274094
34	.554408	.510028	.431905	.366045	.310476	.263552
35	.544873	.500028	.421371	.355383	.299977	.253415
36	.535502	.490223	.411094	.345032	.289833	.243669
37	.526292	.480611	.401067	.334983	.280032	.234297
38	.517240	.471187	.391285	.325226	.270562	.225285
39	.508344	.461948	.381741	.315754	.261413	.216621
40	.499601	.452890	.372431	.306557	.252572	.208289
41	.491008	.444010	.363347	.297628	.244031	.200278
42	.482563	.435304	.354485	.288959	.235779	.192575
43	.474264	.426769	.345839	.280543	.227806	.185168
44	.466107	.418401	.337404	.272372	.220102	.178046
45	.458090	.410197	.329174	.264439	.212659	.171198
46	.450212	.402154	.321146	.256737	.205468	.164614
47	.442469	.394268	.313313	.249259	.198520	.158283
48	.434858	.386538	.305671	.241999	.191806	.152195
49	.427379	.378958	.298216	.234950	.185320	.146341
50	.420029	.371528	.290942	.228107	.179053	.140713

n	1 3/4 %	2 %	2 1/2 %	3 %	3 1/2 %	4 %
51	.412805	.364243	.283846	.221463	.172998	.135301
52	.405705	.357101	.276923	.215013	.167148	.130097
53	.398727	.350099	.270169	.208750	.161496	.125093
54	.391869	.343234	.263579	.202670	.156035	.120282
55	.385130	.336504	.257151	.196767	.150758	.115656
56	.378506	.329906	.250879	.191036	.145660	.111207
57	.371996	.323437	.244760	.185472	.140734	.106930
58	.365598	.317095	.238790	.180070	.135975	.102817
59	.359310	.310878	.232966	.174825	.131377	.098863
60	.353130	.304782	.227284	.169733	.126934	.095060
61	.347057	.298806	.221740	.164789	.122642	.091404
62	.341088	.292947	.216332	.159990	.118495	.087889
63	.335221	.287203	.211055	.155330	.114487	.084508
64	.329456	.281572	.205908	.150806	.110616	.081258
65	.323790	.276051	.200886	.146413	.106875	.078133
66	.318221	.270638	.195986	.142149	.103261	.075128
67	.312748	.265331	.191206	.138009	.099769	.072238
68	.307369	.260129	.186542	.133989	.096395	.069460
69	.302082	.255028	.181992	.130086	.093136	.066788
70	.296887	.250028	.177554	.126297	.089986	.064219
71	.291781	.245125	.173223	.122619	.086943	.061749
72	.286762	.240319	.168998	.119047	.084003	.059374
73	.281830	.235607	.164876	.115580	.081162	.057091
74	.276983	.230987	.160855	.112214	.078418	.054895
75	.272219	.226458	.156931	.108945	.075766	.052784
76	.267537	.222017	.153104	.105772	.073204	.050754
77	.262936	.217664	.149370	.102691	.070728	.048801
78	.258414	.213396	.145726	.099700	.068336	.046924
79	.253969	.209212	.142172	.096796	.066026	.045120
80	.249601	.205110	.138705	.093977	.063793	.043384
81	.245308	.201088	.135322	.091240	.061636	.041716
82	.241089	.197145	.132021	.088582	.059551	.040111
83	.236943	.193279	.128801	.086002	.057537	.038569
84	.232868	.189490	.125659	.083497	.055592	.037085
85	.228862	.185774	.122595	.081065	.053712	.035659
86	.224926	.182132	.119605	.078704	.051896	.034287
87	.221058	.178560	.116687	.076412	.050141	.032969
88	.217256	.175059	.113841	.074186	.048445	.031701
89	.213519	.171627	.111045	.072026	.046807	.030481
90	.209847	.168261	.108356	.069928	.045224	.030309
91	.206238	.164962	.105713	.067891	.043695	.028182
92	.202691	.161728	.103135	.065914	.042217	.027098
93	.199204	.158556	.100619	.063994	.040789	.026056
94	.195778	.155448	.098165	.062130	.039410	.025053
95	.192411	.152400	.095771	.060320	.038077	.024090
96	.189102	.149411	.093435	.058563	.036790	.023163
97	.185850	.146482	.091156	.056858	.035546	.022272
98	.182653	.143609	.088933	.055202	.034344	.021416
99	.179512	.140794	.086764	.053594	.033182	.020592
100	.176424	.138033	.084647	.052033	.032060	.019800

TABLE 2. - Valeur présente de $1 ou valeur de $(1 + i)^{-n}$.

n	4½%	5%	5½%	6%	6½%	7%
1	.956938	.952381	.947867	.943396	.938967	.934579
2	.915730	.907029	.898452	.889996	.881659	.873439
3	.876297	.863838	.851614	.839619	.827849	.816298
4	.838561	.822702	.807217	.792094	.777323	.762895
5	.802451	.783526	.765134	.747258	.729881	.712986
6	.767896	.746215	.725246	.704961	.685334	.666342
7	.734828	.710681	.687437	.665057	.643506	.622750
8	.703185	.676839	.651599	.627412	.604231	.582009
9	.672904	.644609	.617629	.591898	.567353	.543934
10	.643928	.613913	.585431	.558395	.532724	.508349
11	.616199	.584679	.554931	.526788	.500212	.475093
12	.589664	.556837	.525982	.496969	.467683	.444012
13	.564272	.530321	.498561	.468839	.441017	.414964
14	.539973	.505068	.472569	.442301	.414100	.387817
15	.516720	.481017	.447933	.417265	.388827	.362446
16	.494469	.458112	.424581	.393646	.365095	.338735
17	.473176	.436297	.402447	.371364	.342813	.316574
18	.452800	.415521	.381466	.350344	.321890	.295864
19	.433302	.395734	.361579	.330513	.302244	.276508
20	.414643	.376889	.342729	.311805	.283797	.258419
21	.396787	.358942	.324862	.294155	.266476	.241513
22	.379787	.341850	.307926	.277505	.250212	.225713
23	.363350	.325571	.291873	.261797	.234941	.210947
24	.347703	.310068	.276657	.246979	.220602	.197147
25	.332731	.295303	.262234	.232999	.207138	.184249
26	.318402	.281241	.248563	.219810	.194496	.172195
27	.304691	.267848	.235605	.207368	.182625	.160930
28	.291571	.255094	.223322	.195630	.171479	.150402
29	.279015	.242946	.211679	.184557	.161013	.140563
30	.267000	.231377	.200644	.174110	.151186	.131367
31	.255502	.220359	.190184	.164255	.141959	.122773
32	.244500	.209866	.180269	.154957	.133295	.114741
33	.233971	.199873	.170871	.146186	.125159	.107235
34	.223896	.190355	.161963	.137912	.117520	.100219
35	.214254	.181290	.153520	.130105	.110348	.093663
36	.205028	.172657	.145516	.122741	.103613	.087535
37	.196199	.164436	.137910	.115793	.097289	.081809
38	.187750	.156605	.130739	.109239	.091351	.076457
39	.179665	.149148	.123924	.103056	.085776	.071455
40	.171929	.142046	.117463	.097222	.080541	.066780
41	.164525	.135282	.111339	.091719	.075625	.062412
42	.157440	.128840	.105535	.086527	.071010	.058329
43	.150661	.122704	.100033	.081630	.066676	.054513
44	.144173	.116861	.094818	.077009	.062606	.050946
45	.137964	.111297	.089875	.072650	.058785	.047613
46	.132023	.105997	.085190	.068538	.055197	.044499
47	.126338	.100949	.080748	.064658	.051828	.041587
48	.120898	.096142	.076539	.060998	.048665	.038867
49	.115692	.091564	.072549	.057546	.045695	.036324
50	.110710	.087204	.068767	.054288	.042906	.033948

n	4½%	5%	5½%	6%	6½%	7%
51	.105942	.083051	.065182	.051215	.040287	.031727
52	.101380	.079096	.061783	.048316	.037829	.029651
53	.097014	.075330	.058563	.045582	.035520	.027711
54	.092837	.071743	.055509	.043001	.033352	.025899
55	.088839	.068326	.052616	.040567	.031316	.024204
56	.085013	.065073	.049873	.038271	.029405	.022621
57	.081353	.061974	.047273	.036105	.027610	.021141
58	.077849	.059023	.044808	.034061	.025925	.019758
59	.074497	.056212	.042472	.032133	.024343	.018465
60	.071289	.053536	.040258	.030314	.022857	.017257
61	.068219	.050986	.038159	.028598	.021462	.016128
62	.065281	.048558	.036170	.026980	.020152	.015073
63	.062470	.046246	.034284	.025453	.018922	.014087
64	.059780	.044044	.032497	.024012	.017767	.013166
65	.057206	.041946	.030803	.022653	.016683	.012304
66	.054743	.039949	.029197	.021370	.015665	.011499
67	.052385	.038047	.027675	.020161	.014709	.010747
68	.050129	.036235	.026232	.019020	.013811	.010044
69	.047971	.034509	.024865	.017943	.012968	.009387
70	.045905	.032866	.023568	.016927	.012177	.008773
71	.043928	.031301	.022340	.015969	.011433	.008199
72	.042037	.029811	.021175	.015065	.010736	.007662
73	.040226	.028391	.020071	.014213	.010080	.007161
74	.038494	.027039	.019025	.013408	.009465	.006693
75	.036836	.025752	.018033	.012649	.008887	.006255
76	.035250	.024525	.017093	.011933	.008345	.005846
77	.033732	.023357	.016202	.011258	.007836	.005463
78	.032280	.022245	.015357	.010620	.007358	.005106
79	.030890	.021186	.014556	.010019	.006908	.004772
80	.029559	.020177	.013798	.009452	.006487	.004460
81	.028287	.019216	.013078	.008917	.006091	.004168
82	.027068	.018301	.012396	.008412	.005719	.003895
83	.025903	.017430	.011750	.007936	.005370	.003640
84	.024787	.016600	.011138	.007487	.005042	.003402
85	.023720	.015809	.010557	.007063	.004735	.003180
86	.022699	.015056	.010007	.006663	.004446	.002972
87	.021721	.014339	.009485	.006286	.004174	.002776
88	.020786	.013657	.008990	.005930	.003920	.002576
89	.019891	.013006	.008522	.005595	.003680	.002426
90	.019034	.012387	.008078	.005278	.003456	.002267
91	.018215	.011797	.007656	.004979	.003245	.002119
92	.017430	.011235	.007257	.004697	.003047	.001980
93	.016680	.010700	.006879	.004432	.002861	.001851
94	.015961	.010191	.006520	.004181	.002686	.001730
95	.015274	.009705	.006180	.003944	.002522	.001616
96	.014616	.009243	.005858	.003721	.002368	.001511
97	.013987	.008803	.005553	.003510	.002224	.001412
98	.013385	.008384	.005263	.003312	.002088	.001319
99	.012808	.007985	.004989	.003124	.001961	.001233
100	.012257	.007604	.004729	.002947	.001841	.001152

TABLE 2. – Valeur présente de \$1 ou valeur de $(1 + i)^{-n}$.

n	8 %	9 %	10 %	12 %	16 %	20 %
1	.925926	.917431	.909091	.892857	.862069	.833333
2	.857339	.841680	.826446	.797194	.743163	.694444
3	.793832	.772183	.751315	.711780	.640658	.578704
4	.735030	.708425	.683013	.635518	.552291	.482253
5	.680583	.649931	.620921	.567427	.476113	.401878
6	.630170	.596267	.564474	.506631	.410442	.334898
7	.583490	.547034	.513158	.452349	.353830	.279082
8	.540269	.501866	.466507	.403883	.305025	.232568
9	.500249	.460428	.424098	.360610	.262953	.193807
10	.463193	.422411	.385543	.321973	.226684	.161506
11	.428883	.387533	.350494	.287476	.195417	.134588
12	.397114	.355535	.318631	.256675	.168463	.112157
13	.367698	.326179	.289664	.229174	.145227	.093464
14	.340461	.299246	.263331	.204620	.125195	.077887
15	.315242	.274538	.239392	.182696	.107727	.064905
16	.291890	.251870	.217629	.163122	.093041	.054088
17	.270269	.231073	.197845	.145644	.080207	.045073
18	.250249	.211994	.179859	.130040	.06914	.037561
19	.231712	.194490	.163508	.116107	.059607	.031301
20	.214548	.178431	.148644	.103667	.051385	.026084
21	.198656	.163698	.135131	.092560	.044298	.021737
22	.183941	.150182	.122846	.082643	.038188	.018114
23	.170315	.137781	.111678	.073788	.032920	.015095
24	.157699	.126405	.101526	.065882	.028380	.012579
25	.146018	.115968	.092296	.058823	.024465	.010483
26	.135202	.106393	.083905	.052521	.021091	.008735
27	.125187	.097608	.076278	.046894	.018182	.007280
28	.115914	.089548	.069343	.041869	.015674	.006066
29	.107328	.082155	.063039	.037383	.013512	.005055
30	.099377	.075371	.057309	.033378	.011648	.004213
31	.092016	.069148	.052099	.029802	.010042	.003511
32	.085200	.063438	.047362	.026609	.008657	.002926
33	.078889	.058200	.043057	.023758	.007463	.002438
34	.073045	.053395	.039143	.021212	.006433	.002032
35	.067635	.048986	.035584	.018940	.005546	.001693
36	.062625	.044941	.032349	.016910	.004781	.001411
37	.057986	.041231	.029408	.015098	.004121	.001176
38	.053690	.037826	.026735	.013481	.003553	.000980
39	.049713	.034703	.024304	.012036	.003063	.000816
40	.046031	.031838	.022095	.010747	.002640	.000680
41	.042621	.029209	.020086	.009595	.002276	.000567
42	.039464	.026797	.018260	.008567	.001962	.000472
43	.036541	.024584	.016600	.007649	.001692	.000394
44	.033834	.022555	.015091	.006830	.001458	.000328
45	.031328	.020692	.013719	.006098	.001257	.000273
46	.029007	.018984	.012472	.005445	.001084	.000228
47	.026859	.017416	.011338	.004861	.000934	.000190
48	.024869	.015978	.010307	.004340	.000805	.000158
49	.023027	.014659	.009370	.003875	.000694	.000132
50	.021321	.013449	.008519	.003460	.000599	.000110

TABLE 3. – Valeur définitive (acquise) d'une annuité de \$1 ou

valeur de $S_{\overline{n}|i} = \dfrac{(1+i)^n - 1}{i}$.

n	$\frac{1}{4}\%$	$\frac{1}{2}\%$	$\frac{3}{4}\%$	1%	$1\frac{1}{4}\%$	$1\frac{1}{2}\%$
1	1.000000	1.000000	1.000000	1.000000	1.000000	1.000000
2	2.002500	2.005000	2.007500	2.010000	2.012500	2.015000
3	3.007506	3.015025	3.022556	3.030100	3.037656	3.045225
4	4.015025	4.030100	4.045225	4.060401	4.075627	4.090903
5	5.025063	5.050251	5.075565	5.101005	5.126572	5.152267
6	6.037625	6.075502	6.113631	6.152015	6.190694	6.229551
7	7.052719	7.105879	7.159484	7.213535	7.268038	7.322994
8	8.070351	8.141409	8.213180	8.285888	8.358038	8.432839
9	9.090527	9.182116	9.274779	9.368527	9.463374	9.559332
10	10.113253	10.228026	10.344339	10.462213	10.581666	10.702722
11	11.138536	11.279167	11.421922	11.566835	11.713937	11.863262
12	12.166383	12.335562	12.507586	12.682503	12.860361	13.041211
13	13.196799	13.397240	13.601393	13.809328	14.021116	14.236830
14	14.229791	14.464226	14.703403	14.947421	15.196380	15.450382
15	15.265365	15.536548	15.813678	16.096896	16.386335	16.682138
16	16.303529	16.614230	16.932282	17.257864	17.591164	17.932370
17	17.344287	17.697301	18.057274	18.430443	18.811053	19.201355
18	18.387648	18.785788	19.194718	19.614748	20.046192	20.489376
19	19.433617	19.879717	20.338677	20.810895	21.296716	21.796716
20	20.482201	20.979115	21.491219	22.019004	22.562979	23.123667
21	21.533407	22.084011	22.652403	23.239194	23.845016	24.470502
22	22.587240	23.194431	23.822296	24.471586	25.143078	25.837580
23	23.643708	24.310403	25.000963	25.716302	26.457367	27.225144
24	24.702818	25.431955	26.188471	26.973465	27.788084	28.633521
25	25.764575	26.559115	27.384886	28.243200	29.135429	30.063024
26	26.828986	27.691911	28.590271	29.525631	30.499628	31.513969
27	27.896059	28.830370	29.804698	30.820888	31.880873	32.986678
28	28.965799	29.974522	31.028233	32.129097	33.279384	34.481479
29	30.038213	31.124395	32.260945	33.450388	34.695377	35.998701
30	31.113309	32.280017	33.502902	34.784892	36.129069	37.538681
31	32.191092	33.441417	34.754174	36.132740	37.580482	39.101762
32	33.271570	34.608624	36.014830	37.494068	39.050441	40.688288
33	34.354749	35.781667	37.284941	38.869009	40.538571	42.298612
34	35.440636	36.960575	38.564578	40.257699	42.045063	43.933092
35	36.529237	38.145378	39.853813	41.660276	43.570870	45.592088
36	37.620559	39.336105	41.152716	43.076878	45.115505	47.275969
37	38.714612	40.532785	42.461361	44.507647	46.679449	48.985109
38	39.811398	41.735449	43.779822	45.952724	48.262942	50.719885
39	40.910927	42.944127	45.108170	47.412251	49.866229	52.480684
40	42.013204	44.158848	46.446482	48.886373	51.489550	54.267894
41	43.118237	45.379642	47.794830	50.375237	53.133177	56.081912
42	44.226033	46.606540	49.153291	51.879790	54.797341	57.923141
43	45.336598	47.839572	50.521941	53.397779	56.482308	59.791988
44	46.449939	49.078770	51.900856	54.931757	58.188336	61.688868
45	47.566064	50.324164	53.290112	56.481075	59.915691	63.614201
46	48.684979	51.575785	54.689788	58.045888	61.664637	65.568414
47	49.806692	52.833664	56.099961	59.626344	63.435445	67.551940
48	50.931208	54.097832	57.520711	61.222608	65.228388	69.565219
49	52.058536	55.368321	58.952116	62.834834	67.043743	71.608698
50	53.188683	56.645163	60.394257	64.463182	68.881790	73.682828

n	$\frac{1}{4}\%$	$\frac{1}{2}\%$	$\frac{3}{4}\%$	1%	$1\frac{1}{4}\%$	$1\frac{1}{2}\%$
51	54.321654	57.928389	61.847214	66.107814	70.742813	75.788070
52	55.457459	59.218031	63.311068	67.768892	72.627097	77.924892
53	56.596102	60.514121	64.785901	69.446581	74.534936	80.093765
54	57.737593	61.816692	66.271796	71.141047	76.466623	82.295171
55	58.881937	63.125775	67.768834	72.852457	78.422456	84.529599
56	60.029141	64.441404	69.277100	74.580982	80.402736	86.797543
57	61.179214	65.763611	70.796679	76.326792	82.407771	89.099506
58	62.332162	67.092429	72.327654	78.090060	84.437868	91.435999
59	63.487993	68.427891	73.870111	79.870960	86.493341	93.807539
60	64.646713	69.770031	75.424137	81.669670	88.574508	96.214652
61	65.808329	71.118881	76.989818	83.486367	90.681689	98.657871
62	66.972850	72.474475	78.567242	85.321230	92.815210	101.137740
63	68.140282	73.836847	80.156496	87.174443	94.975400	103.654806
64	69.310633	75.206032	81.757670	89.046187	97.162593	106.209628
65	70.483910	76.582062	83.370852	90.936649	99.377125	108.802772
66	71.660119	77.964972	84.996134	92.846015	101.619339	111.434814
67	72.839270	79.354797	86.633605	94.774475	103.889581	114.106336
68	74.021368	80.751571	88.283357	96.722220	106.188201	116.817931
69	75.206421	82.155329	89.945482	98.689442	108.515553	119.570200
70	76.394437	83.566105	91.620073	100.676337	110.871998	122.363753
71	77.585423	84.983936	93.307223	102.683100	113.257898	125.199209
72	78.779387	86.408856	95.007028	104.709931	115.673621	128.077197
73	79.976335	87.840900	96.719580	106.757031	118.119542	130.998355
74	81.176276	89.280104	98.444977	108.824601	120.596036	133.963331
75	82.379217	90.726505	100.183314	110.912847	123.103486	136.972781
76	83.585165	92.180138	101.934689	113.021975	125.642280	140.027372
77	84.794128	93.641038	103.699199	115.152195	128.212809	143.127783
78	86.006113	95.109243	105.476943	117.303717	130.815469	146.274700
79	87.221129	96.584790	107.268021	119.476754	133.450662	149.468820
80	88.439181	98.067714	109.072531	121.671522	136.118795	152.710852
81	89.660279	99.558052	110.890575	123.888237	138.820280	156.001515
82	90.884430	101.055842	112.722254	126.127119	141.555534	159.341538
83	92.111641	102.561122	114.567671	128.388390	144.324978	162.731661
84	93.341920	104.073927	116.424928	130.672274	147.129040	166.172636
85	94.575275	105.594297	118.300130	132.978997	149.968153	169.665226
86	95.811713	107.122268	120.187381	135.308787	152.842755	173.210204
87	97.051242	108.657880	122.088787	137.661875	155.753289	176.808357
88	98.293871	110.201169	124.004453	140.038494	158.700206	180.460482
89	99.539605	111.752175	125.934486	142.438879	161.683958	184.167390
90	100.788854	113.310936	127.878995	144.863267	164.705008	187.929900
91	102.040425	114.877490	129.838087	147.311900	167.763820	191.748849
92	103.295526	116.451878	131.811873	149.785019	170.860868	195.625082
93	104.553765	118.034137	133.800462	152.282869	173.996629	199.559458
94	105.803965	119.624308	135.803965	154.805698	177.171587	203.552850
95	107.079688	121.222430	137.822495	157.353755	180.386232	207.606142
96	108.347387	122.828495	139.856164	159.927293	183.641059	211.720235
97	109.618255	124.442684	141.905085	162.526565	186.936574	215.896038
98	110.893871	126.064898	143.969373	165.151831	190.273240	220.134479
99	112.165532	127.695222	146.049143	167.803347	193.651696	224.436496
100	113.449955	129.333698	148.144512	170.481383	197.072342	228.803043

TABLE 3. – Valeur définitive (acquise) d'une annuité de \$1 ou

valeur de $S_{\overline{n}|} = \dfrac{(1+i)^n - 1}{i}$.

n	$\frac{1}{4}\%$	$\frac{1}{2}\%$	$\frac{3}{4}\%$	1%	$1\frac{1}{4}\%$	$1\frac{1}{2}\%$
101	114.733580	130.980367	150.255596	173.186197	200.535746	233.235089
102	116.020414	132.635269	152.382513	175.918059	204.042443	237.733615
103	117.310465	134.298445	154.525382	178.677239	207.592974	242.299620
104	118.603747	135.969937	156.684322	181.464012	211.187886	246.934114
105	119.900251	137.649787	158.859454	184.278652	214.827734	251.638126
106	121.200002	139.338036	161.050900	187.121438	218.513081	256.412697
107	122.503002	141.034726	163.258782	189.992653	222.244495	261.258888
108	123.809759	142.739900	165.483233	192.892597	226.022551	266.177771
109	125.118.82	144.453599	167.724347	195.821505	229.847833	271.170438
110	126.431579	146.175867	169.982280	198.779720	233.720931	276.237994
111	127.747658	147.906747	172.257147	201.767517	237.642442	281.381564
112	129.067027	149.646280	174.549075	204.785192	241.612973	286.602288
113	130.389695	151.394512	176.858194	207.833044	245.631135	291.901322
114	131.715669	153.151484	179.184630	210.911375	249.703549	297.279842
115	133.044958	154.917242	181.528515	214.020480	253.824843	302.739039
116	134.377571	156.691828	183.889779	217.160693	257.997654	308.280125
117	135.713515	158.475287	186.269153	220.332300	262.222625	313.904327
118	137.052798	160.267663	188.666172	223.535623	266.500407	319.612892
119	138.395430	162.069002	191.081168	226.770980	270.831643	325.406985
120	139.741419	163.879347	193.514277	230.038689	275.216708	331.288191
121	141.090772	165.698744	195.965434	233.339076	279.657272	337.257551
122	142.443499	167.527237	198.435376	236.672467	284.152987	343.316377
123	143.799608	169.364873	200.923642	240.039167	288.704900	349.466123
124	145.159107	171.211698	203.430569	243.439584	293.313711	355.708115
125	146.522005	173.067756	205.956298	246.873980	297.980132	362.043736
126	147.888310	174.933093	208.500971	250.342719	302.704884	368.474392
127	149.258031	176.807761	211.064728	253.846147	307.488695	375.001508
128	150.631176	178.691799	213.647713	257.384608	312.332304	381.626531
129	152.007754	180.585258	216.250071	260.958454	317.236458	388.350929
130	153.387773	182.488185	218.871947	264.568097	322.201913	395.176193
131	154.771243	184.400626	221.513486	268.213719	327.229437	402.103836
132	156.158171	186.322629	224.174837	271.895856	332.319805	409.135393
133	157.548566	188.254242	226.856149	275.614815	337.473803	416.272424
134	158.942437	190.195513	229.557570	279.370963	342.692225	423.516510
135	160.339794	192.146491	232.279252	283.164673	347.975878	430.869258
136	161.740643	194.107223	235.021346	286.996319	353.325571	438.332297
137	163.144995	196.077759	237.784006	290.866282	358.742146	445.907281
138	164.552857	198.058148	240.567386	294.774845	364.226423	453.595891
139	165.964239	200.048439	243.371642	298.722695	369.779253	461.399829
140	167.379150	202.048681	246.196929	302.709922	375.401494	469.320829
141	168.797598	204.058924	249.043406	306.737021	381.094013	477.360639
142	170.219590	206.079219	251.911231	310.804391	386.857688	485.521048
143	171.645141	208.109615	254.800566	314.912435	392.693409	493.803864
144	173.074254	210.150163	257.711570	319.061559	398.602077	502.210922
145	174.506739	212.200914	260.644407	323.252175	404.584603	510.744086
146	175.943207	214.261918	263.599240	327.484697	410.641910	519.405247
147	177.383065	216.333228	266.575556	331.759544	416.774934	528.196326
148	178.826522	218.414894	269.575556	336.077139	422.984621	537.119271
149	180.273589	220.506969	272.597372	340.437910	429.271928	546.176060
150	181.724273	222.609504	275.641853	344.842290	435.637828	555.368701

n	$\frac{1}{4}\%$	$\frac{1}{2}\%$	$\frac{3}{4}\%$	1%	$1\frac{1}{4}\%$	$1\frac{1}{2}\%$
151	183.178583	224.722551	278.709167	349.290712	442.003300	564.699231
152	184.636530	226.846164	281.799485	353.783620	448.607342	574.169720
153	186.098121	228.980395	284.912981	358.321456	455.216958	583.782266
154	187.563366	231.125297	288.049029	362.904670	461.907170	593.539000
155	189.032275	233.280923	291.210203	367.533717	468.681010	603.442085
156	190.504855	235.447328	294.394279	372.209054	475.539523	613.493716
157	191.981118	237.624564	297.602236	376.931145	482.483767	623.696122
158	193.461070	239.812687	300.834233	381.700456	489.514014	634.051563
159	194.944723	242.011751	304.090510	386.517461	496.633749	644.562337
160	196.432085	244.221809	307.371189	391.382635	503.841671	655.230772
161	197.923165	246.442918	310.676473	396.296462	511.139692	666.059233
162	199.417973	248.675133	314.006546	401.259426	518.528938	677.050122
163	200.916518	250.918509	317.361595	406.272021	526.010550	688.205874
164	202.418609	253.173101	320.741807	411.334741	533.585681	699.528962
165	203.924056	255.438967	324.147371	416.448008	541.255502	711.021896
166	205.434668	257.716162	327.578476	421.612569	549.021196	722.687225
167	206.948255	260.004742	331.035315	426.828695	556.883961	734.527533
168	208.465626	262.304766	334.518079	432.096982	564.845011	746.545446
169	209.986790	264.616290	338.026645	437.417952	572.905573	758.743628
170	211.511757	266.939371	341.562167	442.792131	581.066893	771.124782
171	213.040536	269.274068	345.123883	448.220052	589.130229	783.491654
172	214.573137	271.620439	348.712313	453.702253	597.696857	796.447029
173	216.109570	273.978541	352.327655	459.239275	606.168068	809.393734
174	217.649844	276.348433	355.970112	464.831668	614.745169	822.536640
175	219.193369	278.730176	359.639888	470.479985	623.429403	835.872660
176	220.741954	281.123826	363.337187	476.184785	632.222352	849.410750
177	222.293809	283.529446	367.062216	481.946633	641.125197	863.151911
178	223.849543	285.947093	370.815183	487.766079	650.139195	877.099190
179	225.409167	288.376828	374.596297	493.643760	659.265935	891.255677
180	226.972694	290.818712	378.405769	499.580198	668.506759	905.624513
181	228.540122	293.272806	382.243812	505.576000	677.863094	920.208880
182	230.111472	295.739170	386.110641	511.631760	687.336383	935.012014
183	231.686751	298.217866	390.006471	517.748077	696.928087	950.037194
184	233.265967	300.708955	393.931519	523.925558	706.639608	965.287752
185	234.849132	303.212500	397.886006	530.164813	716.472685	980.767068
186	236.436255	305.728562	401.870151	536.466442	726.428593	996.478574
187	238.027346	308.257205	405.884177	542.831126	736.508951	1012.425753
188	239.622414	310.798491	409.928308	549.259437	746.715312	1028.612139
189	241.221470	313.352484	414.002770	555.752032	757.049254	1045.041321
190	242.824524	315.919246	418.107791	562.309552	767.512369	1061.716941
191	244.431585	318.498842	422.243600	568.932648	778.106274	1078.642695
192	246.042664	321.091337	426.410427	575.621974	788.832603	1095.822335
193	247.657771	323.694793	430.608505	582.378194	799.693010	1113.259670
194	249.276915	326.315277	434.838067	589.201976	810.689173	1130.958565
195	250.900108	328.946854	439.099354	596.093996	821.822787	1148.922944
196	252.527358	331.591588	443.392599	603.054936	833.095572	1167.156788
197	254.158674	334.249546	447.718044	610.085485	844.509267	1185.664140
198	255.794073	336.920794	452.075929	617.186340	856.065633	1204.449102
199	257.433558	339.605398	456.466499	624.358203	867.764533	1223.515838
200	259.077142	342.303425	460.889997	631.601785	879.613534	1242.868576

TABLE 3. – Valeur définitive (acquise) d'une annuité de \$1 ou

valeur de $S_{\overline{n}|i} = \dfrac{(1+i)^n - 1}{i}$.

n	$1\frac{3}{4}\%$	2%	$2\frac{1}{2}\%$	3%	$3\frac{1}{2}\%$	4%
51	81.283014	87.270989	100.921456	117.180773	136.582837	159.773767
52	83.705466	90.016409	104.444494	121.696197	142.363236	167.164718
53	86.170312	92.816737	108.055606	126.347082	148.345950	174.851306
54	88.678292	95.673072	111.756997	131.137495	154.538058	182.845359
55	91.230163	98.586534	115.550921	136.071620	160.946890	191.159173
56	93.826690	101.558264	119.439694	141.153768	167.580031	199.805540
57	96.468658	104.589430	123.425687	146.388381	174.445332	208.797762
58	99.156859	107.681218	127.511329	151.780033	181.550919	218.149672
59	101.892104	110.834843	131.699112	157.333434	188.905201	227.875659
60	104.675216	114.051539	135.991590	163.053437	196.516883	237.990685
61	107.507032	117.332570	140.391380	168.945040	204.394974	248.510313
62	110.388405	120.679222	144.901164	175.013391	212.548798	259.450725
63	113.320202	124.092806	149.523693	181.263793	220.988006	270.828754
64	116.303306	127.574662	154.261706	187.701707	229.722586	282.661904
65	119.338614	131.126155	159.118330	194.332758	238.762877	294.968380
66	122.427039	134.748679	164.096289	201.162741	248.119578	307.767116
67	125.569513	138.443652	169.198676	208.197623	257.803763	321.077800
68	128.766979	142.212525	174.428663	215.443552	267.826895	334.920912
69	132.020401	146.056776	179.789380	222.906859	278.200836	349.317749
70	135.330758	149.977911	185.284114	230.594064	288.937865	364.290459
71	138.699046	153.977469	190.916217	238.511886	300.050690	379.862077
72	142.126280	158.057019	196.689122	246.667243	311.552464	396.056560
73	145.613490	162.218159	202.606351	255.067259	323.456800	412.898823
74	149.161726	166.462522	208.671509	263.719277	335.777788	430.414776
75	152.772056	170.791773	214.888297	272.630856	348.530011	448.631367
76	156.445567	175.207608	221.260504	281.809781	361.728561	467.576621
77	160.183364	179.711760	227.792017	291.264074	375.389061	487.279686
78	163.986573	184.305996	234.486818	301.001996	389.527678	507.770873
79	167.856338	188.992115	241.348988	311.032056	404.161147	529.081708
80	171.793824	193.771958	248.382713	321.363018	419.306787	551.244977
81	175.800216	198.647397	255.592280	332.003909	434.982525	574.294776
82	179.876720	203.620345	262.982087	342.964026	451.206913	598.266567
83	184.024563	208.692752	270.556640	354.252947	467.999155	623.197230
84	188.244992	213.866607	278.320556	365.880536	485.379125	649.125119
85	192.539280	219.143939	286.278570	377.856952	503.367394	676.090123
86	196.908717	224.526818	294.435534	390.192660	521.985253	704.133728
87	201.354620	230.017354	302.796422	402.898440	541.254737	733.299078
88	205.878326	235.617701	311.366333	415.985393	561.198653	763.631041
89	210.481196	241.330055	320.150491	429.464955	581.840606	795.176283
90	215.164617	247.156656	329.154253	443.348904	603.205027	827.983334
91	219.929998	253.099789	338.383110	457.649371	625.317203	862.102667
92	224.778773	259.161785	347.842687	472.378852	648.203305	897.586774
93	229.712401	265.345021	357.538755	487.550217	671.890421	934.490245
94	234.732369	271.651921	367.477223	503.176724	696.406586	972.869854
95	239.840185	278.084960	377.664154	519.272026	721.780816	1012.784648
96	245.037388	284.646659	388.105758	535.850186	748.043145	1054.296034
97	250.325542	291.339592	398.808402	552.925692	775.224655	1097.467876
98	255.706239	298.166384	409.778612	570.513463	803.357518	1142.366591
99	261.181098	305.129712	421.023077	588.628867	832.475031	1189.061255
100	266.751768	312.232304	432.548654	607.287733	862.611657	1237.623705

n	$1\frac{3}{4}\%$	2%	$2\frac{1}{2}\%$	3%	$3\frac{1}{2}\%$	4%
1	1.000000	1.000000	1.000000	1.000000	1.000000	1.000000
2	2.017500	2.020000	2.025000	2.030000	2.035000	2.040000
3	3.052806	3.060400	3.075625	3.090900	3.106225	3.121600
4	4.106230	4.121608	4.152516	4.183627	4.214943	4.246464
5	5.178089	5.204040	5.256329	5.309136	5.362466	5.416323
6	6.268706	6.308121	6.387737	6.468410	6.550152	6.632975
7	7.378408	7.434283	7.547430	7.662462	7.779408	7.898294
8	8.507530	8.582969	8.736116	8.892336	9.051687	9.214226
9	9.656412	9.754628	9.954519	10.159106	10.368496	10.582795
10	10.825399	10.949721	11.203382	11.463879	11.731393	12.006107
11	12.014844	12.168715	12.483456	12.807796	13.141992	13.486351
12	13.225104	13.412090	13.795553	14.192030	14.601962	15.025805
13	14.456543	14.680333	15.140442	15.617790	16.113030	16.626838
14	15.709533	15.973938	16.518953	17.086324	17.676986	18.291911
15	16.984447	17.293417	17.931927	18.598914	19.295681	20.023588
16	18.281677	18.639285	19.380225	20.156881	20.971030	21.824531
17	19.601607	20.012071	20.864730	21.761588	22.705016	23.697512
18	20.944635	21.412312	22.386349	23.414435	24.499691	25.645413
19	22.311166	22.840559	23.946007	25.116868	26.357180	27.671229
20	23.701611	24.297370	25.544658	26.870374	28.279682	29.778079
21	25.116389	25.783317	27.183274	28.676486	30.269471	31.969202
22	26.555926	27.298984	28.862856	30.536780	32.328902	34.247970
23	28.020655	28.844963	30.584427	32.452884	34.460414	36.617889
24	29.510116	30.421862	32.349038	34.426470	36.666528	39.082604
25	31.027459	32.030300	34.157784	36.459264	38.949857	41.645908
26	32.570440	33.670906	36.011708	38.553042	41.313102	44.311745
27	34.140324	35.344324	37.912001	40.709634	43.759060	47.084214
28	35.737880	37.051210	39.859801	42.930923	46.290627	49.967583
29	37.363293	38.792235	41.856296	45.218850	48.910799	52.966206
30	39.017150	40.568079	43.902703	47.575416	51.622677	56.084938
31	40.699950	42.379441	46.000271	50.002678	54.429471	59.328335
32	42.412090	44.227030	48.150278	52.502759	57.334502	62.701469
33	44.154413	46.111570	50.354034	55.077841	60.341210	66.209527
34	45.927115	48.033802	52.612885	57.730177	63.453152	69.857909
35	47.730840	49.994478	54.928207	60.462082	66.674013	73.652225
36	49.564773	51.994368	57.301413	63.275944	70.007603	77.598314
37	51.433537	54.034255	59.733948	66.174223	73.457869	81.702246
38	53.333884	56.114940	62.227297	69.159449	77.028895	85.970336
39	55.266962	58.237238	64.782779	72.234233	80.724906	90.409150
40	57.234134	60.401983	67.402554	75.401260	84.550278	95.025516
41	59.235731	62.610023	70.087617	78.663298	88.509537	99.826536
42	61.272357	64.862223	72.839808	82.023196	92.607371	104.819598
43	63.344623	67.159468	75.660803	85.483092	96.848629	110.012382
44	65.453154	69.502657	78.552323	89.048409	101.238331	115.412877
45	67.598584	71.892710	81.516131	92.719861	105.781673	121.029392
46	69.781559	74.330564	84.554034	96.501457	110.484031	126.870568
47	72.002236	76.817176	87.667884	100.396501	115.350973	132.945392
48	74.262784	79.353519	90.859582	104.408398	120.388257	139.263206
49	76.562383	81.940589	94.131072	108.540648	125.601846	145.833734
50	78.902225	84.579401	97.484349	112.796867	130.997910	152.667084

TABLE 3. – Valeur définitive (acquise) d'une annuité de $1 ou

valeur de $S_{\overline{n}|i} = \dfrac{(1+i)^n - 1}{i}$.

n	4½%	5%	5½%	6%	6½%	7%
1	1.000000	1.000000	1.000000	1.000000	1.000000	1.000000
2	2.045000	2.050000	2.055000	2.060000	2.065000	2.070000
3	3.137025	3.152500	3.168025	3.183600	3.199225	3.214900
4	4.278191	4.310125	4.342266	4.374616	4.407175	4.439943
5	5.470710	5.525631	5.581091	5.637093	5.693641	5.750739
6	6.716892	6.801913	6.888051	6.975319	7.063728	7.153291
7	8.019152	8.142008	8.266894	8.393838	8.522870	8.654021
8	9.380014	9.549109	9.721573	9.897468	10.076856	10.259803
9	10.802114	11.026564	11.256260	11.491316	11.731852	11.977989
10	12.288209	12.577893	12.875354	13.180795	13.494423	13.816448
11	13.841179	14.206787	14.583498	14.971643	15.371560	15.783599
12	15.464032	15.917127	16.385591	16.869941	17.370711	17.888451
13	17.159913	17.712983	18.286798	18.882138	19.499808	20.140643
14	18.932109	19.598632	20.292572	21.015066	21.767295	22.550488
15	20.784054	21.578564	22.408663	23.275970	24.182169	25.129022
16	22.719337	23.657492	24.641140	25.672528	26.754010	27.888054
17	24.741707	25.840366	26.996403	28.212880	29.493021	30.840217
18	26.855084	28.132385	29.481205	30.905654	32.410667	33.999033
19	29.063562	30.539004	32.102671	33.759992	35.516722	37.378965
20	31.371423	33.065954	34.868318	36.785591	38.825309	40.995492
21	33.783137	35.719252	37.786076	39.992727	42.348954	44.865177
22	36.303178	38.505214	40.864306	43.392290	46.101636	49.005739
23	38.937030	41.430475	44.111847	46.995828	50.098242	53.436141
24	41.689196	44.501999	47.537998	50.815577	54.354628	58.176671
25	44.565210	47.727099	51.152588	54.864512	58.887679	63.249038
26	47.570645	51.113454	54.965981	59.156383	63.715378	68.676470
27	50.711324	54.669126	58.989190	63.705766	68.856877	74.483823
28	53.993333	58.402583	63.233510	68.528112	74.332574	80.697691
29	57.423033	62.322712	67.711354	73.639798	80.164401	87.346529
30	61.007070	66.438848	72.435478	79.058186	86.374864	94.460786
31	64.752388	70.760790	77.419429	84.801677	92.989302	102.073041
32	68.666245	75.298829	82.677498	90.889778	100.033530	110.218154
33	72.756226	80.063771	88.224760	97.343165	107.535710	118.933425
34	77.030256	85.066959	94.077122	104.183755	115.525531	128.258765
35	81.496618	90.320307	100.251364	111.434780	124.034690	138.236878
36	86.163966	95.836323	106.765189	119.120867	133.096945	148.913460
37	91.041344	101.628139	113.637274	127.268119	142.748247	160.337402
38	96.138205	107.709546	120.887324	135.904206	153.026883	172.561020
39	101.464424	114.095023	128.536127	145.058458	163.973630	185.640292
40	107.030312	120.799774	136.605614	154.761966	175.631916	199.635112
41	112.846688	127.839763	145.118923	165.047684	188.047990	214.609570
42	118.924789	135.231751	154.100064	175.950545	201.271110	230.632240
43	125.276404	142.993339	163.575989	187.507577	215.353732	247.776496
44	131.913842	151.143006	173.572669	199.758032	230.351725	266.120851
45	138.849965	159.700156	184.119165	212.743514	246.324587	285.749311
46	146.098241	168.685164	195.245719	226.508125	263.335685	306.751763
47	153.672633	178.119422	206.984234	241.098612	281.452504	329.224386
48	161.587902	187.025393	219.368366	256.564529	300.746817	353.270093
49	169.859357	196.426663	232.433627	272.958401	321.295467	378.999000
50	178.503028	209.347996	246.217476	290.335905	343.179672	406.528929

n	4½%	5%	5½%	6%	6½%	7%
51	187.535665	220.815396	260.759438	308.756059	366.486351	435.985955
52	196.974769	232.856165	276.101207	328.281422	391.307763	467.504971
53	206.838634	245.499874	292.286773	348.978308	417.742981	501.230319
54	217.146373	258.773922	309.362546	370.917006	445.896275	537.316442
55	227.917959	272.712618	327.377486	394.172027	475.079513	575.928593
56	239.174268	287.348249	346.383247	418.822348	507.811702	617.243594
57	250.937110	302.715662	366.434326	444.951689	540.819463	661.450646
58	263.229280	318.851445	387.588214	472.648790	578.037728	708.752191
59	276.074597	335.794017	409.905566	502.007718	616.610180	759.364804
60	289.497954	353.583718	433.450372	533.128101	657.689842	813.520383
61	303.525362	372.262904	458.290142	566.115072	701.439682	871.466810
62	318.184003	391.876049	484.496100	601.082024	748.033261	933.469487
63	333.502283	412.469851	512.143385	638.147793	797.655423	999.812351
64	349.509886	434.093344	541.311272	677.436661	850.503026	1070.799216
65	366.237831	456.798011	572.083392	719.082861	906.785722	1146.755161
66	383.718533	480.637912	604.547978	763.227832	966.726794	1228.028022
67	401.985867	505.669807	638.798117	810.021502	1030.564036	1314.399993
68	421.075231	531.953297	674.932013	859.622792	1098.550696	1408.039282
69	441.023617	559.550963	713.053274	912.200160	1170.956494	1507.602032
70	461.869680	588.528511	753.271204	967.932170	1248.068666	1614.134174
71	483.653815	618.954936	795.701120	1027.008100	1330.193129	1728.123566
72	506.418237	650.902683	840.464682	1089.628586	1417.655682	1850.092216
73	530.207289	684.447817	887.690240	1156.006301	1510.803302	1980.098671
74	555.066375	719.670208	937.513203	1226.366679	1610.055516	2120.240578
75	581.044364	756.653718	990.076429	1300.948680	1715.655875	2269.657419
76	608.191358	795.486404	1045.530633	1380.005601	1828.173507	2429.533438
77	636.559969	836.260725	1104.034817	1463.805937	1948.004785	2600.600779
78	666.205168	879.073761	1165.756732	1552.634184	2075.625096	2783.642833
79	697.184401	924.027449	1230.873353	1646.792350	2211.540727	2979.497831
80	729.557699	971.228821	1299.571387	1746.599891	2356.290874	3189.062680
81	763.347813	1020.790262	1372.047813	1852.395885	2510.449781	3413.297067
82	798.740246	1072.829774	1448.510443	1964.539638	2674.629017	3653.227862
83	835.683557	1127.471264	1529.178517	2083.412016	2849.479903	3909.953812
84	874.289317	1184.844828	1614.283336	2209.416737	3035.496639	4184.650529
85	914.632336	1245.087069	1704.068919	2342.981741	3234.016343	4478.576120
86	956.790791	1308.341422	1798.792710	2484.560646	3445.227405	4793.076448
87	1000.846377	1374.758493	1898.726309	2634.634285	3670.167187	5129.591799
88	1046.884464	1444.496418	2004.496418	2793.712342	3909.728054	5489.663225
89	1094.994265	1517.721239	2115.384850	2962.335002	4164.060377	5874.939651
90	1145.269007	1594.607301	2232.731017	3141.075187	4436.576302	6287.185437
91	1197.806112	1675.337666	2356.531223	3330.539698	4725.953761	6728.288407
92	1252.707387	1760.104549	2487.140440	3531.372080	5034.140756	7200.268595
93	1310.079219	1849.109777	2624.933164	3744.254405	5362.359905	7705.287397
94	1370.032784	1942.565266	2770.304408	3969.909669	5711.913299	8245.657515
95	1432.684259	2040.693529	2923.671235	4209.104250	6084.187663	8823.853541
96	1498.155051	2143.728205	3085.473153	4462.650505	6480.659864	9442.523388
97	1566.572028	2251.914616	3256.174176	4731.409535	6902.902757	10104.499919
98	1638.067770	2365.510346	3436.363765	5016.294107	7352.514311	10812.814913
99	1712.780819	2484.785864	3626.258262	5318.271753	7831.509871	11570.711957
100	1790.855956	2610.025157	3826.702467	5638.368059	8341.550018	12381.661794

TABLE 3. - Valeur définitive (acquise) d'une annuité de $1 ou

valeur de $S_{n|i} = \frac{(1+i)^n - 1}{i}$.

n'	8 %	9 %	10 %	12 %	16 %	20 %
1	1.000000	1.000000	1.000000	1.000000	1.000000	1.000000
2	2.080000	2.090000	2.100000	2.120000	2.160000	2.200000
3	3.246400	3.278100	3.310000	3.374400	3.505600	3.640000
4	4.506112	4.573129	4.641000	4.779328	5.066496	5.368000
5	5.866601	5.984711	6.105100	6.352847	6.877135	7.441600
6	7.335929	7.523335	7.715610	8.115189	8.977477	9.929920
7	8.922803	9.200435	9.487171	10.089012	11.413873	12.915904
8	10.636628	11.028474	11.435888	12.299693	14.240093	16.499085
9	12.487558	13.021036	13.579477	14.775656	17.518508	20.798902
10	14.486562	15.192930	15.937425	17.548735	21.321469	25.958682
11	16.645487	17.560293	18.531167	20.654583	25.732904	32.150419
12	18.977126	20.140720	21.384284	24.133133	30.850169	39.580502
13	21.495297	22.953385	24.522712	28.029109	36.786196	48.496603
14	24.214920	26.019189	27.974903	32.392602	43.671987	59.195923
15	27.152114	29.360916	31.772482	37.279715	51.659505	72.035108
16	30.324283	33.003399	35.949730	42.753280	60.925026	87.442129
17	33.750226	36.973705	40.544703	48.883674	71.673030	105.930555
18	37.450244	41.301338	45.599173	55.749715	84.140715	128.116666
19	41.446263	46.018458	51.159090	63.439681	98.603230	154.740000
20	45.761964	51.160120	57.274999	72.052442	115.379747	186.688000
21	50.422921	56.764530	64.002499	81.698736	134.840506	225.025600
22	55.456755	62.873338	71.402749	92.502584	157.414987	271.030719
23	60.893296	69.531939	79.543024	104.602894	183.601385	326.236863
24	66.764759	76.789813	88.497327	118.155241	213.977607	392.484236
25	73.105940	84.700896	98.347059	133.333870	249.214024	471.981083
26	79.954415	93.323977	109.181765	150.333934	290.088267	567.377300
27	87.350768	102.723135	121.099942	169.374007	337.502390	681.852760
28	95.338830	112.968217	134.209936	190.698887	392.502773	819.223312
29	103.965936	124.135356	148.630930	214.582754	456.303216	984.067974
30	113.283211	136.307539	164.494023	241.332684	530.311731	1181.881569
31	123.345868	149.575217	181.943425	271.292606	616.161608	1419.257883
32	134.213537	164.036987	201.137767	304.847719	715.747465	1704.109459
33	145.950620	179.800315	222.251544	342.429446	831.267059	2045.931351
34	158.626670	196.982344	245.476699	384.520979	965.269789	2456.117621
35	172.316804	215.710755	271.024368	431.663496	1120.712955	2948.341146
36	187.102148	236.124723	299.126805	484.463116	1301.027028	3539.009375
37	203.070320	258.375948	330.039486	543.598690	1510.191358	4247.811250
38	220.315945	282.629783	364.043434	609.830533	1752.821968	5098.373500
39	238.941221	309.066463	401.447778	684.010197	2034.273483	6119.048200
40	259.056519	337.882445	442.592556	767.091420	2360.757241	7343.857840
41	280.781040	369.291865	487.851811	860.142391	2739.478399	8813.629408
42	304.243523	403.528133	537.636992	964.359478	3178.794943	10577.355289
43	329.583005	440.845665	592.400692	1081.082615	3688.402134	12693.826347
44	356.949646	481.521775	652.640761	1211.812529	4279.546475	15233.591617
45	386.505617	525.858734	718.904837	1358.230032	4965.273911	18281.309940
46	418.426067	574.186021	791.795321	1522.217636	5760.717737	21938.571928
47	452.900152	626.862762	871.974053	1705.883752	6683.432557	26327.286314
48	490.132164	684.280411	960.172338	1911.589803	7753.781787	31593.743576
49	530.342737	746.865648	1057.189572	2141.980579	8995.386873	37913.492292
50	573.770156	815.083556	1163.908529	2400.018249	10435.648773	45497.190750

TABLE 4. - Valeur présente d'une annuité de $1 ou valeur de

$$a_{\overline{n}|i} = \frac{1 - (1+i)^{-n}}{i}.$$

n	$\frac{1}{4}$%	$\frac{1}{2}$%	$\frac{3}{4}$%	1%	$1\frac{1}{4}$%	$1\frac{1}{2}$%
1	.997506	.995025	.992556	.990099	.987654	.985222
2	1.992525	1.985099	1.977723	1.970395	1.963115	1.955883
3	2.985062	2.970248	2.955556	2.940985	2.926534	2.912200
4	3.975124	3.950496	3.925556	3.901966	3.878058	3.854385
5	4.962718	4.925866	4.889440	4.853431	4.817835	4.782645
6	5.947848	5.896384	5.845598	5.795476	5.746010	5.697187
7	6.930522	6.862074	6.794638	6.728195	6.662726	6.598214
8	7.910745	7.822959	7.736613	7.651678	7.568124	7.485925
9	8.888524	8.779064	8.671576	8.566018	8.462345	8.360517
10	9.863864	9.730412	9.599580	9.471305	9.345526	9.222185
11	10.836772	10.677027	10.520675	10.367628	10.217803	10.071118
12	11.807216	11.618932	11.434913	11.255077	11.079312	10.907505
13	12.775316	12.556151	12.342345	12.133740	11.930185	11.731532
14	13.740963	13.488708	13.243022	13.003701	12.770553	12.543382
15	14.704203	14.416625	14.136995	13.865053	13.600546	13.343233
16	15.665040	15.339925	15.024313	14.717874	14.420292	14.131264
17	16.623481	16.258632	15.905025	15.562251	15.229918	14.907649
18	17.579533	17.172768	16.779181	16.398269	16.029549	15.672561
19	18.533200	18.082356	17.646830	17.226008	16.819308	16.426168
20	19.484488	18.987419	18.508020	18.045553	17.599316	17.168639
21	20.433405	19.887979	19.362799	18.856983	18.369695	17.900137
22	21.379955	20.784059	20.211215	19.660379	19.130563	18.620824
23	22.324145	21.675681	21.053315	20.455821	19.882037	19.330861
24	23.265980	22.562866	21.889146	21.243387	20.624235	20.030405
25	24.205466	23.445638	22.718755	22.023156	21.357269	20.719411
26	25.142609	24.324018	23.542189	22.795204	22.081253	21.398632
27	26.077416	25.198028	24.359493	23.559609	22.796299	22.067617
28	27.009891	26.067689	25.170713	24.316443	23.502518	22.726717
29	27.940041	26.932273	25.975893	25.065785	24.200018	23.376076
30	28.867871	27.794054	26.775080	25.807708	24.888906	24.015838
31	29.793388	28.650900	27.568318	26.542285	25.569290	24.646146
32	30.716596	29.503284	28.355650	27.269589	26.241274	25.267139
33	31.637503	30.351526	29.137122	27.989673	26.904962	25.878954
34	32.556112	31.195548	29.912726	28.702666	27.560456	26.481728
35	33.472431	32.035371	30.682856	29.408580	28.207858	27.075595
36	34.386465	32.871016	31.446805	30.107505	28.847267	27.660684
37	35.298220	33.702504	32.205266	30.799510	29.478783	28.237127
38	36.207700	34.529854	32.958080	31.484663	30.102501	28.805052
39	37.114913	35.353089	33.705290	32.163033	30.718520	29.364583
40	38.019863	36.172228	34.446938	32.834686	31.326933	29.915845
41	38.922557	36.987291	35.183065	33.499689	31.927835	30.458961
42	39.822999	37.798300	35.913713	34.158108	32.521319	30.994050
43	40.721196	38.605274	36.638921	34.810008	33.107475	31.521232
44	41.617154	39.408232	37.358730	35.455454	33.686395	32.040632
45	42.510876	40.207196	38.073181	36.094508	34.258168	32.552317
46	43.402370	41.002185	38.782314	36.727236	34.822882	33.056490
47	44.291641	41.793219	39.486168	37.353699	35.380624	33.553192
48	45.178695	42.580318	40.184782	37.973959	35.931481	34.042554
49	46.063536	43.363500	40.878195	38.588079	36.475537	34.524683
50	46.946170	44.142786	41.566447	39.196118	37.012876	34.999688

n	$\frac{1}{4}$%	$\frac{1}{2}$%	$\frac{3}{4}$%	1%	$1\frac{1}{4}$%	$1\frac{1}{2}$%
51	47.626604	44.918195	42.249575	39.798136	37.543581	35.467673
52	48.704842	45.689747	42.927618	40.394194	38.067734	35.928742
53	49.580890	46.457459	43.600614	40.984351	38.585417	36.382997
54	50.454753	47.221353	44.268599	41.568664	39.096708	36.830539
55	51.326437	47.981445	44.931612	42.147192	39.601687	37.271467
56	52.195947	48.737757	45.589689	42.719992	40.100431	37.705879
57	53.063288	49.490305	46.242868	43.287121	40.593019	38.133871
58	53.928467	50.239109	46.891184	43.848635	41.079524	38.555538
59	54.791489	50.984189	47.534674	44.404509	41.560024	38.970973
60	55.652358	51.725561	48.173374	44.955038	42.034592	39.380269
61	56.511080	52.463245	48.807319	45.500038	42.503301	39.783516
62	57.367661	53.197258	49.436545	46.039642	42.966223	40.180804
63	58.222106	53.927620	50.061086	46.573903	43.423430	40.572221
64	59.074420	54.654348	50.680979	47.102874	43.874992	40.957853
65	59.924608	55.377461	51.296257	47.626608	44.320980	41.337746
66	60.772676	56.096976	51.906955	48.145156	44.761462	41.712105
67	61.618630	56.812912	52.513107	48.658571	45.196506	42.080891
68	62.462474	57.525285	53.114746	49.166901	45.626178	42.444228
69	63.304213	58.234115	53.711907	49.670199	46.050547	42.802195
70	64.143853	58.939418	54.304622	50.168514	46.469676	43.154872
71	64.981400	59.641212	54.892925	50.661895	46.883610	43.502337
72	65.816858	60.339514	55.476849	51.150391	47.292474	43.846667
73	66.650232	61.034342	56.056426	51.634051	47.696271	44.181938
74	67.481528	61.725714	56.631688	52.112922	48.095082	44.514224
75	68.310751	62.413645	57.202668	52.587051	48.488970	44.841600
76	69.137907	63.098155	57.769397	53.056486	48.877995	45.164138
77	69.963034	63.779258	58.331908	53.521274	49.262218	45.481910
78	70.786034	64.456973	58.890231	53.981459	49.641696	45.794985
79	71.607017	65.131317	59.444398	54.437088	50.016490	46.103433
80	72.425952	65.802305	59.994400	54.888206	50.386651	46.407323
81	73.242845	66.469956	60.540387	55.334858	50.752254	46.706723
82	74.057700	67.134284	61.082270	55.777087	51.113337	47.001697
83	74.870524	67.795308	61.620119	56.214937	51.469963	47.292313
84	75.681321	68.453042	62.153965	56.648453	51.822185	47.578633
85	76.490095	69.107505	62.683836	57.077676	52.170060	47.860722
86	77.296853	69.758711	63.209763	57.502650	52.513639	48.138643
87	78.101599	70.406678	63.731774	57.923415	52.852977	48.412456
88	78.904339	71.051421	64.249900	58.340015	53.188125	48.682222
89	79.705076	71.692956	64.764169	58.752490	53.519136	48.948002
90	80.503816	72.331300	65.274609	59.160881	53.846060	49.209855
91	81.300565	72.966467	65.781250	59.565229	54.168948	49.467837
92	82.095327	73.598475	66.284119	59.965573	54.487850	49.722007
93	82.888106	74.227338	66.783245	60.361954	54.802815	49.972421
94	83.678909	74.853073	67.278655	60.754410	55.113892	50.219134
95	84.467740	75.475694	67.770377	61.142980	55.421127	50.462201
96	85.254603	76.095218	68.258439	61.527703	55.724570	50.701675
97	86.039465	76.711660	68.742867	61.908617	56.024267	50.937494
98	86.822448	77.325035	69.223689	62.285759	56.320264	51.170660
99	87.603440	77.935358	69.700932	62.659168	56.612606	51.399074
100	88.382483	78.542645	70.174623	63.028879	56.901339	51.624704

TABLE 4. - Valeur présente d'une annuité de $1 ou valeur de

$$a_{\overline{n}|i} = \frac{1 - (1+i)^{-n}}{i}.$$

n	1/4 %	1/2 %	3/4 %	1 %	1 1/4 %	1 1/2 %
151	125.641502	105.820871	90.187831	77.742696	67.741420	59.627255
152	126.325688	106.289424	90.509020	77.963065	67.892760	59.731286
153	127.008168	106.755645	90.827812	78.181753	68.042232	59.833779
154	127.688945	107.219548	91.144230	78.398780	68.189859	59.934758
155	128.368025	107.681142	91.458293	78.611168	68.335663	60.034244
156	129.045412	108.140440	91.770018	78.822919	68.479668	60.132260
157	129.721109	108.597453	92.079422	79.032413	68.621894	60.228828
158	130.395121	109.052192	92.386523	79.240211	68.762364	60.323968
159	131.067452	109.504668	92.691338	79.445253	68.901101	60.417703
160	131.738107	109.954894	92.993804	79.649261	69.038124	60.510052
161	132.407089	110.402879	93.294178	79.850753	69.173456	60.601036
162	133.074403	110.848636	93.592236	80.050250	69.307117	60.690676
163	133.740053	111.292175	93.888075	80.247773	69.439128	60.778991
164	134.404043	111.733508	94.181712	80.443339	69.569509	60.866001
165	135.066377	112.172645	94.473164	80.636770	69.698280	60.951725
166	135.727060	112.609597	94.762445	80.828668	69.825462	61.036183
167	136.386094	113.044375	95.049574	81.018498	69.951074	61.119392
168	137.043486	113.476990	95.334564	81.206434	70.075134	61.201371
169	137.699238	113.907453	95.617434	81.392508	70.197664	61.282139
170	138.353354	114.335774	95.898197	81.576741	70.318680	61.361713
171	139.005981	114.761964	96.176871	81.759150	70.438203	61.440112
172	139.656698	115.186034	96.453470	81.939752	70.556250	61.517351
173	140.305933	115.607994	96.728039	82.118566	70.672839	61.593450
174	140.953549	116.027854	97.000506	82.295610	70.787989	61.668423
175	141.599550	116.445626	97.270973	82.470901	70.901718	61.742289
176	142.243940	116.861320	97.539428	82.644457	71.014042	61.815063
177	142.886724	117.274945	97.805884	82.816294	71.124980	61.886762
178	143.527904	117.686512	98.070356	82.986429	71.234548	61.957401
179	144.167485	118.096032	98.332859	83.154881	71.342764	62.026996
180	144.805471	118.503515	98.593409	83.321664	71.449643	62.095562
181	145.441867	118.908970	98.852019	83.486796	71.555203	62.163116
182	146.076675	119.312408	99.108703	83.650293	71.659460	62.229671
183	146.709900	119.713839	99.363477	83.812171	71.762429	62.295242
184	147.341546	120.113272	99.616355	83.972447	71.864128	62.359844
185	147.971617	120.510719	99.867350	84.131136	71.964571	62.423492
186	148.600117	120.906188	100.116476	84.288253	72.063773	62.486199
187	149.227050	121.299689	100.363748	84.443815	72.161752	62.547979
188	149.852418	121.691233	100.609179	84.597837	72.258520	62.608846
189	150.476228	122.080829	100.852783	84.750333	72.354094	62.668814
190	151.098482	122.468487	101.094574	84.901320	72.448488	62.727896
191	151.719184	122.854215	101.334565	85.050812	72.541716	62.786104
192	152.338338	123.238025	101.572769	85.198824	72.633794	62.843452
193	152.955948	123.619926	101.809200	85.345370	72.724735	62.899953
194	153.572018	123.999926	102.043871	85.490465	72.814553	62.955619
195	154.186552	124.377985	102.276795	85.634124	72.903262	63.010462
196	154.799553	124.754265	102.507985	85.776360	72.990876	63.064495
197	155.411025	125.128621	102.737454	85.917189	73.077408	63.117729
198	156.020973	125.501116	102.965215	86.056622	73.162873	63.170176
199	156.629397	125.871805	103.191280	86.194676	73.247729	63.221848
200	157.236308	126.240554	103.415663	86.331362	73.330648	63.272757

n	1/4 %	1/2 %	3/4 %	1 %	1 1/4 %	1 1/2 %
101	89.159584	79.146910	70.644787	63.394929	57.186508	51.846999
102	89.934748	79.748169	71.111451	63.757356	57.468156	52.066009
103	90.707878	80.346437	71.574641	64.116194	57.746327	52.281782
104	91.479279	80.941729	72.034383	64.471479	58.021064	52.494366
105	92.248658	81.534058	72.490703	64.823247	58.292409	52.703809
106	93.016118	82.123441	72.943626	65.171531	58.560404	52.910157
107	93.781663	82.709892	73.393177	65.516368	58.825090	53.113455
108	94.545300	83.293424	73.839382	65.857790	59.086509	53.313748
109	95.307033	83.874054	74.282265	66.195832	59.344700	53.511083
110	96.066865	84.451795	74.721851	66.530526	59.599704	53.705500
111	96.824803	85.026662	75.158165	66.861907	59.851559	53.897004
112	97.580851	85.598669	75.591230	67.190007	60.100305	54.085758
113	98.335014	86.167829	76.021072	67.514859	60.345980	54.271834
114	99.087295	86.734159	76.447714	67.836494	60.588623	54.454860
115	99.837701	87.297671	76.871181	68.154944	60.828269	54.635330
116	100.586236	87.858378	77.291494	68.470242	61.064957	54.813133
117	101.332903	88.416297	77.708627	68.782418	61.298723	54.988300
118	102.077709	88.971440	78.122759	69.091503	61.529603	55.160895
119	102.820657	89.523821	78.533755	69.397503	61.757633	55.330931
120	103.561753	90.073453	78.941693	69.700522	61.982847	55.498454
121	104.301001	90.620352	79.346577	70.000517	62.205281	55.663502
122	105.038405	91.164529	79.748480	70.297541	62.424969	55.826110
123	105.773970	91.705999	80.147374	70.591625	62.641945	55.986315
124	106.507700	92.244775	80.543300	70.882797	62.856243	56.144153
125	107.239601	92.780871	80.936277	71.171086	63.067893	56.299658
126	107.969677	93.314299	81.326330	71.456521	63.276931	56.452865
127	108.697932	93.845074	81.713479	71.739130	63.483389	56.603800
128	109.424371	94.373208	82.097746	72.018940	63.687298	56.752520
129	110.148999	94.898714	82.479152	72.295981	63.888689	56.899035
130	110.871819	95.421606	82.857719	72.570278	64.087594	57.043384
131	111.592837	95.941897	83.233468	72.841859	64.284044	57.185600
132	112.312057	96.459599	83.606420	73.110752	64.478068	57.325714
133	113.029483	96.974725	83.976596	73.376982	64.669697	57.463758
134	113.745121	97.487289	84.344016	73.640576	64.858960	57.599761
135	114.458973	97.997302	84.708700	73.901561	65.045886	57.733755
136	115.171046	98.504778	85.070670	74.159961	65.230505	57.865769
137	115.881342	99.009730	85.429946	74.415803	65.412844	57.995831
138	116.589868	99.512169	85.786547	74.669112	65.592933	58.123971
139	117.296626	100.012108	86.140493	74.919913	65.770798	58.250218
140	118.001622	100.509560	86.491804	75.168230	65.946467	58.374599
141	118.704660	101.004538	86.840501	75.414089	66.119967	58.497142
142	119.406344	101.497052	87.186601	75.657514	66.291326	58.617874
143	120.106079	101.987117	87.530125	75.898529	66.460569	58.736822
144	120.804069	102.474743	87.871092	76.137157	66.627722	58.854011
145	121.500481	102.959933	88.209521	76.373423	66.792812	58.969469
146	122.194831	103.442730	88.545430	76.607350	66.955864	59.083221
147	122.887612	103.923114	88.878960	76.838960	67.116902	59.195292
148	123.578665	104.401109	89.209765	77.068277	67.275953	59.305704
149	124.267938	104.876721	89.538229	77.295324	67.433040	59.414489
150	124.955606	105.349975	89.864247	77.520123	67.588188	59.521664

TABLE 4. - Valeur présente d'une annuité de $1 ou valeur de

$$a_{\overline{n}|i} = \frac{1 - (1+i)^{-n}}{i}.$$

n.	$\frac{1}{4}$ %	$\frac{1}{2}$ %	$\frac{3}{4}$ %	1 %	$1\frac{1}{4}$ %	$1\frac{1}{2}$ %
201	157.841704	126.407517	103.638375	86.466695	73.412986	63.322913
202	158.445590	126.972653	103.859429	86.600688	73.494307	63.372328
203	159.047970	127.335974	104.078838	86.733355	73.574624	63.421013
204	159.648848	127.697486	104.296613	86.864707	73.653950	63.468978
205	160.248228	128.057200	104.512768	86.994760	73.732296	63.516235
206	160.846112	128.415125	104.727313	87.123525	73.809675	63.562793
207	161.442506	128.771268	104.940261	87.251015	73.886099	63.608663
208	162.037413	129.125640	105.151624	87.377242	73.961579	63.653855
209	162.630835	129.478249	105.361413	87.502220	74.036128	63.698380
210	163.222778	129.829103	105.569641	87.625960	74.109756	63.742246
211	163.813245	130.178212	105.776318	87.748476	74.182475	63.785464
212	164.402240	130.525584	105.981458	87.869778	74.254296	63.828043
213	164.989765	130.871228	106.185069	87.989879	74.325231	63.869993
214	165.575826	131.215152	106.387166	88.108791	74.395290	63.911323
215	166.160425	131.557366	106.587758	88.226526	74.464484	63.952043
216	166.743566	131.897876	106.786856	88.343095	74.532823	63.992160
217	167.325253	132.236693	106.984473	88.458510	74.600319	64.031685
218	167.905489	132.573824	107.180618	88.572782	74.666982	64.070626
219	168.484278	132.909277	107.375303	88.685923	74.732822	64.108991
220	169.061624	133.243062	107.568539	88.797943	74.797849	64.146789
221	169.637530	133.575186	107.760337	88.908855	74.862073	64.184029
222	170.212000	133.905658	107.950706	89.018668	74.925504	64.220718
223	170.785038	134.234485	108.139659	89.127394	74.988152	64.256865
224	171.356646	134.561677	108.327205	89.235044	75.050027	64.292478
225	171.926829	134.887241	108.513355	89.341627	75.111138	64.327564
226	172.495590	135.211185	108.698119	89.447156	75.171494	64.362132
227	173.062933	135.533517	108.881507	89.551639	75.231105	64.396189
228	173.628861	135.854246	109.063531	89.655089	75.289980	64.429743
229	174.193377	136.173379	109.244200	89.757513	75.348129	64.462801
230	174.756486	136.490924	109.423523	89.858924	75.405559	64.495371
231	175.318191	136.806890	109.601512	89.959331	75.462281	64.527459
232	175.878494	137.121284	109.778175	90.058743	75.518302	64.559073
233	176.437401	137.434113	109.953524	90.157172	75.573632	64.590219
234	176.994913	137.745386	110.127567	90.254625	75.628278	64.620906
235	177.551036	138.055110	110.300315	90.351114	75.682250	64.651139
236	178.105771	138.363294	110.471777	90.446648	75.735556	64.680925
237	178.659124	138.669944	110.641962	90.541235	75.788203	64.710271
238	179.211096	138.975069	110.810880	90.634887	75.840201	64.739183
239	179.761692	139.278676	110.978541	90.727611	75.891556	64.767668
240	180.310914	139.580772	111.144954	90.819416	75.942278	64.795732
241	180.858767	139.881365	111.310128	90.910313	75.992373	64.823381
242	181.405254	140.180463	111.474073	91.000310	76.041850	64.850622
243	181.950378	140.478072	111.636797	91.089416	76.090716	64.877460
244	182.494143	140.774201	111.798309	91.177640	76.138979	64.903902
245	183.036552	141.068857	111.958620	91.264990	76.186644	64.929952
246	183.577608	141.362047	112.117737	91.351475	76.233724	64.955618
247	184.117314	141.653778	112.275669	91.437104	76.280221	64.980904
248	184.655675	141.944057	112.432426	91.521885	76.326144	65.005817
249	185.192693	142.232893	112.588016	91.605827	76.371501	65.030362
250	185.728373	142.520292	112.742447	91.688937	76.416297	65.054544

TABLE 4. - Valeur présente d'une annuité de $1 ou valeur de

$$a_{\overline{n}|i} = \frac{1-(1+i)^{-n}}{i}$$

n	1¾ %	2 %	2½ %	3 %	3½ %	4 %
1	.982801	.980392	.975610	.970874	.966184	.961538
2	1.948699	1.941561	1.927424	1.913470	1.899694	1.886095
3	2.907984	2.883883	2.856024	2.828611	2.801637	2.775091
4	3.830743	3.807729	3.761974	3.717098	3.673079	3.629895
5	4.747855	4.713460	4.645828	4.579707	4.515052	4.451822
6	5.648998	5.601431	5.508125	5.417191	5.328553	5.242137
7	6.534641	6.471991	6.349391	6.230283	6.114454	6.002055
8	7.405053	7.325481	7.170137	7.019692	6.873956	6.732745
9	8.260494	8.162237	7.970866	7.786109	7.607687	7.435332
10	9.101223	8.982585	8.752064	8.530203	8.316605	8.110896
11	9.927492	9.786848	9.514209	9.252624	9.001551	8.760477
12	10.739550	10.575341	10.257765	9.954004	9.663334	9.385074
13	11.537641	11.348374	10.983185	10.634955	10.302738	9.985648
14	12.322006	12.106249	11.690912	11.296073	10.920520	10.563123
15	13.092880	12.849264	12.381378	11.937935	11.517411	11.118387
16	13.850497	13.577709	13.055003	12.561102	12.094117	11.652296
17	14.595083	14.291872	13.712198	13.166118	12.651321	12.165669
18	15.326863	14.992031	14.353164	13.753513	13.189682	12.659297
19	16.046057	15.678462	14.978891	14.323799	13.709837	13.133939
20	16.752801	16.351433	15.589162	14.877475	14.212403	13.590326
21	17.447549	17.011209	16.184549	15.415024	14.697974	14.029160
22	18.130269	17.658048	16.765413	15.936917	15.167125	14.451115
23	18.801248	18.292204	17.332110	16.443608	15.620410	14.856842
24	19.460686	18.913926	17.884986	16.935543	16.058368	15.246963
25	20.108782	19.523456	18.424376	17.413148	16.481515	15.622080
26	20.745732	20.121036	18.950611	17.876842	16.890352	15.982769
27	21.371726	20.706898	19.464011	18.327031	17.285365	16.329586
28	21.986955	21.281272	19.964889	18.764108	17.667019	16.663063
29	22.591602	21.844385	20.453550	19.188455	18.035767	16.983715
30	23.185849	22.396456	20.930293	19.600441	18.392045	17.292033
31	23.769877	22.937702	21.395407	20.000428	18.736274	17.588494
32	24.343859	23.468335	21.849178	20.388766	19.068865	17.873551
33	24.907970	23.988592	22.291881	20.765792	19.390208	18.147646
34	25.462378	24.498593	22.723786	21.131837	19.700684	18.411198
35	26.007251	24.998619	23.145157	21.487220	20.000661	18.664613
36	26.542753	25.488842	23.556251	21.832252	20.290494	18.908282
37	27.069045	25.969453	23.957318	22.167235	20.570525	19.142579
38	27.586285	26.440641	24.348603	22.492462	20.841087	19.367864
39	28.094230	26.902588	24.730344	22.808215	21.102500	19.584485
40	28.594629	27.355479	25.102775	23.114772	21.355072	19.792774
41	29.085238	27.799489	25.466122	23.412400	21.599104	19.993052
42	29.567801	28.234794	25.820607	23.701359	21.834883	20.185627
43	30.042065	28.661562	26.166446	23.981902	22.062689	20.370795
44	30.508172	29.079963	26.503804	24.254224	22.282791	20.548841
45	30.966263	29.490160	26.833024	24.518713	22.495450	20.720040
46	31.416474	29.892314	27.154170	24.775449	22.700918	20.884654
47	31.858943	30.286582	27.467483	25.024708	22.899438	21.042936
48	32.293801	30.673120	27.773151	25.266707	23.091244	21.195131
49	32.721181	31.052078	28.071369	25.501657	23.276564	21.341472
50	33.141209	31.423606	28.362312	25.729764	23.455618	21.482185
51	33.554014	31.787849	28.646158	25.951227	23.628616	21.617485
52	33.959719	32.144950	28.923081	26.166240	23.795765	21.747582
53	34.358444	32.495049	29.193249	26.374990	23.957260	21.872675
54	34.750316	32.838283	29.456829	26.577660	24.113295	21.992957
55	35.135445	33.174788	29.713979	26.774428	24.264053	22.108612
56	35.513951	33.504694	29.964858	26.965464	24.409713	22.219819
57	35.885947	33.828131	30.209617	27.150936	24.550448	22.326749
58	36.251545	34.145226	30.448407	27.331005	24.686423	22.429567
59	36.610855	34.456104	30.681373	27.505831	24.817800	22.528430
60	36.963986	34.760887	30.908656	27.675564	24.944734	22.623490
61	37.311042	35.059693	31.130397	27.840353	25.067376	22.714894
62	37.652130	35.352640	31.346728	28.000343	25.185870	22.802783
63	37.987351	35.639843	31.557784	28.155673	25.300358	22.887291
64	38.317143	35.921415	31.763691	28.306478	25.410974	22.968549
65	38.640597	36.197464	31.964577	28.452892	25.517849	23.046682
66	38.958817	36.468103	32.160563	28.595040	25.621110	23.121810
67	39.271565	36.733435	32.351769	28.733049	25.720880	23.194048
68	39.578934	36.993564	32.538311	28.867038	25.817275	23.263507
69	39.881016	37.248592	32.720303	28.997124	25.910411	23.330296
70	40.177922	37.498620	32.897857	29.123421	26.000397	23.394515
71	40.469683	37.743744	33.071080	29.246040	26.087340	23.456264
72	40.756445	37.984063	33.240078	29.365088	26.171343	23.515639
73	41.038276	38.219670	33.404954	29.480667	26.252505	23.572730
74	41.315259	38.450657	33.565809	29.592881	26.330223	23.627625
75	41.587478	38.677114	33.722740	29.701826	26.406689	23.680408
76	41.855015	38.899132	33.875844	29.807598	26.479892	23.731162
77	42.117951	39.116796	34.025214	29.910290	26.550621	23.779963
78	42.376364	39.330192	34.170940	30.009990	26.618957	23.826888
79	42.630334	39.539404	34.313113	30.106786	26.684983	23.872008
80	42.879925	39.744514	34.451817	30.200763	26.748776	23.915392
81	43.125243	39.945602	34.587139	30.292003	26.810411	23.957108
82	43.366332	40.142747	34.719160	30.380586	26.869963	23.997219
83	43.603275	40.336026	34.847961	30.466588	26.927500	24.035787
84	43.836142	40.525516	34.973620	30.550086	26.983092	24.072872
85	44.065005	40.711290	35.096215	30.631151	27.036804	24.108531
86	44.289931	40.893422	35.215819	30.709855	27.088699	24.142818
87	44.510989	41.071982	35.332507	30.786267	27.138840	24.175787
88	44.728244	41.247041	35.446348	30.860454	27.187285	24.207487
89	44.941764	41.418668	35.557413	30.932479	27.234092	24.237969
90	45.151610	41.586929	35.665768	31.002407	27.279316	24.267278
91	45.357848	41.751891	35.771481	31.070298	27.323010	24.295459
92	45.560539	41.913619	35.874616	31.136212	27.365227	24.322557
93	45.759743	42.072175	35.975235	31.200206	27.406017	24.348612
94	45.955521	42.227623	36.073400	31.262336	27.445427	24.373666
95	46.147933	42.380023	36.169171	31.322656	27.483504	24.397756
96	46.337035	42.529434	36.262606	31.381219	27.520294	24.420919
97	46.522884	42.675916	36.353762	31.438080	27.555839	24.443191
98	46.705537	42.819525	36.442694	31.493279	27.590183	24.464607
99	46.885049	42.960319	36.529458	31.546872	27.623365	24.485199
100	47.061473	43.098352	36.614105	31.598905	27.655425	24.504999

TABLE 4. - Valeur présente d'une annuité de $1 ou valeur de

$$a_{\overline{n}|i} = \frac{1 - (1+i)^{-n}}{i}.$$

n	1¾%	2%	2½%	3%	3½%	4%
101	47.234863	43.233678	36.696688	31.649423	27.686401	24.524037
102	47.405271	43.366351	36.777257	31.698469	27.716330	24.542344
103	47.572748	43.496423	36.855860	31.746086	27.745246	24.559946
104	47.737344	43.623934	36.932546	31.792317	27.773185	24.576871
105	47.899110	43.748964	37.007362	31.837201	27.800178	24.593145
106	48.058093	43.871534	37.080354	31.880777	27.826259	24.608794
107	48.214342	43.991700	37.151564	31.923085	27.851458	24.623840
108	48.367904	44.109510	37.221039	31.964160	27.875805	24.638308
109	48.518824	44.225009	37.288818	32.004039	27.899329	24.652219
110	48.667149	44.338245	37.354944	32.042756	27.922057	24.665595
111	48.812923	44.449259	37.419458	32.080346	27.944016	24.678457
112	48.956190	44.558097	37.482398	32.116840	27.965233	24.690824
113	49.096992	44.664801	37.543803	32.152272	27.985732	24.702715
114	49.235373	44.769413	37.603710	32.186672	28.005538	24.714149
115	49.371374	44.871974	37.662156	32.220070	28.024675	24.725144
116	49.505036	44.972523	37.719177	32.252495	28.043164	24.735715
117	49.636399	45.071101	37.774807	32.283976	28.061028	24.745880
118	49.765503	45.167746	37.829080	32.314540	28.078288	24.755654
119	49.892386	45.262496	37.882029	32.344213	28.094964	24.765052
120	50.017087	45.355389	37.933687	32.373023	28.111077	24.774088
121	50.139643	45.446459	37.984085	32.400993	28.126644	24.782777
122	50.260092	45.535744	38.033253	32.428148	28.141685	24.791132
123	50.378469	45.623279	38.081223	32.454513	28.156217	24.799165
124	50.494809	45.709097	38.128022	32.480110	28.170258	24.806889
125	50.609149	45.793232	38.173680	32.504961	28.183825	24.814317
126	50.721523	45.875718	38.218225	32.529088	28.196932	24.821458
127	50.831963	45.956586	38.261683	32.552513	28.209596	24.828325
128	50.940504	46.035869	38.304081	32.575255	28.221832	24.834928
129	51.047179	46.113597	38.345444	32.597335	28.233654	24.841277
130	51.152018	46.189801	38.385799	32.618772	28.245076	24.847382
131	51.255055	46.264511	38.425170	32.639584	28.256112	24.853252
132	51.356319	46.337756	38.463581	32.659791	28.266775	24.858896
133	51.455842	46.409564	38.501054	32.679408	28.277078	24.864323
134	51.553653	46.479965	38.537614	32.698455	28.287032	24.869541
135	51.649782	46.548985	38.573282	32.716946	28.296649	24.874559
136	51.744258	46.616652	38.608080	32.734899	28.305941	24.879384
137	51.837108	46.682992	38.642029	32.752330	28.314919	24.884023
138	51.928362	46.748032	38.675150	32.769252	28.323593	24.888483
139	52.018046	46.811796	38.707464	32.785682	28.331974	24.892773
140	52.106188	46.874310	38.738989	32.801633	28.340071	24.896897
141	52.192814	46.935598	38.769745	32.817119	28.347895	24.900862
142	52.277949	46.995684	38.799752	32.832154	28.355454	24.904675
143	52.361621	47.054592	38.829026	32.846752	28.362758	24.908342
144	52.443854	47.112345	38.857586	32.860924	28.369814	24.911867
145	52.524672	47.168966	38.885450	32.874684	28.376632	24.915257
146	52.604100	47.224476	38.912634	32.888042	28.383219	24.918516
147	52.682162	47.278898	38.939155	32.901012	28.389584	24.921650
148	52.758882	47.332253	38.965030	32.913604	28.395733	24.924663
149	52.834282	47.384562	38.990273	32.925829	28.401675	24.927561
150	52.908385	47.435845	39.014900	32.937698	28.407415	24.930347

TABLE 4. – Valeur présente d'une annuité de $1 ou valeur de

$$a_{\overline{n}|i} = \frac{1-(1+i)^{-n}}{i}.$$

n	4½%	5%	5½%	6%	6½%	7%
1	.956938	.952381	.947867	.943396	.938967	.934579
2	1.872668	1.859410	1.846320	1.833393	1.820626	1.808018
3	2.748964	2.723248	2.697933	2.673012	2.648476	2.624316
4	3.587526	3.545951	3.505150	3.465106	3.425799	3.387211
5	4.389977	4.329477	4.270284	4.212364	4.155679	4.100197
6	5.157872	5.075692	4.995530	4.917324	4.841014	4.766540
7	5.892701	5.786373	5.682967	5.582381	5.484520	5.389289
8	6.595886	6.463213	6.334566	6.209794	6.088751	5.971299
9	7.268790	7.107822	6.952195	6.801692	6.656104	6.515232
10	7.912718	7.721735	7.537626	7.360087	7.188830	7.023582
11	8.528917	8.306414	8.092598	7.886875	7.689042	7.498674
12	9.118581	8.863252	8.618518	8.383844	8.158725	7.942686
13	9.682852	9.393573	9.117079	8.852683	8.599742	8.357651
14	10.222825	9.898641	9.589648	9.294984	9.013842	8.745468
15	10.739546	10.379658	10.037581	9.712249	9.402669	9.107914
16	11.234015	10.837770	10.462162	10.105895	9.767764	9.446649
17	11.707191	11.274066	10.864009	10.477260	10.110577	9.763223
18	12.159992	11.689587	11.246074	10.827603	10.432466	10.059087
19	12.593294	12.085321	11.607654	11.158116	10.734710	10.335595
20	13.007936	12.462210	11.950382	11.469921	11.018507	10.594014
21	13.404724	12.821153	12.275244	11.764077	11.284983	10.835527
22	13.784425	13.163003	12.583170	12.041582	11.535196	11.061240
23	14.147478	13.488574	12.875042	12.303379	11.770137	11.272187
24	14.495478	13.798642	13.151699	12.550358	11.990739	11.469334
25	14.828209	14.093945	13.413733	12.783356	12.197877	11.653583
26	15.146611	14.375185	13.662495	13.003166	12.392373	11.825779
27	15.451303	14.643034	13.898100	13.210534	12.574998	11.986709
28	15.742874	14.898127	14.121422	13.406164	12.746477	12.137111
29	16.021889	15.141074	14.333101	13.590721	12.907490	12.277674
30	16.288889	15.372451	14.533745	13.764831	13.058676	12.409041
31	16.544391	15.592811	14.723929	13.929086	13.200635	12.531814
32	16.788891	15.802677	14.904198	14.084043	13.333929	12.646555
33	17.022862	16.002549	15.075069	14.230230	13.459088	12.753790
34	17.246758	16.192904	15.237033	14.368141	13.576609	12.854009
35	17.461012	16.374194	15.390552	14.498246	13.686957	12.947672
36	17.666041	16.546041	15.536068	14.620987	13.790570	13.035208
37	17.862240	16.711287	15.673999	14.736780	13.887859	13.117017
38	18.049990	16.867893	15.804738	14.846019	13.979210	13.193473
39	18.229656	17.017041	15.928662	14.949075	14.064986	13.264928
40	18.401584	17.159086	16.046125	15.046297	14.145527	13.331709
41	18.566109	17.294368	16.157464	15.138016	14.221152	13.394120
42	18.723550	17.423208	16.262999	15.224543	14.292161	13.452449
43	18.874210	17.545912	16.363032	15.306173	14.358837	13.506942
44	19.018383	17.662773	16.457851	15.383182	14.421443	13.557900
45	19.156347	17.774070	16.547726	15.455832	14.480228	13.605522
46	19.288371	17.880066	16.632915	15.524370	14.535426	13.650020
47	19.414709	17.981016	16.713648	15.589028	14.587254	13.691608
48	19.535607	18.077158	16.790203	15.650027	14.635919	13.730474
49	19.651298	18.168722	16.862551	15.707572	14.681615	13.766798
50	19.762008	18.255925	16.931518	15.761861	14.724521	13.800746
51	19.867950	18.338977	16.996699	15.813076	14.764808	13.832473
52	19.969330	18.418073	17.058403	15.861393	14.802637	13.862124
53	20.066345	18.493403	17.117045	15.906974	14.838157	13.889836
54	20.159181	18.565146	17.172555	15.949976	14.871505	13.915735
55	20.248021	18.633472	17.225170	15.990543	14.902825	13.939939
56	20.333034	18.698545	17.275043	16.028814	14.932230	13.962560
57	20.414387	18.760519	17.322316	16.064919	14.959840	13.983701
58	20.492236	18.819542	17.367124	16.098980	14.985766	14.003458
59	20.566733	18.875754	17.409596	16.131113	15.010109	14.021924
60	20.638022	18.929290	17.449854	16.161428	15.032966	14.039181
61	20.706241	18.980276	17.488013	16.190026	15.054428	14.055309
62	20.771523	19.028836	17.524183	16.217006	15.074580	14.070383
63	20.833993	19.075080	17.558468	16.242458	15.093503	14.084470
64	20.893773	19.119124	17.590965	16.266470	15.111270	14.097635
65	20.950979	19.161070	17.621767	16.289123	15.127953	14.109940
66	21.005722	19.201019	17.650964	16.310493	15.143618	14.121439
67	21.058107	19.239066	17.678639	16.330654	15.158327	14.132186
68	21.108236	19.275301	17.704871	16.349673	15.172138	14.142230
69	21.156116	19.309810	17.729736	16.367617	15.185106	14.151617
70	21.202112	19.342677	17.753304	16.384544	15.197282	14.160389
71	21.246112	19.373978	17.775644	16.400513	15.208716	14.168588
72	21.288077	19.403788	17.796819	16.415578	15.219452	14.176251
73	21.328303	19.432179	17.816890	16.429791	15.229532	14.183412
74	21.366797	19.459218	17.835914	16.443199	15.238997	14.190104
75	21.403634	19.484954	17.853947	16.455848	15.247885	14.196359
76	21.438884	19.509495	17.871040	16.467781	15.256230	14.202205
77	21.472616	19.532853	17.887242	16.479039	15.264065	14.207668
78	21.504896	19.555098	17.902599	16.489659	15.271423	14.212774
79	21.535785	19.576284	17.917155	16.499677	15.278331	14.217546
80	21.565345	19.596460	17.930953	16.509131	15.284818	14.222005
81	21.593632	19.615677	17.944031	16.518048	15.290909	14.226173
82	21.620700	19.633978	17.956428	16.526460	15.296628	14.230069
83	21.646603	19.651407	17.968178	16.534396	15.301998	14.233709
84	21.671390	19.668007	17.979316	16.541883	15.307041	14.237111
85	21.695110	19.683816	17.989873	16.548947	15.311775	14.240291
86	21.717809	19.698873	17.999879	16.555610	15.316221	14.243262
87	21.739530	19.713212	18.009364	16.561896	15.320395	14.246040
88	21.760316	19.726869	18.018355	16.567827	15.324315	14.248635
89	21.780207	19.739875	18.026876	16.573421	15.327995	14.251061
90	21.799241	19.752262	18.034954	16.578699	15.331451	14.253328
91	21.817455	19.764059	18.042610	16.583679	15.334696	14.255447
92	21.834885	19.775294	18.049868	16.588376	15.337742	14.257427
93	21.851565	19.785994	18.056747	16.592808	15.340603	14.259277
94	21.867526	19.796185	18.063267	16.596988	15.343289	14.261007
95	21.882800	19.805891	18.069447	16.600932	15.345812	14.262623
96	21.897417	19.815134	18.075306	16.604653	15.348180	14.264134
97	21.911403	19.823937	18.080858	16.608163	15.350404	14.265546
98	21.924788	19.832321	18.086122	16.611475	15.352492	14.266865
99	21.937596	19.840306	18.091111	16.614599	15.354452	14.268098
100	21.949853	19.847910	18.095839	16.617546	15.356293	14.269251

TABLE 4. - Valeur présente d'une annuité de $1 ou valeur de

$$a_{\overline{n}|i} = \frac{1 - (1+i)^{-n}}{i}$$

n	8 %	9 %	10 %	12 %	16 %	20 %
1	.925926	.917431	.909091	.892857	.862069	.833333
2	1.783265	1.759111	1.735537	1.690051	1.605232	1.527778
3	2.577097	2.531295	2.486852	2.401831	2.245890	2.106481
4	3.312127	3.239720	3.169865	3.037349	2.798181	2.588735
5	3.992710	3.889651	3.790787	3.604776	3.274294	2.990612
6	4.622880	4.485919	4.355261	4.111407	3.684736	3.325510
7	5.206370	5.032953	4.868419	4.563757	4.038565	3.604592
8	5.746639	5.534819	5.334926	4.967640	4.343591	3.837160
9	6.246888	5.995247	5.759024	5.328250	4.606544	4.030967
10	6.710081	6.417658	6.144567	5.650223	4.833227	4.192472
11	7.138964	6.805191	6.495061	5.937699	5.028644	4.327060
12	7.536078	7.160725	6.813692	6.194374	5.197107	4.439217
13	7.903776	7.486904	7.103356	6.423548	5.342334	4.532681
14	8.244237	7.786150	7.366687	6.628168	5.467529	4.610567
15	8.559479	8.060688	7.606080	6.810864	5.575456	4.675473
16	8.851369	8.312558	7.823709	6.973986	5.668497	4.729561
17	9.121638	8.543631	8.021553	7.119630	5.748704	4.774634
18	9.371887	8.755625	8.201412	7.249670	5.817848	4.812195
19	9.603599	8.950115	8.364920	7.365777	5.877455	4.843496
20	9.818147	9.128546	8.513564	7.469444	5.928841	4.869580
21	10.016803	9.292244	8.648694	7.562003	5.973139	4.891316
22	10.200744	9.442425	8.771540	7.644646	6.011326	4.909430
23	10.371059	9.580207	8.883218	7.718434	6.044247	4.924525
24	10.528758	9.706612	8.984744	7.784316	6.072627	4.937104
25	10.674776	9.822580	9.077040	7.843139	6.097092	4.947587
26	10.809978	9.928972	9.160945	7.895660	6.118183	4.956323
27	10.935165	10.026580	9.237223	7.942554	6.136364	4.963602
28	11.051078	10.116128	9.306567	7.984423	6.152038	4.969668
29	11.158406	10.198283	9.369606	8.021806	6.165550	4.974724
30	11.257783	10.273654	9.426914	8.055184	6.177198	4.978936
31	11.349799	10.342802	9.479013	8.084986	6.187240	4.982447
32	11.434999	10.406240	9.526376	8.111594	6.195897	4.985372
33	11.513888	10.464441	9.569432	8.135352	6.203359	4.987810
34	11.586934	10.517835	9.608575	8.156564	6.209792	4.989842
35	11.654568	10.566821	9.644159	8.175504	6.215338	4.991535
36	11.717193	10.611763	9.676508	8.192414	6.220119	4.992946
37	11.775179	10.652993	9.705917	8.207513	6.224241	4.994122
38	11.828869	10.690820	9.732651	8.220993	6.227794	4.995101
39	11.878582	10.725523	9.756956	8.233030	6.230857	4.995918
40	11.924613	10.757360	9.779051	8.243777	6.233497	4.996598
41	11.967235	10.786569	9.799137	8.253372	6.235773	4.997165
42	12.006699	10.813366	9.817397	8.261939	6.237736	4.997638
43	12.043240	10.837950	9.833998	8.269589	6.239427	4.998031
44	12.077074	10.840505	9.849089	8.276418	6.240886	4.998359
45	12.108402	10.881197	9.862808	8.282516	6.242143	4.998633
46	12.137409	10.900181	9.875280	8.287961	6.243227	4.998861
47	12.164267	10.917597	9.886618	8.292822	6.244161	4.999051
48	12.189136	10.933575	9.896926	8.297163	6.244966	4.999209
49	12.212163	10.948234	9.906296	8.301038	6.245661	4.999341
50	12.233485	10.961683	9.914814	8.304498	6.246259	4.999451

TABLE 5. Loi normale centrée réduite

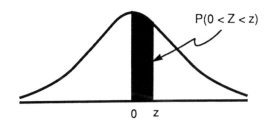

P(0 < Z < z)

0   z

z	0,00	0,01	0,02	0,03	0,04	0,05	0,06	0,07	0,08	0,09
0,0	0,0000	0,0040	0,0080	0,0120	0,0160	0,0199	0,0239	0,0279	0,0319	0,0359
0,1	0,0398	0,0438	0,0478	0,0517	0,0557	0,0596	0,0636	0,0675	0,0714	0,0753
0,2	0,0793	0,0832	0,0871	0,0910	0,0948	0,0987	0,1026	0,1064	0,1103	0,1141
0,3	0,1179	0,1217	0,1255	0,1293	0,1331	0,1368	0,1406	0,1443	0,1480	0,1517
0,4	0,1554	0,1591	0,1628	0,1664	0,1700	0,1736	0,1772	0,1808	0,1844	0,1879
0,5	0,1915	0,1950	0,1985	0,2019	0,2054	0,2088	0,2123	0,2157	0,2190	0,2224
0,6	0,2257	0,2291	0,2324	0,2357	0,2389	0,2422	0,2454	0,2486	0,2517	0,2549
0,7	0,2580	0,2611	0,2642	0,2673	0,2703	0,2734	0,2764	0,2794	0,2823	0,2852
0,8	0,2881	0,2910	0,2939	0,2967	0,2995	0,3023	0,3051	0,3078	0,3106	0,3133
0,9	0,3159	0,3186	0,3212	0,3238	0,3264	0,3289	0,3315	0,3340	0,3365	0,3389
1,0	0,3413	0,3438	0,3461	0,3485	0,3508	0,3531	0,3554	0,3577	0,3599	0,3621
1,1	0,3643	0,3665	0,3686	0,3708	0,3729	0,3749	0,3770	0,3790	0,3810	0,3830
1,2	0,3849	0,3869	0,3888	0,3907	0,3925	0,3944	0,3962	0,3980	0,3997	0,4015
1,3	0,4032	0,4049	0,4066	0,4082	0,4099	0,4115	0,4131	0,4147	0,4162	0,4177
1,4	0,4192	0,4207	0,4222	0,4236	0,4251	0,4265	0,4279	0,4292	0,4306	0,4319
1,5	0,4332	0,4345	0,4357	0,4370	0,4382	0,4394	0,4406	0,4418	0,4429	0,4441
1,6	0,4452	0,4463	0,4474	0,4484	0,4495	0,4505	0,4515	0,4525	0,4535	0,4545
1,7	0,4554	0,4564	0,4573	0,4582	0,4591	0,4599	0,4608	0,4616	0,4625	0,4633
1,8	0,4641	0,4649	0,4656	0,4664	0,4671	0,4678	0,4686	0,4693	0,4699	0,4706
1,9	0,4713	0,4719	0,4726	0,4732	0,4738	0,4744	0,4750	0,4756	0,4761	0,4767
2,0	0,4772	0,4778	0,4783	0,4788	0,4793	0,4798	0,4803	0,4808	0,4812	0,4817
2,1	0,4821	0,4826	0,4830	0,4834	0,4838	0,4842	0,4846	0,4850	0,4854	0,4857
2,2	0,4861	0,4864	0,4868	0,4871	0,4875	0,4878	0,4881	0,4884	0,4887	0,4890
2,3	0,4893	0,4896	0,4898	0,4901	0,4904	0,4906	0,4909	0,4911	0,4913	0,4916
2,4	0,4918	0,4920	0,4922	0,4925	0,4927	0,4929	0,4931	0,4932	0,4934	0,4936
2,5	0,4938	0,4940	0,4941	0,4943	0,4945	0,4946	0,4948	0,4949	0,4951	0,4952
2,6	0,4953	0,4955	0,4956	0,4957	0,4959	0,4960	0,4961	0,4962	0,4963	0,4964
2,7	0,4965	0,4966	0,4967	0,4968	0,4969	0,4970	0,4971	0,4972	0,4973	0,4974
2,8	0,4974	0,4975	0,4976	0,4977	0,4977	0,4978	0,4979	0,4979	0,4980	0,4981
2,9	0,4981	0,4982	0,4982	0,4983	0,4984	0,4984	0,4985	0,4985	0,4986	0,4986
3,0	0,4987	0,4987	0,4987	0,4988	0,4988	0,4989	0,4989	0,4989	0,4990	0,4990
3,1	0,4990	0,4991	0,4991	0,4991	0,4992	0,4992	0,4992	0,4992	0,4993	0,4993
3,2	0,4993	0,4993	0,4994	0,4994	0,4994	0,4994	0,4994	0,4995	0,4995	0,4995
3,3	0,4995	0,4995	0,4995	0,4996	0,4996	0,4996	0,4996	0,4996	0,4996	0,4997
3,4	0,4997	0,4997	0,4997	0,4997	0,4997	0,4997	0,4997	0,4997	0,4997	0,4998
3,5	0,4998	0,4998	0,4998	0,4998	0,4998	0,4998	0,4998	0,4998	0,4998	0,4998
3,6	0,4998	0,4998	0,4999	0,4999	0,4999	0,4999	0,4999	0,4999	0,4999	0,4999
3,7	0,4999	0,4999	0,4999	0,4999	0,4999	0,4999	0,4999	0,4999	0,4999	0,4999
3,8	0,4999	0,4999	0,4999	0,4999	0,4999	0,4999	0,4999	0,4999	0,4999	0,4999
3,9	0,5000	0,5000	0,5000	0,5000	0,5000	0,5000	0,5000	0,5000	0,5000	0,5000

INDEX

RÉPONSES AUX EXERCICES

1. a) V   b) F   c) F   d) F   e) F   f) F
   g) V   h) F   i) F   j) F   k) F   l) V
   m) F   n) F

2. d

3. b

4. e

5. e

6. a) 120 000 unités   b) 103 333 unités   c) 5
   d) Indéfini   e) 5   f) -5

7. a) Point mort en unités vendues = 8081
   Point mort en dollars de ventes = 258 592$
   c) 7027 unités

8. a) 710 unités et 1690 unités
   b) 1200 unités; Profit = 4000$

9. a) 25 000 unités
   b) CLE (à 0 unité) = 0
   CLE (à 10 000 unités) = -0,67
   CLE (à 20 000 unités) = -4
   CLE (à 25 000 unités) = Indéfini
   CLE (à 30 000 unités) = 6
   CLE (à 40 000 unités) = 2,67
   CLE (à 50 000 unités) = 2

10. a) CLE = 2,33
    CLF = 1,5
    CLT = 3,5
    b) Augmentation en % = 22,86%
    Augmentation en $ = 228 600$

11. a) 37 931 unités
    b) CLE = 1,32
    CLF = 1,22
    CLT = 1,61

12. Emission d'actions privilégiées: CLF = 1,83
    Emission d'obligations: CLF = 1,6

13. a) Entreprise A: 15 833 unités
    Entreprise B: 10 000 unités
    Entreprise C: 3 250 unités
    b) Entreprise A: 12 500 unités
    Entreprise B: 7 500 unités
    Entreprise C: 2 500 unités
    c) Entreprise A: 1,66
    Entreprise B: 1,33
    Entreprise C: 1,09
    d) La plus risquée: Entreprise A; la moins risquée: Entreprise C

14. 40 000$

Exercice en annexe: a) 15 000 unités. b) 0,9633. c) 0,3133

Chapitre 2

1.	a) F	b) V	c) F	d) F	e) F	f) V

1.
a) F	b) V	c) F	d) F	e) F	f) V
g) F	h) F	i) F	j) V	k) F	l) V
m) V	n) V	o) V	p) V	q) F	r) V

2. Augmentation des bénéfices non répartis = 8000$

3. Bénéfice net = 30 000$
Actif à court terme = 50 000$
Passif à court terme = 25 000$
Dette à long terme = 75 000$
Bénéfices non répartis = 60 000$

4. Total de l'actif = 456 250$

5. 1º Etat de l'évolution de l'encaisse: total des sources = 233 000$
2º Etat de l'évolution de la situation financière (selon les recommandations de l'I.C.C.A. antérieures à 1985):
total des sources = 128 000$
diminution du fonds de roulement net = 42 000$
3º Etat de l'évolution financière (selon les nouvelles recommandations de l'I.C.C.A.):
mouvements de fonds liés aux activités d'exploitation = 113 000$
mouvements de fonds liés aux activités de financement = (120 000$)
mouvements de fonds liés aux activités d'investissement = (50 000$)
Actif liquide à la fin de l'exercice = (30 000$)

6. Non

7. a)

		1989	1990
1.	Ratio du fonds de roulement	2,37	1,96
2.	Ratio de trésorerie	1,49	1,22
3.	Ratio du passif total à l'actif total	0,47	0,46
4.	Ratio de couverture des intérêts	5,26 fois	3,88 fois
5.	Rotation des stocks	5,60 fois	5,14 fois
6.	Délai moyen de recouvrement des comptes à recevoir	32,61 jours	45,07 jours
7.	Rotation des immobilisations	2,77 fois	2,25 fois
8.	Rotation de l'actif total	1,30 fois	1,12 fois
9.	Marge nette sur les ventes	6,24%	4,13%
10.	Marge brute sur les ventes	26,44%	25,51%
11.	Rentabilité de l'actif total	8,12%	4,62%
12.	Rentabilité de l'avoir des actionnaires	15,39%	8,58%

d) 12,10%   e) 3,40

8.   a)
1.   Ratio du fonds de roulement = 1,64
2.   Ratio de trésorerie = 0,65
3.   Ratio du passif total à l'actif total = 0,6749
4.   Ratio de couverture des intérêts = 3,24 fois
5.   Rotation des stocks = 3,05 fois
6.   Délai moyen de recouvrement des comptes à recevoir = 52,79 jours
7.   Rotation des immobilisations = 2,83 fois
8.   Rotation de l'actif total = 1,26 fois
9.   Marge nette sur les ventes = 5,04%
10.   Marge brute sur les ventes = 23,21%
11.   Rentabilité de l'actif total = 6,32%
12.   Rentabilité de l'avoir des actionnaires = 19,45%
d) 74 630$

9.   c)

	1988	1989	1990
Ratio du fonds de roulement	2,04	1,99	2,04
Ratio de trésorerie	0,64	0,54	0,62
Ratio du passif total à l'actif total	0,47	0,51	0,47
Ratio de couverture des intérêts	4,42 fois	3,19 fois	2,94 fois
Rotation des stocks	1,03 fois	0,99 fois	1,14 fois
Délai moyen de recouvrement des comptes à recevoir	57,8 jours	57,6 jours	63,5 jours
Rotation des immobilisations	1,36 fois	2,14 fois	3,25 fois
Rotation de l'actif total	0,59 fois	0,73 fois	0,90 fois
Marge nette sur les ventes	14,08%	7,96%	5,98%
Marge brute sur les ventes	40%	39,22%	40%
Rentabilité de l'actif total	8,35%	5,81%	5,40%
Rentabilité de l'avoir des actionnaires	15,88%	11,87%	11,41%

Chapitre 3

1.   Surplus d'encaisse (mai) = 28 000$
Financement total requis (juin) = 38 000$
Surplus d'encaisse (juillet) = 3500$
2.   a)   Surplus d'encaisse (septembre) = 16 750$
Surplus d'encaisse (octobre) = 3125$
Financement total requis (novembre) = 89 812$
Financement total requis (décembre) = 183 687$
b)   Environ 200 000$ (plus exactement 183 687$ si on se base sur le budget de caisse)
3.   Total de l'actif = 600 000$
Financement externe requis = 22 800$
4.   a) 45 276$ b) 3,83%
5.   a) $\hat{y}_i = -238.11295 + (0,313485)x_i$ b) 545 600$ c) 476 000$
6.   Bénéfice net = 476 617$
Total de l'actif = 1 081 936$
Total du passif à court terme = 224 862$

7. Bénéfice net = 268 500$
   Total de l'actif = 1 793 500$
   Total du passif à court terme = 147 750$
8. Coût des produits vendus = 386 930$
   Bénéfice net = 68 442$
   Total de l'actif = 350 320$

Chapitre 4

1. a) F   b) V   c) F   d) F   e) F   f) V
   g) V   h) V   i) F   j) F   k) V   l) V
   m) F   n) F   o) V   p) F   q) F
2. a) 1 440 000$ b) 840 000$
3. a) 11%   b) 10,1%   c) 10,93%
   d) 11,33%. Diminuer le risque financier.
4. a)

	Stratégie A	Stratégie B	Stratégie C
1. Fonds de roulement	- 100 000$	50 000$	200 000$
2. Ratio du fonds de roulement	0,75	1,20	3
3. Taux de rendement espéré des actionnaires	11,01%	10,24%	9,47%
4. Ratio d'endettement	50%	50%	50%
5. Ratio de couverture des intérêts	2,59 fois	2,33 fois	2,12 fois

   b) La plus risquée: Stratégie A
      La moins risquée: Stratégie C
5. BFFR ≅ 44 133$$

Chapitre 5

1. a) F   b) F   c) F   d) V   e) F   f) F
   g) F   h) F   i) V   j) F   k) F   l) F
   m) F
2. a) Non, car les revenus annuels d'intérêt prévus (4558,90$) sont inférieurs
      aux coûts annuels prévus (7000$)
   b) 15,35%
3. 1873,97$
4. a) Non, car les revenus annuels d'intérêt prévus (10 958,90$) sont inférieurs
      aux coûts prévus (15 000$).
   b) 10 958,90$
5. 20 au minimum
6. a) 50 000$ b) 24   c) 25 000$ d) 6000$

6.   e)

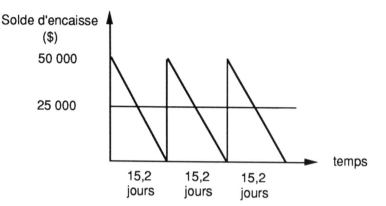

7.   a)   1. Les frais de transaction et de gestion attribuables à l'achat ou à la vente des titres
        2. La variance des fluctuations journalières du solde d'encaisse
        3. Le taux d'intérêt quotidien sur les placements à court terme de l'entreprise
        4. La limite inférieure de l'encaisse
    b) W = 18 650,61$ c) M = 51 951,83$ d) 24 200,81$
8.   a) 17,94%   b) 12,19%

Chapitre 6

1.   a) V   b) F   c) V   d) F   e) F   f) F
        g) F   h) F   i) F   j) V   k) F   l) F
2.   Oui. Augmentation du bénéfice avant impôt = 42 830,14$.
3.   Oui. Augmentation du bénéfice avant impôt = 2349,32$
4.   Oui. On devrait retenir la proposition 3.
        Augmentation du bénéfice avant impôt (proposition 1) = 57 123,29$
        Augmentation du bénéfice avant impôt (proposition 2) = 76 452,05$
        Augmentation du bénéfice avant impôt (proposition 3) = 113 706,85$
5.   a) 2000 unités   b) 50   c) 4000$
6.   a) 250 unités   b) 8   c) 205 unités
        d) 832,50$ e) 112 unités
7.   a) 60 unités   b) 40 commandes   c) 2160$ d) 30 unités

Chapitre 7

1.   a) F   b) F   c) V   d) F   e) V   f) F
        g) F   h) F   i) F   j) V   k) V   l) F
        m) F   n) F   o) F   p) F   q) F   r) F
        s) V   t) V   u) V   v) F   w) F   x) F
        y) V   z) V

2.   a) 75,26%   b) 29,80%   c) 49,66%   d) 7,37%   e) 14,11%
3.   a) 37,63%   b) 18,62%   c) 24,83%   d) 5,67%   e) 11,88%
     Effet de cette pratique: diminuer le coût implicite du crédit commercial.
4.   60 jours
5.   a) 82 191,78$ b) 27 397,26$
6.   Emprunter à la banque au taux effectif annuel de 15%. Le taux effectif annuel
     associé aux conditions de crédit «2/10, net 60» est de 15,88%.
7.   Emprunter à la banque X au taux de 10%. Le taux effectif annuel de la
     banque Y est de 10,50%.
8.   La meilleure possibilité est la première.
     Taux effectif annuel (possibilité 1) = 14%
     Taux effectif annuel (possibilité 2) = 15%
     Taux effectif annuel (possibilité 3) = 15,07%
9.   a) 11,25%   b) 11,74%

Annexe

1.   4124,13$
2.   5515,76$
3.   8,84 années
4.   d
5.   b
6.   4,16%
7.   10 833,87$
8.   18 000$ comptant
9.   799,35$
10. Taux nominal = 10,72%
     Taux effectif annuel = 11,16%
11. C
12. 11 732,95$
13. 1697,30$
14. a) 2,5%   b) 10,38%
15. X = 1172,51$ (prestations indexées à 8%)
     X = 1022,93$ (prestations indexées à 6%)
16. a) 16 666,67$ b) 17 166,67$ c) 10 083,61$
17. a) 19,67%   b) 18,79%   c) 645,98$ d) 39 452,43$
     e) 1,2126%   f) 506,48$ g) 847,03$
18. a) 7282,09$
19. 10,95%
20. a
21. 23,12%
22. a) 10%   b) 87 655,84$ c) 69 450,82$ d) 54 999,96$
23. a) F   b) F   c) V   d) V   e) V   f) V   g) V